天田昭次

解説・解題　土子民夫

鉄と日本刀

慶友社

遊びと日本人

多田道太郎

鉄と日本刀

鉄と日本刀　目次

Ⅱ「鉄」を求めて——97

写真撮影／トム岸田・岸田克法（作品）　三品謙次　加藤栄助
写真提供／文藝春秋　青雲書院　日本美術刀剣保存協会　刀剣春秋新聞社　日産自動車　銀座長州屋
福士繁雄　穴澤義功　平井昭司
取材協力／豊浦町役場　フォレストゴルフクラブ　カワイスチール　ＪＦＥスチール　日立金属
日本刀剣　九州大学工学部　日本刀剣保存会（吉川永一）
「鉄の歴史―その技術と文化―」フォーラム　日本美術刀剣新聞社
井垣謙三　金子モト　久津見宣子　今野高子　中島久子　高山一之　宮入小左衛門行平

〈自序〉日本刀の本質は「地鉄」にあり

刀は地鉄《じがね》だね――。本間薫山《くんざん》先生①から最初にその言葉を聞いたのは、確か昭和四十年代の中ごろ、刀剣博物館②の館長室であったと記憶します。

「地鉄」と言うとき、刀③の世界では二つの意味があります。一つは、主に刀鍛冶が使う言葉で、普通は素材としての「鉄」全般を指し、狭義には刃金《はがね》や芯《しん》金《がね》に対する地の金（地金・皮金）を言います④。もう一つは鑑賞用語で、地肌の状態（「鍛え」とも言う）を表します。後者の方が一般的かもしれません。本間先生は普段多くを語る方ではなく、そのときも説明など一切ありませんでしたが、その一言は私にとってきわめて重いものでした。

素材を吟味して刀を作るのは自明のことではないか、あるいは、地肌を優先するのは一つの見方にすぎないではないか――。聞きようによっては、そんな受け取り方をされるかもしれません。本間先生は大学生のころから旧大名家などを訪ねては、秘蔵の名刀を鑑賞する機会に恵まれたといい、その後の生涯を刀一筋に歩まれた方でした。幾度となく見られたであろうその刀をあらためて手に取り、なめるようにして鑑賞しておられた晩年の姿が目に浮かびます。「刀は地鉄」とは、古今の刀剣鑑定家のうちでも、おそらく最高の鑑識水準に

①本間薫山（明治三十七年～平成三年）
本名順治。山形県生まれ。文部省嘱託・国立博物館調査課長・文化財保護委員会美術工芸課長などを経て、刀剣博物館館長・財団法人日本美術刀剣保存協会会長。戦後刀剣界の指導者、鑑定家。文学博士。著書に『日本刀』『日本古刀史』などがある。

②刀剣博物館
財団法人日本美術刀剣保存協会の設立二〇年を記念して昭和四十三年五月に開館。国宝・重要文化財をはじめ、多数の刀剣類を管理し、公開している。

あった先生にして発することができた箴言《しんげん》だと思います。

　姿形・地鉄・焼刃のいずれも卓越し、それらが見事に調和しているものが、名刀です。新刀や新々刀にも名刀は少なくありませんが、趣の深さでは何と言っても古刀です。まさに「鉄《くろがね》の美」の真骨頂です。現代において、その再現を目指そうとしたとき（すべての刀鍛冶が夢見ているわけですが）、どこを出発点とし、どういう道筋をたどればいいのかは、実は大変に難しい問題です。

　富士山は御殿場登山道からでも、富士宮口や吉田口からでも山頂を目指せますが、名刀に到達する過程には何の道しるべもないのです。雲海の彼方に見える頂上に果たして行き着けるのかどうか、確信が持てないままに裾野を右往左往しているのが実情かもしれません。

　かつて新作刀の大きなテーマが「写し物」であった時期があります。本間先生や佐藤寒山《かんざん》⑤先生らが中心になって、「名品を写せ」と盛んに指導され、名刀を間近に見る機会も設けられました。

　当時、コンクールの講評などでしばしば指摘されるのは、姿や刃文などの具体的な事柄でした。「先反《さきぞ》りが強すぎる」「一文字⑥写しなら丁子《ちょうじ》⑦主体でなくては。互《ぐ》の目《め》⑧が目立ちすぎる」「中心《なかご》は鑢目《やすりめ》の一本までも丁寧に」等々。これらには、軍刀⑨を量産した戦前の弊習を脱し、戦後＝美術刀剣時代にふさわしい中身を一挙に実現させたいという戦略的な意図が込められていたと思います。

　写し物の真意は「温故知新」にあったはずです。お手本に徹底的に倣うことで、自らの問題点が自覚でき、技術上の進歩があり、新しい発見も生まれます。

東京都渋谷区代々木四―二五―一〇
☎〇三―三三七九―一三八六

③ここでは刀・日本刀・刀剣（類）などを一般用語として用い、特に区別していない。

④刃金（刃鉄とも）・芯金・地金
六一ページ参照。

⑤佐藤寒山（明治四十年〜昭和五十三年）
本名貫一。山形県生まれ。東京国立博物館刀剣室長・工芸課長を経て、財団法人日本美術刀剣保存協会専務理事・刀剣博物館副館長。本間博士とともに日本刀の保存と普及に貢献した。文学博士。『国広大鑑』『虎徹大鑑』など著書多数。

⑥一文字
銘字に「一」を切る一派の刀工、およびその作品。備前の福岡一文字・吉岡一文字・正中《しょうちゅう》一文字、備中の片山一文字、鎌倉一文字（助真《すけざね》の異称）などの別

本間先生のような方でさえ、見るたびに新たな感動や気づきがあったからこそ、見飽きることがなかったのだろうと思います。しかし、よく見て、深く知るということは、言うは易く、なかなか出来難いものでもあります。

刀鍛冶はずいぶん勉強させてもらったのですが、そのうちに「時代ごとに名刀があるように、昭和には昭和の名刀があっていいはずだ」「もっとオリジナリティーを追求したい」といった声が高まり、写し物に対する関心は後退していきました。写し物の本当の意義が究められないまま中断してしまったのは、誠に残念でした。しかし、習作を通して、まがりなりにも古典の正統に触れることができた作刀界は、併せて戦後の美術刀剣の規範が古名刀の中にあることを知ったのでした。

戦前の私の同僚で、戦後は彫刻に進んで海外でも高く評価されていた金子篤《あつ》司《し》⑩は、「君たちに大包平《おおがねひら》⑪が再現できるか。それができなくては伝統工芸とは言えないな」などと、作刀の現状を批評したものです。物を作る世界にあっては、伝統の技を体得し、古典を復元できるのは当たり前、その上で新しい何かが作品に反映されないと、作家は評価されません。刀の特異性を論《あげつら》ってみたところで、金子の辛口の指摘の前には、言い訳にしかなりません。彼がわれわれに残してくれた遺言のように、ときどきそれを思い出します。

日本刀とは、反りが備わり、形態上の完成を見た平安時代中ごろ以降の刀剣類の総称です。それ以前の直刀などは、大陸からの舶載品や出土刀も含めて上古刀とか古代刀と呼びます。日本刀はさらに、製作された時代によって、古

がある。名作が多い。

⑦丁子刃
丁子の蕾《つぼみ》に似て頭が丸く、下のすぼまる形が連なった刃文。鎌倉時代の備前の作に多く見る。

⑧互の目
碁石《ごいし》を並べたように焼刃の頭が丸くそろって連続しているもの。互の目に不定形の乱れ刃が交じるものを互の目乱れと言う。

⑨軍刀
ここでは陸海軍の将校が佩用していた実戦刀を指す。初めはサーベル式であったが、陸軍は昭和九年、海軍は十二年に、いずれも太刀様の制式に改めた。軍刀と昭和刀は同義ではないが、今次大戦で洋鉄製の粗製品が大量に供されたため、一般にはほとんど同じ印象を持たれている。

⑩金子篤司（大正十一年～平成十四年）
岩手県生まれ。日本刀鍛錬伝習所に学び、昭成と銘す。戦後は東京芸術大学で木彫を専攻した。平櫛田中《ひらくしでんちゅう》に師事。日本文化振興会会長。国際芸術文化賞、パレ・デ・コングレ賞、フランス・ミレー賞などを受賞。大韓民国教育文化

刀・新刀・新々刀・現代刀⑫に大別されます。

文献上では奈良時代にさかのぼる刀鍛冶も見られますが、在銘正真の作から推して、永延（九八七～九八九）のころとされる山城国（京都府）の三条宗近《むねちか》⑬が最古期の鍛冶でしょう。ほぼ同じ時期、伯耆国《ほうき》（鳥取県）に安綱《やすつな》⑭が、備前国（岡山県）に友成《ともなり》や正恒《まさつね》⑮が現れたとみられます。以後、各地に刀工集団が根を下ろし、それぞれに特徴のある作風を伝えていきます。このように、日本刀は一〇〇〇年を超える歴史を有し、その足跡が現存の作品からたどれます。

最も名工の輩出した時代はいつかというと、鎌倉時代中期から南北朝時代にかけてであることは、私ばかりでなく多くが認めるところでしょう。日本刀の絶頂期と言っても過言ではありません。特に藤四郎吉光《よしみつ》⑯・長船長光《おさふねながみつ》⑰・正宗《まさむね》⑱にそれぞれ代表される山城・備前・相模《さがみ》（神奈川県）の三国には、その後の作刀の目標となる作風が現れました。鑑賞の視点からすると、頂点を目指しつつ、さまざまな制約の下で、ついに鎌倉・南北朝を超えられずに推移してきたのが、以後の日本刀史であったと思います。

本間先生は鑑賞と研究の膨大な蓄積に基づいて、おそらく、「刀の本質は地鉄にあり」と言わんとしたのでしょう。思い描く地鉄は、鎌倉・南北朝のそれだったに違いありません。姿がいい、焼きにも破綻《はたん》がない、しかし地鉄に面白みがないというのでは、その刀は見るに足らないものです。華やかな刃文を表すのもいいが、そこに輝く沸《にえ》や深い匂《におい》⑲、金筋や稲妻⑳などの働きも欲しいとなると、地鉄を無視しては表現不可能です。つまり、地鉄こそが日本刀の根本の

勲章、世界仏教法王庁文化勲章を受章。刀に関連する作品に「小鍛冶」「栗原彦三郎先生」がある。

⑪大包平
「備前国包平」在銘、刃長二尺九寸四分（約八九・一センチ）の太刀で、国宝。岡山藩主・池田家の重宝であったが、昭和四十二年、当時としては破格の六五〇〇万円で国が買い上げ、現在は東京国立博物館の所蔵となっている。包平は古備前派の刀工。

⑫古刀・新刀・新々刀・現代刀
製作されたのが平安時代（七九四～一一八五）の中ごろから安土桃山時代の文禄（～一五九六）までを古刀、慶長（一五九六～）から江戸時代後半の安永（～一七八一）までを新刀、天明（一七八一～）から廃刀令のあった明治初年までを新々刀と呼び、それ以降を現代刀としている。新々刀を新刀と区別した初めは、本阿彌光遜『日本刀』（大正三年刊）という。その下限を、新々刀刀工が後を絶つ大正とする見方もある。

⑬三条宗近
宗近は一条天皇の御宇、永延のころに京三条に住んだという。「三条」と銘

要素であるということです。鉄の持ち味を十分に引き出した上で、土と火と水の作用が相まって、初めて可能性が出てくるのです。

その鉄が、わかっていません。言えることは、古刀と新刀との間には地鉄の決定的な違いが横たわっているということです。鉄の生まれの違いと言ってもいいでしょう。しかも、現物は存在しません。古刀期の原料は砂鉄か鉄鉱石か、その産地と種類は、どのような方法で還元したものか、二次的な加工はしていないのか、行っているとすれば方法は――など、判然としないことばかりです。製品が鋼《はがね》だったのか、銑《ずく》㉑だったのかの見解も分かれるところです。

「刀は地鉄」の言葉を聞き、重く受け止めたのは、図らずも私の問題意識を簡潔な表現で突かれたからでした。苦しみながら追い求めてきたテーマでありました。鎌倉・南北朝の名刀を目指すなら、素材を手に入れなくてはならない、求めて見つかるものでないなら、作り出すしかない――。そう決心して、可能かどうかさえ考えず、手探りで鉄作りを始めたのが四十数年前です。それからも、同じ言葉をしばしば聞きましたが、聞くたびに思いを新たにし、勇気づけられて今日まで来たように思います。

わからないのは、鉄だけではありません。目標とする時代の刀鍛冶たちが、どんな作り方をしたのか、内実はほとんどわかっていません。幸い幕末の秘伝書があって、基本のやり方はわれわれと同じであることが確認できますが、さてこの鍛法が古刀につながっているかとなると、はなはだ疑問です。もしかすると、古刀期には全く違う方法が行われていたのかもしれません。

する場合と「宗近」と切る場合とがあり、前者は刀銘（佩裏《はきうら》）に切ると伝える。「三日月」と号のある太刀（国宝）は「三条」銘である。足利将軍家重代の宝物で、後に徳川家に伝えられた。最も古い時代の京物の代表的な出来を示し、日本刀屈指の名作とされる。

⑭伯耆安綱
古剣書によれば、安綱は大同（八〇六～一〇）のころの人で、伯耆国大原に住し、伯耆鍛冶の祖という。しかし、大同はまだ直刀形式の時代であり、実作からも宗近よりやや下るとみられる。源頼光が酒顚童子《しゅてんどうじ》を退治したと伝える太刀が国宝の「童子切安綱」である。豊臣家・徳川家を経て、作州津山の松平家に永く伝来し、現在は東京国立博物館が所蔵している。

⑮古備前友成・正恒
平安時代末期から鎌倉時代初期ごろにかけての備前の刀工群を古備前派と呼ぶ。中でも友成は、三条宗近・伯耆安綱と並ぶ最古の名工である。正恒には現存品も多い。

⑯藤四郎吉光
鎌倉時代中期の山城国粟田口派の刀

自家製鉄

工。太刀はまれで、現存する作品はほとんどが短刀。正宗と郷《ごうの》義弘を併せて「三作」と呼び、大名家では格式を表す上で不可欠のものとして重んじた。

⑰長船長光

長船派は鎌倉時代中期から室町時代末期まで名工を輩出した最大の流派である。長光は始祖光忠の子で、同名が二代あるという。古来、名物も多く、名品も数多く現存する。

⑱正宗

日本刀の代名詞的存在であるが、在銘品がまれなためもあって、明治の中ごろには「正宗抹殺論」が唱えられた。鎌倉時代末期から南北朝時代にかけて実在したことは明らかであり、その作風は日本刀史に革命をもたらした。

⑲沸・匂

焼刃境の粒子が肉眼でとらえられ、星のようにキラキラと輝いて見えるのが沸、粒としてはとらえられず、天の川のように白くかすんで見えるのを匂と言う。沸も匂も、金属学でマルテンサイトやトルースタイトと呼ぶ炭素を固溶した硬い組織である。

鉄がわからない、作り方もわからない、あるのは名刀だけという状況の下で、その名刀を目指して作ろうとするのがいかに無謀であるかは、重々承知しています。どちらかでもわかれば、あとは一方を究めるだけですが、両方ともわからないのでは、闇夜の礫《つぶて》です。それが、程度の差はあれ、現代の刀鍛冶に共通する宿命のようです。

少年のころ日本刀との縁があり、名刀に導かれて長い旅が始まりました。やがて、日本刀の神秘を探るうちに、根底に「鉄」があることを知りました。日本刀も「鉄」も、ある意味では魔力を持った生き物です。いつしか引き返せないところに至っており、さらに奥深く引き込まれていきました。「地鉄」を究めてみようと思った瞬間、魔界への扉を開けてしまったのかもしれません。

今、冷静に考えると、ばかばかしい実験もずいぶん試み、無駄を重ねてきました。そして、相変わらず同じ道を行ったり来たりしている有様です。後悔しても始まりません。無駄なこととわかっただけでも成果だし、少しは進展もあったと納得することにします。日本刀作りには毎回胸が躍る楽しみもあり、生涯現役を通せるのも幸せです。が、許された時間は残り少なくなってきました。あとは私なりに、作品をもって「刀は地鉄」と訴えていくことだと思います。

こんな状態で皆さんにお伝えできる中身があるかどうか、心もとない限りですが、せっかくのお勧めであり、勉強のつもりで筆を執ることにします。魔力の方はともかくとして、日本刀の魅力に触れる一助として、鉄と日本刀にかかわってきた私の拙い体験が役立つならば、望外の喜びです。

⑳金筋・稲妻
刃縁や刃中にあって周囲と異なり、黒く光り輝いている直線状のものを金筋(金線とも)と言い、屈折しているものを特に稲妻と呼ぶ。これらは地の部分ではしばしば地景となって現れる。

㉑鉄・鋼・銑
一般に鉄と総称するが、工業上は炭素含有量〇・〇四～一・七パーセントのものを鋼、それ以下を鉄、それ以上を銑と言う。江戸時代初期に編まれた『和漢三才図会』では、鉄を熟鉄・柔金と記し、いずれもナマカネと読んでいる。延鉄《のべがね》・包丁鉄・錬鉄(ねりかね・れんてつ)と呼ぶのも鉄である。鋼はしばしば釼の文字を当てている。銑(銑鉄)は俗にズクとかナマコと言い、鋳物の素材になるために鋳鉄《ちゅうてつ》とも言う。鍋・釜を鋳たので、鍋鉄とも称した。また、生鉄《なまがね》の名称も知られているが、ナマガネと言うとき、刀鍛冶のほとんどは銑ではなく、鉄を指している。

I

「鉄」と日本刀

鍛　錬

日本刀はなぜ貴ばれたか

小学校教科書に見る日本刀

日本人で、日本刀を知らない人はまずいないと思います。近ごろは海外に紹介される機会も多い[①]ようですから、日本刀は外国人の間でも相当認知度の高い日本の文物の一つでしょう。しかし、どこまで知っているかというと、人によってさまざまだと思います。映画や雑誌で見て何となく知ってはいても、本物を実際に見たことのある方の割合はそれほど多くないかもしれません。

そこで、日本刀とはどういうものか、簡潔に説明しようと思うのですが、なかなか容易にいきません。『広辞苑』を見ると、「わが国固有の方法で鍛えた刀。刀質の優秀さをもって早くから海外にも知られた。慶長（一五九六〜一六一五）以前のものを古刀、以後のものを新刀という」とあり、併せて「刀」の項を参照すると、形態上の説明が出ています。これだけで、日本刀の何たるかがわかった、ということにはならないでしょう。

思い出したのが、次の一文です。まずは、これを読んでいただきましょう。

日　本　刀

刀は武士の魂である。古の武士は、寸時もこれを身辺からはなさなかつ

①財団法人日本美術刀剣保存協会は現在、海外に二つの支部を置いている。ほかにも欧米の各地には愛好家の団体があり、活動を展開している。海外の愛好家は近年増加の傾向にある。

た。（※）

日本刀の鋭利なことは改めていふまでもない。源家の重宝鬚切《ひげきり》②の太刀は、首を打つに鬚までも切れたので此の名があり、波およぎ兼光《かねみつ》③といふ刀は、切られた人が其のま、しばらくおよいでから首が落ちたと伝へられる。其の外、冑《かぶと》を切つた話、鉄砲を切つた刀、馬の平首を手綱諸共に打落した話など、日本刀の鋭利を物語る伝説は数へるにいとまがない。

しかし、日本刀は、たゞ切味がよいばかりではなく、打合つて折れず曲らぬところに大なる優秀性がある。如何に鋭利な刀でも、斬合つて直ちに折れたり曲つたりするものは、実用にたへないから、古来刀工の苦心は此の上に注がれて、特殊の鍛錬法を発達させた。すなはち、日本刀は全体を同一の鉄で造るのではなく、切るに必要な堅さを持つ百錬鍛造の鉄と、折れないための柔かみを与へる鉄とを重ね合はせて造るのである。此の異なる二つの鉄の重ね方にはいろいろあるが、柔かい鉄を刀の中心として、周囲を堅い鉄で包むのが最も普通である。

かうした実用上の価値の外に、美観は、日本刀の持つ一大特色である。長さ・幅・厚さの釣合の取れた形、気持よくぐつとはいつた反《そり》、物打から切先へかけての軽やかな線、それらをひつくるめた全体の美しさに先づ心は打たれるが、更に其のしつとりと滑らかで底光りする鉄の色、直刃《すぐは》④・乱刃《みだれは》⑤の刃文の美しさ等に至つては、筆舌のよくするところではない。世界何れの国に、かくの如き美しい刀剣があらうぞ。

②鬚切
『平治物語』に源義家が安倍氏との戦いの折、捕虜一〇人の首をいずれも口ひげもろとも切り落としたところから命名されたとある。源氏の重宝であった点は共通するが、異説もある。太刀は現存せず、作者も不明。

③波およぎ兼光
いさかいの折に背後から切り付けられた者がそのまま川を泳ぎ切り、岸に着いたところで体が二つになったという。本人も気づかなかったほど、見事な切れ味であったところから付いた異名。豊臣秀吉から拝領した小早川秀詮《ひであき》の愛刀。中心《なかご》の表に「波およき末代釼《たち》兼光也」、裏に「羽柴岡山中納言秀詮所持之」の金象嵌銘がある。重要美術品。兼光は南北朝時代の備前長船派の正統を継ぐ名工。

④直刃
焼刃の形が直線状をなすもの。匂口の広狭から広直刃・中直刃・細直刃・糸直刃の区別がある。

⑤乱れ刃
直刃以外の刃文は、すべて乱れ刃である。乱れ刃にはさまざまな種類があり、

しかも、日本刀の貴さは単に美のみではなくて、其のをかすべからざる気品にある。鞘を払つて、じつと眺めてゐると、どこから来るか、どこから湧くか、一脈の気魄《きはく》がりんとして身に迫るのを覚える。一度起つてこれを振るへば惰気《だき》も邪気《じやき》も一瞬に霧散して、心気は自ら清明となる。しかも、此の気魄は決して荒々しいものではない。そこには、鉄壁をも貫くべき鋭さを、かすみの如く包んだ一道の和気がただよふ。此の気品、此の気魄こそ、日本刀の至宝であらねばならぬ。

刀工が刀を鍛へるに当つては、仕事場を清浄《しやうじやう》にし、しめなはを張り、神を祭り、精進潔斎《しやうじんけつさい》、ひたすら清らかな心を以て、一槌《ひとつち》々々精魂を打込むのである。若し邪悪な心があれば、如何に切味がよくとも捨ててかへりみられない。

日本刀の精神的意義は実にこ、にある。武士が刀剣を帯する意義もこ、に存する。刀は、決して敵を斬るのを目的とするのではなく、身を守り、

部分の名称

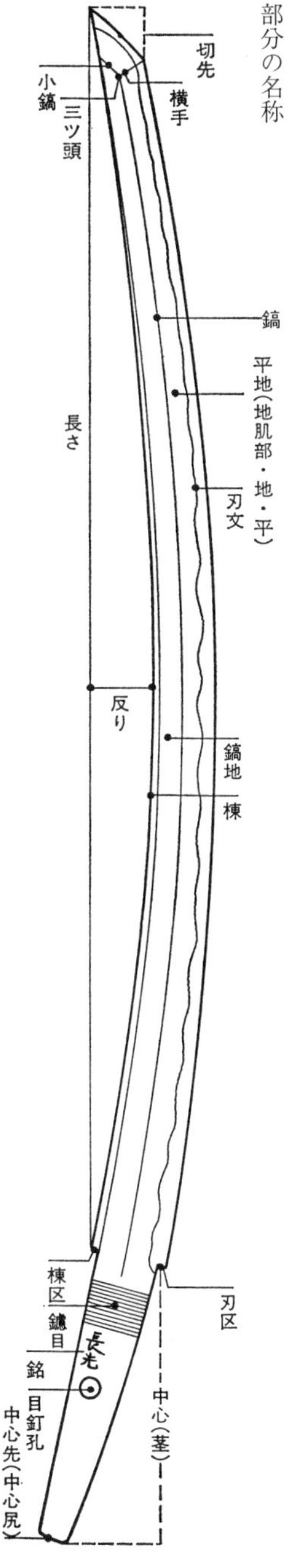

鑑定や鑑賞の重要な見どころになっている。

抜かざるにすでに敵を威服するに足るものでなければならぬ。
平和を愛し、美を喜ぶ我が国民の優美な性情と、善にくみし、邪をにくむ正義観とは、まことに日本刀の精神其のものといふべきである。

右の文章は、文部省が編纂した『小学国語読本』⑥尋常科用・巻十一（昭和十三年）の第二十八課全文です。恩師・栗原彦三郎⑦先生は衆議院議員在職当時、国民に日本刀を理解してもらうための活動を盛んに展開しており、その成果の一つとしてようやくこの年、教科書の改訂に際し「日本刀」が採用になったと聞いています。刀鍛冶だった私の父は前年に亡くなりましたが、当時これを読んで、父が精魂を傾けたわけが子供心にもいくらかわかったように思いました。

日中戦争⑧が拡大していた時代の背景もあってか、二行目の※印のところには「今の軍人も、軍刀には皆これを用ひる」と入っています。この個所をあえて伏せたのは、この一行を除けば、今読んでいただいても全く違和感のない、正しい内容だと思ったからです（常用漢字に改めた以外は、原文のままとしました）。執筆者は日本刀に造詣《ぞうけい》の深い、かなり有力な学者か作家のようですが、どなたかはわかりません。

＊

日本刀の四つの価値

文章は、鋭利さで知られる日本刀の伝説から説き起こし、特異な鍛造法を略述し、次いで美観について言及し、最後にその精神的意義を述べる展開になっています。そして、日本刀こそは、優美と正義に生きるわが国民精神の具体的

⑥『小学国語読本』
近代学校で教科書が使われたのは明治五年の学制制定以降である。そのうち、国定教科書は明治三十七年から昭和二十年に及ぶ。昭和八年から十五年にかけての『小学国語読本』には時代を反映して、臣民教育を目指す傾向が強く現れ、神話教材も増えている。よく知られる「サイタ／サイタ／サクラガ／サイタ」は巻一の冒頭である。

⑦栗原彦三郎（明治十二年～昭和二十九年）
二一一ページ参照。

⑧日中戦争
昭和十二年七月の蘆溝橋事件をきっかけとして起こった中国との全面戦争。十五年戦争の第二段階。対米英開戦によって、太平洋戦争・第二次世界大戦の一部となった。日華事変とも言う。

表現であると結びます。

筆者が説く日本刀の価値（特色）は、次の三点に要約できるでしょう。

① 鋭利で、かつ折れず曲がらぬ実用上の価値。

② 姿形・地鉄・刃文の美しさ。

③ 気品と気魄。

これらは期せずして、冒頭の「日本刀とは何か」に対する回答になっています。特に③を精神的意義とも言い、①②を統合する至高の価値と見ているのは炯眼《けいがん》だと思います。武器であって武器でなく、造形芸術をも超えた神格的な存在――それが日本刀だというのです。

「刀は武士の魂」とも述べていますが、かつて日本刀は武人の腰間《ようかん》にあって身を守る武器、精神的なよりどころであると同時に、「刀の手前」⑨「刀に懸けて」⑩の言葉が示すように、武士道⑪という自らが生きる規範の象徴でもありました。刀の錆は恥であり、常に研ぎ澄まし、手入れを怠らず、一点の曇りもなくしておくことで武士の心根を示し、誇りとしました。そして、迷ったとき、困難に遭遇したときは刀に問い、無言の教えを得てきたのです。

また、遺体に刃物を添える風習は今も見られますが、そこからは刀剣の霊威を信じ、破邪・鎮護の願いを託した祖先の観念をうかがうことができます。⑫

私が七支刀《しちしとう》⑬という独特の形状の剣を模作したときに想像したのは、古代人が初めてこれを見たときの驚きと感動でした。陽光を受けてキラキラ輝く様に、剣の枝々に神が宿ると映じても不思議はないと思いました。

⑨刀の手前
「武士としての体面上」。刀を客観的な存在と見て、それに少しも恥じる行為をなさぬという強い矜持を示す。

⑩刀に懸けて
「刀を抜いて勝負してでも」と、力に訴えても意志を通そうとするときに使う。これから派生して、武士が約束をするとき「誓って」という強い決意を表す。

⑪武士道
「武士」の語は奈良時代に始まるというが、平安時代中期以降、各地に武士が発生すると、御恩と奉公の契約によって成り立つ主従関係、地縁的結合、戦闘に伴う忠義や武勇などに基づき「武者の習」「もののふの道」と呼ばれる規範が生まれた。江戸時代に至ると、儒教（特に朱子学）によって理論化され、武士の倫理思想としての「武士道」が確立した。武士道は主君に対する家臣の一方的忠誠を根幹とし、徳目の実現が重視された。

⑫出土刀剣類のほとんどが古墳からであること、社寺への刀剣の奉納が広く行われていることなどは、示唆的である。

このように、刀剣類は武器として最高の機能が求められる一方で、ほかの武器、例えば鉄砲⑭などとは全く異なる扱いを受けてきました。日本刀が単なる武器、単なる美術品だとしたら、これほどまでの数量が家々に伝えられることはなかったでしょう。

あえて触れなかったのかもしれませんが、日本刀も一つの商品であり、しかも高価なものでした。室町時代には、対明貿易⑮の主要な輸出品にもなりました。優れた日本刀は権力や格式・富の象徴であり、恩賞や献上品として、時には一国に匹敵する価値さえ付与されました。

引用文が指摘した機能的価値・芸術的価値・精神的価値にこの経済的価値が相まって、日本刀は今日まで存在してきたのだと思います。江戸時代以前、日本刀の所持者は一部に限られていました⑯が、それでも大方の日本刀観は共通していたと思います。このような日本刀は、まさに「文化」そのものです。

もちろん、時代とともに価値のウエートは変わり、日本刀の存在意義も異なりました。あくまで武器としての機能が重視された時代もあれば、平和な時代に一部町人によって粋《いき》や贅《ぜい》の対象にされたこともありました。明治の初年、武士という階級が消滅し、いわゆる「廃刀令⑰」が発せられると、日本刀は文字通り「無用の長物」と化しましたが、廃滅には至りませんでした。第二次世界大戦の直後、占領軍は無差別の「刀狩り⑱」を断行しましたが、やがて美術的・歴史的価値のある刀剣類に限って所持が許されることになりました。

現在、日本刀は有形文化財として扱われ、鑑賞の対象となり、家宝として大

⑬七支刀
六三ページ参照。

⑭鉄砲
わが国に初めて鉄砲が伝わったのは天文十二年（一五四三）とされる。その威力に着目した戦国武将たちは、紀伊根《ね》来《ごろ》・和泉堺・近江国友・肥前平戸などの鍛冶に製造させ、早くも一〇年間に三〇万挺を持つに至ったと言われる。鉄砲隊を実戦に利用して成功したのは織田信長で、元亀元年（一五七〇）姉川の戦で浅井・朝倉連合軍を破り、天正三年（一五七五）長篠の戦では武田の騎馬隊を撃破し、従来の兵法を根底から覆す結果をもたらしている。しかし、太平の世が訪れると鉄砲はその使命を終え、表舞台から姿を消した。

⑮対明貿易（勘合貿易）
室町時代に明国との間で行われた公認の貿易。輸出品の中に硫黄や扇、海産物などとともに多くの刀剣があり、一〇万振以上の数が記録されている。ほかに、倭寇による密貿易でも相当量が扱われたと想像される。

⑯兵農分離は信長と秀吉によって強力に進められたが、特に天正十六年（一五

切に伝えられています。われわれ刀鍛冶は、法令の下で美術刀剣（美術品として価値のある刀剣類）を作っています⑲。日本刀を作る伝統の「わざ」は、わが国の重要無形文化財でもあります。

＊

今、なぜ日本刀か

すると、日本刀が過去にさまざまな意義を持っていたことはわかったが、今では不要不急のものではないか、刀鍛冶はそれを作ることにどんな意味を見いだしているのだ、と鋭く問われそうです。確かに明治以降、特に戦後はかつてと全く異なる行き方を迫られてきたと思います⑳。

私たちと同業の隅谷正峯《すみたにまさみね》㉑さんは現代を「作家の時代」と言い切り、自らそれを実践して亡くなっていきました。さすがだと思います。今は領主など権力者の庇護《ひご》もない代わりに、制約もありません。自由な製作活動ができます。ただし、あくまで「日本刀作家として」やることに意味があるのです。他者のまねをしたり、ほかの意見に追随したり、一時の流行を追いかけたりするのでは、作家ではありません。自分が本当にやりたいテーマは何か、どんな結果を出すか、厳しく問われているのが今だと思います。

日本刀には汲めども尽きぬ魅力があります。鉄の美の極致を実感します。登山家の言葉になぞらえれば、「そこに名刀があるから」製作意欲が喚起され、やればやれほど日本刀の深淵にはまっていきます。

しかし、美しいものを作りたいという願望だけかと自問すれば、そうではな

八八）の刀狩令をもって農民の武器所有などが禁止されると、武士と農民の身分差別は明確になった。江戸時代、武士に準ずる資格として庶民に名字帯刀を許すことはあっても、例外的な措置であった。

⑰廃刀令
武士の脱刀は、開国以来の近代化の過程で、開明論・兵制論双方の立場から実現が追求されてきた。まず明治二年、森金之丞（有礼）は「官吏兵隊ノ外帯刀ヲ廃スルハ随意タルヘキ事」などの案を公議所に提出するが、賛成は皆無であった。政府は翌三年、「庶民帯刀禁止」を旨とする太政官布告を発し、次いで四年、「散髪脱刀勝手」で対象を士族に広げ、明治九年に至ってようやく「帯刀禁止」を布告した。明治九年のものを一般に「廃刀令」と称するが、正確には「廃刀」ではない。むしろ一連の施策を「脱刀」「帯刀禁止」令とみるべきであろう。

⑱刀狩り
秀吉の刀狩令に類比して「昭和の刀狩り」と呼ばれるが、正確には武装解除の一環としての「民間武器回収」であ

いと思います。武器の時代は去り、実用に供することがあってはならないとしても、機能を無視しては日本刀のあるべき姿がゆがんでしまいます。祖先が日本刀に込めてきた精神的な要素も、当然受け継いでゆくべきものです。その点で、ほかの美術や工芸の行き方とは若干違うかもしれません。

無論、そこには刀を見る多くの人の「目」が反映されます。従って、これまでもそうであったように、日本刀の持つ意味合いには今後、社会の変化とともに新しい要素が加わっていくことも予想されます。

作品がどう評価されるかは、作者が関与できるものではありません。いずれ二百数十万点[22]の一つとして、日本刀の歴史の末流に連なっていくだけで満足しなくてはならないでしょう。

願わくば、日本刀という民族の遺産がいつまでも光を失わずに伝えられ、広く世界の人々に親しまれ、見る人に心の豊かさや安らぎや癒《いや》しを与えるものであり続けてほしいと思います。

る。それは占領軍の命令に基づき、わが国政府・警察によって行われた。その結果、一説に国内だけで二五〇万振に上る刀剣類が失われた。

⑲美術刀剣類製作承認規則（昭和三十三年三月三十一日、文化財保護委員会規則第二号）。この施行に伴って、当初の「規程」（昭和二十八年文化財保護委員会告示第七十三号）は廃止された。

⑳前記の美術刀剣類製作承認規程によって、美術刀剣の製作が明確に定められた点に大きな違いがある。新作刀の需要も、美術品としての価値に重点が置かれる。また、戦前までは特に刀匠の資格は問われなかったが、製作の承認を受けたことのある刀匠の下で、五年以上継続して技術の錬磨に専念し、十分な技術を習得していることなどが求められている。

㉑隅谷正峯（大正十年～平成十年）二三四ページ参照。

㉒平成十二年三月三十一日現在の刀剣類登録数は二三二万二〇四一点（累計件数。輸出などにより登録の抹消されたものも含む）、美術刀剣類製作承認数は九万八七五八点となっている。

鉄文化の始まり

鉄の発見と伝播

鉄はしばしば堅くて強いもののたとえに用いられます。「鉄の意志」「鉄の掟《おきて》」「鉄壁の守り」「鉄のカーテン」①などがそれです。ともすれば冷徹な印象さえ持たれる鉄や鋼ですが、私には必ずしもそうは思えません。変幻自在で、その都度いろいろな表情があり、温かさも見せます。「鉄は熱いうちに鍛えよ」ということわざは、鍛錬そのものから転じ、鉄を人生や物事の時機《タイミング》に置き換えて貴重な教訓を語っています。

鉄は大変便利で有用な金属です。形を変えることもできるし、もっと硬くすることもできます。つまり、都合良く加工できるという性質を利用して、道具や刃物が作られてきたわけです。一方、厄介《やっかい》で、不思議な性質を持つ金属と言うこともできます。

鉄は、地表を構成する物質のうちで、珪素《けいそ》・アルミニウムに次いで量が多いとされています。しかし、金・銀・銅・鉛・錫《すず》・水銀などが初めから本性をあらわにしているのに対して、鉄は酸化鉄②の状態で存在します。鉄鉱石（粉状の鉱石である砂鉄を含む）を何らかの方法で処理しなければ、鉄は得られません。

①鉄のカーテン
歴史的に死語となっているので、念のために記す。東欧の社会主義諸国が西欧諸国に対し障壁を設けているとして皮肉った言葉。一九四六年、英国の首相チャーチルが最初に言ったという。

②酸化鉄
ここでは磁鉄鉱（Fe_3O_4）、赤鉄鉱（Fe_2O_3）、褐鉄鉱（FeOOH）、チタン鉄鉱（$FeTiO_3$）などの鉄鉱石を指す。

これが一番の難問です。また、鉄は酸化しやすく、生まれたときから朽ちていく運命を負っています。

人間と鉄との最初の出合いでしばしば想定されるのは、隕鉄《いんてつ》③を拾ったときとか、山火事などで偶然できた固まりを発見する場面です。大英博物館所蔵の古代エジプト製の首飾りは紀元前三〇〇〇年ごろの製作と推定され、世界最古の鉄剣であるトルコ・アナトリア文明博物館所蔵の黄金装鉄剣は紀元前二三〇〇～前二一〇〇年とみられ、中国には紀元前十四世紀ごろの鉄刃青銅製短剣が伝わっています。これらは、いずれも隕鉄を成形したものです。また、条件さえ合えば、焚き火程度の火力でも鉄が得られることは、実験で証明されています。

それにしても、人工的に鉄を作り出し、道具に加工するには、大きな飛躍を要します。鉄を得るには、銅や錫に比べて高い温度が必要です。また、単に加熱して溶かすのではなく、還元④という化学反応によらなくてはなりません。得られた小鉄塊を集めて成形し、道具に加工するとか、用途に応じて鋭利な刃を作り出したりする技術は、よほどの経験と時間の経過の後に獲得したものでしょう。いずれにしても、鉄を手に入れたとき、社会は大きな転換を迎えます。

最初の鉄器文化は、古代トルコのヒッタイト帝国⑤（前十八～前十三世紀）で花開いたとするのが通説です。秘匿され続けた製鉄技術はその滅亡とともに周辺に伝播し、鉄の使用が拡大していきました。西方に向かっては、地中海沿岸のエジプト・ギリシャ・ローマを経てヨーロッパに鉄文化をもたらしました。東方に向かっては、インドに製鉄の一大拠点をつくり、カンボジア・ラオスを経

③隕鉄
火星と木星の小惑星帯から飛来し、地球の大気中でも燃え尽きず、地上に落下した物体を隕石と言い、特に鉄質のものを隕鉄と呼ぶ。成分は鉄を主とし、ニッケルを一五パーセント程度まで含み、ほかにコバルト、燐・硫黄・炭素・銅・クロムなどを含む。わが国では八例が知られ、最大は大津市に落下した田上隕鉄の一七四キロという。榎本武揚は富山県で発見された白萩隕鉄を購入し、刀工岡吉国宗にこれを鍛えさせ、五振の「流星刀」を作っている。

④酸化と還元
単体が酸素と化合することを酸化、逆に酸化物から酸素を取り除いて元の金属に戻すことを還元とするのが、従来の定義であった。現在では、元素の酸化数が増加すれば酸化、減少すれば還元ということになり、対象も金属や酸化物に限らない。つまり、電子を奪い取られるのが酸化、付加されるのが還元と、広い定義が行われている。

⑤ヒッタイト帝国
紀元前十七世紀の製鉄遺跡と鉄滓が発掘されている。また、キズワトナ粘土

て中国の南方に至るルートと、インドを経由せずにアルメニア・カスピ海地方から極東に達する北方ルートの二つがあったようです。

中国では殷《いん》代（前十八～前十二世紀）に始まる青銅⑥の生産がしばらく続いた後、人工鉄が現れ、春秋時代（前八～前五世紀）には既に銑鉄《せんてつ》の製造に切り替わっていたといいます。漢代（前漢前二〇二～八、後漢二五～二二〇）に至ると、鉄は国家の管理下に置かれ、世界最大の鉄生産国となり、かつ最も進歩した鉄文化を持っていたと考えられています。わが国で言えば、弥生時代⑦です。

銑鉄は炭素を多く含むので溶けやすく、鋳型を用いれば製品を容易に得ることができます。一方、硬くて脆い材質は、そのままでは鍛造加工ができません。中国では、いったん銑鉄を作り、これに脱炭処理を施して鋼や鉄を得る間接法が発達しました。

＊

鉄生産の開始時期

考古学的区分では一般に、石器時代から青銅器時代を経て鉄器時代⑧に至るとされています。しかし、わが国へは鉄器が青銅器とほぼ同時期に渡来したので、純粋な青銅器時代はありません。また、その用途も実用を鉄器に譲り、ほとんどが祭祀《さいし》用儀器や宝器に限られています。

鉄文化の伝来は、中国から朝鮮半島を経て、縄文時代⑨晩期ないし弥生時代初頭に始まったと考えられています。それは、次の三段階を想定して説かれます。

①　伝来した鉄器を使用した段階。

板文書に、ヒッタイトからエジプトに向けて鉄を輸出していた事実が記されているという。ヒッタイトの鉄器は、鉄鉱石を木炭で低温還元して海綿鉄を作り、これを鍛造したとされる。

⑥青銅
銅と錫との合金。混合比により物性は大きく異なる。古代中国でも、武器や工具、鏡、楽器など、それぞれの用途に適した材質を得ていた。

⑦弥生時代
弥生式土器が使用されていた時代。従来は紀元前三世紀から後三世紀、さかのぼっても始期は前五世紀とされていたが、最近では前十世紀に始まるという説もある。

⑧石器時代・青銅器時代・鉄器時代
デンマークの考古学者トムセンが提唱した人類文化の発展段階。青銅器の始まりは西アジアにおいて前三〇〇〇年ごろ、中国では前一五〇〇年ごろとされ、いずれも鉄器に先行する。

⑨縄文時代
縄文式土器を使用していた時代。縄文式土器を一万年前にさかのぼる世界最古の土器とする説もあるが、縄文文化

② 船載した素材を加工して鉄器を製作した段階。
③ 国内で鉄を生産した段階。

問題は、それぞれがいつ始まったかですが、よくわかりません。先進地である朝鮮半島の状況も不鮮明です。従来の考古学では、縄文時代には稲作⑩は行われず、金属器の使用もなかったとされていましたが、各地に多くの遺跡や遺物が発見されるに及んで、時代の印象は相当変わってきています。鉄についても研究の進展とともに、これまでの常識が変わる可能性があります。

鉄生産開始の時期は、現在のところ、弥生時代とみる説と古墳時代とする説が拮抗《きっこう》しています。弥生時代説の根拠は、製鉄遺跡で確実にこの期と特定されるものはないが、弥生時代後期になると西日本を中心に出土鉄器が増加し、しかも鉄戈《てっか》⑪や鉄斧《てっぷ》⑫の一部に日本独特の製品が見られるところにあります。鉄生産を前提としなければ、あり得ないというわけです。これに対して古墳時代開始説は、製鉄炉の発見例で最古のものは今のところ古墳時代であり、製錬滓の分析でも六世紀をさかのぼる例はないと主張します。

かつて川崎製鉄副社長の村上英之助⑬さんが、「弥生時代鉄生産の始期について⑭」という論文を発表されたことがあります。ヨーロッパには一年間の鉄の使用量を算出する計算式があるそうで、これに当てはめると、弥生後期の西日本の鉄の生産量（すなわちほぼ日本列島全体の生産量）は約四〇〇キログラムだといいます。さらに村上さんによれば、この程度の量なら直径七〇センチ、深さ四〇センチぐらいの製鉄炉が六つもあれば賄えるとのことです。

の始期の特定は難しい。

⑩稲作
原産地は中国南部または東南アジア。その渡来は南方説と朝鮮半島経由説がある。わが国の稲作の開始時期が、従来の弥生時代をさかのぼるのは確実である。

⑪鉄戈
武器の一種。形状は剣に似るが、鳶口のように取っ手の上端に刃を取り付け、打ち込んだまま引き切る。中広銅戈を模倣したものが北九州に出土する。

⑫鉄斧
木の柄に付け、木材の伐採や加工に使う。福岡県二丈町・曲り田遺跡出土の鍛造鉄斧はわが国最古の鉄器の一つである。これに対して、弥生中後期に北九州で急増する鉄斧は、長方形の鉄板の上部を左右から袋状に折り曲げるだけの簡単な作りである。後出の板状鉄斧は、長方形のやや厚い鉄板で、大きさや刃の付け方でいくつかに分類される。板状鉄斧は近畿を中心に分布する。

⑬村上英之助（大正十五年～平成十三年）
川崎重工業に入社。同社製鉄所から分離独立した川崎製鉄で事務畑に従事。

村上さんは弥生説ですが、この論文を発表された当時は、鉄の使用量そのものをそれほど多くみていなかったのかもしれません。

ところが、その後の発掘調査によって、鉄器を出土する遺跡が次々と見つかり、特に九〇年代以降は大量の発見が相次いでいます。注目されるのは、刀剣などの武器よりもむしろ工具や農具類、鉄片の多さです。

弥生時代の代表的農耕集落として有名な登呂遺跡⑮（静岡市）からは鉄製品こそ発見されませんでしたが、さまざまな木製品が大量に出土しています。それらに施された巧みな加工は、明らかに鉄製工具の存在を想像させるものでした。それから半世紀、各地で発見されるこの期の大量の鉄製品は、想像を常識に変え、鉄が「武器＝権力の象徴」としての存在を固める以前に、社会を支える生産の道具として大きな意味を持っていたことを、あらためて証明しました。

京都府・奈具岡遺跡⑯から出土した十数キロの鉄片は製品でなく、鉄器製造の際の切れ端とされています。すると、弥生時代中期にここで成形・加工が行われ、しかも豊富な鉄材があったことになります。

弥生製鉄は依然として確認できませんが、少なくとも鉄の消費量は想像以上に多いことがわかってきました。弥生時代は、石（石器）から鉄（鉄器）への大転換期であったわけです。

＊

戦略物資としての鉄

古代鉄の分析に経験の豊富な大澤正己さんは、出土した鉄製品の金相学⑰的調

平成元年、副社長に就任。著書『製鉄史の森の中から―山陰砂鉄製錬法の系譜』。『たたら研究』などに論文多数。平成八年第二号の『ふぇらむ』に「私も弥生時代中・後期の自前の鉄が出土するのを待ち望む一人ですが、にもかかわらず、本格的な鉄生産が始まったのはやはり五世紀に入ってからだと思います」と書いている。

⑭『たたら研究』第一八号、昭和四十九年。

⑮登呂遺跡
静岡市南部にある弥生時代の代表的集落址。矢板を並べて畦畔《けいはん》を築き、水田耕作を行っていた。

⑯奈具岡遺跡
竹野郡弥栄《やさか》町。『京都府遺跡調査概報』第五五・七七冊。

⑰金相学
金属組織学とも言う。金属の組織・組成などと諸性質を研究する学問。

査から、弥生時代の日本には自前の鉄はなく、すべて海外からの輸入に依存していたとした上で、その鉄が次のような種類のものであったと記しています。

① 可鍛鋳鉄

前五世紀ごろ中国で開発。いったん農工具などの白鋳鉄製品にして脱炭焼き鈍《なま》しを施し、硬くて脆い欠点を改善したもの。わが国では、これを素材としても再利用した。最古の鉄器とされる熊本県・斎藤山遺跡⑱出土の鉄斧は、外観は鋳造品のように見え、炭素量〇・三パーセントであるところから鍛造品ともされ、かつて論議のあったものだが、可鍛鋳鉄製品であるとの結論に達したという。弥生時代の前期から後期までの出土がある。

② 鋳鉄脱炭鋼

前三世紀ごろの開発。棒・板状笵《はん》⑲に溶銑を流し込み、固化した後に脱炭焼き鈍しをした半製品。鍛冶材料として使用した。前記の奈具岡遺跡や福岡県春日市・赤井手遺跡⑳から出土した鉄片が知られる。

③ 炒鋼《しょうこう》

前一世紀ごろの開発。銑鉄を加熱溶融し、空気中で攪拌《かくはん》脱炭して鍛打を加え、夾雑物を絞り出して鋼とする。合わせ鍛えと熱処理により武器の製造に使用した。

④ 塊錬鉄

前九世紀ごろの開発。低温還元直接製鋼法㉑による中国の最も古い品種である。三世紀以降は朝鮮半島でも製鉄が開始され、塊錬鉄製品が存在する。

⑱斎藤山遺跡
熊本県玉名郡天水町。急斜面に堆積した貝層の中から、縄文晩期および弥生前期の土器とともに出土。長さ四四ミリ、幅五五ミリの刃先部分であるが、元は木製の柄を挿入する袋部を持つ斧と推定される。

⑲笵
鎔笵、鋳型。石や土で作る。

⑳赤井手遺跡
奴国王の墓と推定される須玖《すぐ》岡本遺跡に近接する。弥生時代の鉄器工房が発見され、多数の鉄片（材料や未完成品）の残存が確認された。ガラス器や青銅器の製造も行われており、奴国が高い技術力を持っていたことがわかる。

㉑低温還元直接製鋼法
いったん銑を作り、加工して鋼を得る間接製鋼法に対して、一挙に鋼を作る方法。わが国近世の鑪製鉄のような火力が得られないとき、製品は低炭素の軟鋼である。

わが国の鉄器製作の初期段階（弥生前・中期）には、磨製石器の製作技法を踏襲した、火を使わない方法が行われたとされます。すなわち、中国東北部で製造された鉄斧などの破片（脱炭焼き鈍しで軟化した可鍛鋳鉄製品）を材料として再利用し、割り取り・擦り切り・研磨により小型工具（板状《ばんじょう》鉄斧・鑿《のみ》・ヤリガンナ㉒など）に再生させるものでした。

これが弥生中期末以降になると、奈具岡遺跡に見るように、鋳鉄脱炭鋼の棒や板の半製品を材料として、鏨切りの成形の後、火あぶり曲げ加工や砥石研磨仕上げなどを行う原始的な鍛冶作業が始まります。さらに弥生後期ごろには、鍛冶材料鉄が中国産鋳鉄脱炭鋼から、半島産塊錬鉄や炒鋼に変わります。羽口《はぐち》を持った鍛冶火床《ほど》が現れ、高温の鍛冶作業が始まるのは四世紀代のようです。

三世紀に書かれた中国の有名な史書『魏志《ぎし》』㉓東夷伝《とういでん》の弁辰《べんしん》の条には「國、鐵を出し、韓・濊《わい》・倭《わ》皆従いて之を取る」とあって、邪馬台国《やまたいこく》㉔の前後の時代に、倭人が朝鮮半島南部の鉄資源を入手していたことを示しています。わが国が東アジア世界との本格的な接触に乗り出した主な目的は、進んだ生産技術とこの鉄の移入にあったことは確実です。鉄は生産性を飛躍的に高め、富の蓄積につながり、やがて武力を背景にした国家の成立を促します。いわば戦略物資です。

邪馬台国の所在地については異論もありますが、鉄に関して先駆けであった北部九州の首長らを排除して、半島の鉄の輸入ルートを一手に掌握し、それをテコに、より強大な権力を築いていったのが大和朝廷だったと思われます。

㉒ヤリガンナ（鉇）
古代の仕上げ工具。両刃で反りがあり、柄を付けて使う。台鉋が取って代わるのは、室町時代と言われる。

㉓『魏志』
『三国志』の一部で、魏朝五代四六年間（二二〇〜二六五）の歴史を記したもの。陳寿の撰。その中の「東夷伝」倭人の条は「魏志倭人伝」とも呼ばれ、邪馬台国の記述が見られる。

㉔邪馬台国
『魏志』によると、乱立状態にあった倭の国々を支配下に治めた有力国家で、周辺の奴国《なのくに》・伊都国《いとのくに》など多数の国を統率し、数回にわたって魏に朝貢した。女王の名を卑弥呼という。その死後、一族の壱与が継承したとされる。その所在地については北九州説と大和説があり、前者に立てば四世紀に大和朝廷に取って代わられたことになる。

四世紀後半から五世紀にかけて、大和朝廷は朝鮮半島㉕に進出し、まだ小国群の状態にあった南部の弁韓《べんかん》諸国を勢力下に治めます。これが任那《みまな》㉖です。しかし、五世紀の半ばに至ると、北部の高句麗《こうくり》が勢力を強め、南方の百済《くだら》・新羅《しらぎ》を圧迫したので、両国は任那を侵食し、統制力は次第に失われます。そして五六二年、任那は新羅によって滅ぼされます。それから一世紀の後、今度は唐が新羅と連合して百済や高句麗を攻め、これらを滅ぼします。百済の求めに応じて兵を送りますが、六六三年、日本軍は白村江《はくすきのえ》の戦い㉗で唐・新羅連合軍に敗れ、朝鮮半島における影響力を完全に失いました。

＊

わが国の製鉄の発展過程

全国の鉄関連遺跡の発掘調査を数多く手がけてこられた穴澤義功《よしのり》さんは、鉄の発展段階と画期を次の八つに分けています。

①　縄文晩期以降の、ごく少数の鉄器のみの輸入期。
②　鉄器の輸入と、輸入素材を用いた鍛冶遺跡の出現期の一世紀代。
③　精錬鍛冶㉘の開始期の三世紀代。
④　鍛冶遺跡の質的な転換期の五世紀代。
⑤　鉱石製錬の開始と、砂鉄原料への移行期の六世紀代。
⑥　箱形炉の普及と竪形炉《たてがたろ》㉙の導入による鉄生産が複合した、律令国家の発展期の七世紀末から八世紀代。
⑦　主として箱形炉による炉容量の拡大と、精錬鍛冶技術の改革期の十二世

㉕朝鮮半島は初め中国の支配にあったが、四世紀初頭に高句麗が北部を領有、三韓（馬韓・辰韓・弁韓）を経て、南部に新羅と百済が成立し、三国が鼎立した。日本の進出はこのころである。

㉖任那
三～六世紀ごろ、日本の勢力下にあったとされる朝鮮半島南部地域の総称。高句麗の広開土王碑文に経緯が見える。大和朝廷は四世紀の中ごろ、大軍を送って旧弁韓地域を占領、統治機関として日本府を設けた。これには朝鮮側からの異論もある。

㉗白村江の戦い
白村江は朝鮮西南部を流れる錦江の古名。百済の救援に向かった日本軍はこの地で海戦を行い、大敗を喫した。

㉘精錬鍛冶
精錬とは、粗金属の純度を高め精製する工程を指す。考古学では鍛冶などの工程を想定している。ここでは広義に、鍛打して錬り鍛える作業（鍛錬鍛冶）までを含める。

㉙箱形炉と竪形炉
製錬炉の区分で、それぞれ長方形箱形炉・半地下式竪形炉とも呼ばれる。箱

古代末～中世の製鉄遺跡の分布（発掘調査済み）

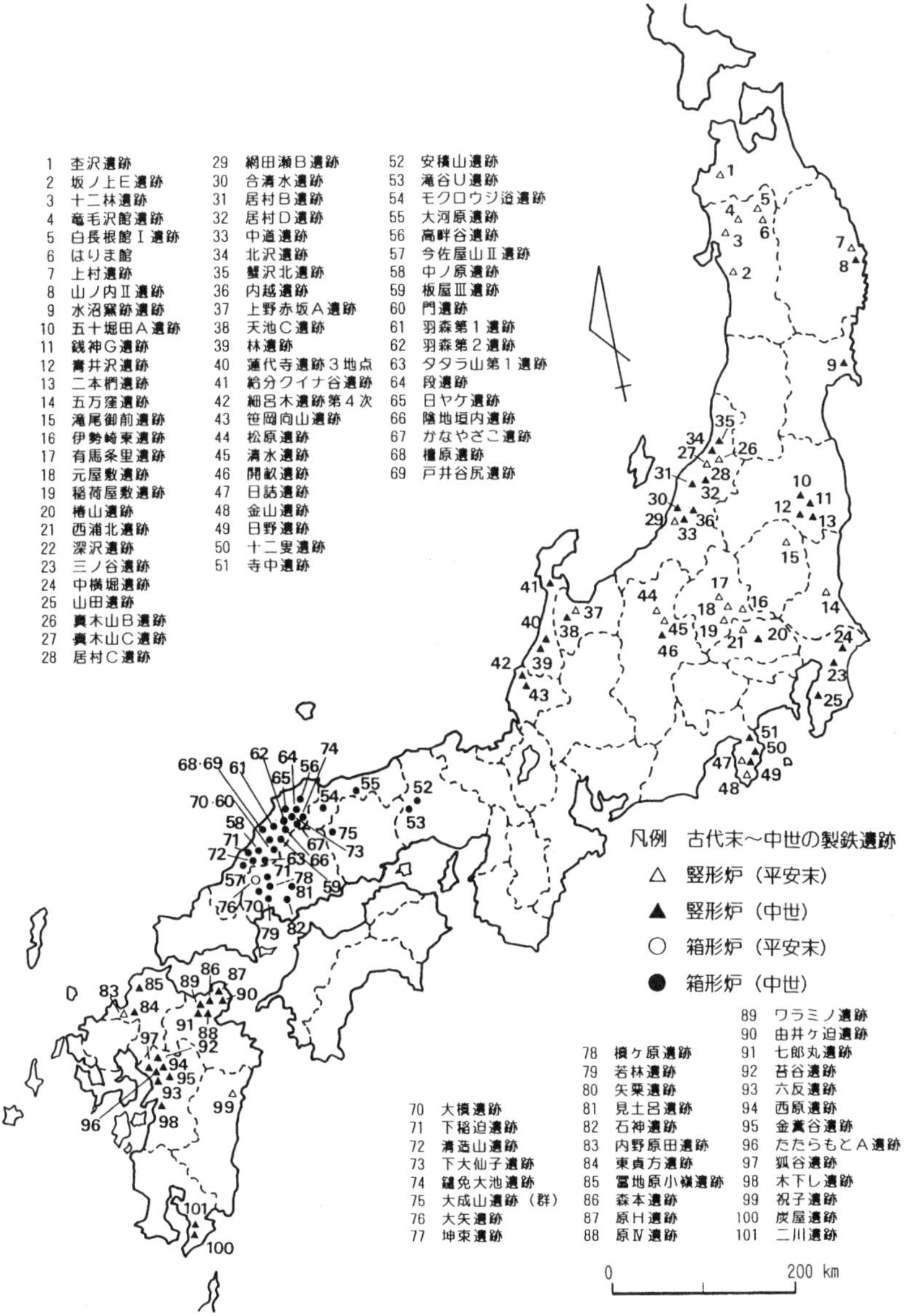

1 杢沢遺跡
2 坂ノ上E遺跡
3 十二林遺跡
4 竜毛沢館遺跡
5 白長根館Ⅰ遺跡
6 はりま館
7 上村遺跡
8 山ノ内Ⅱ遺跡
9 水沼窯跡遺跡
10 五十堀田A遺跡
11 銭神G遺跡
12 鳶井沢遺跡
13 二本椚遺跡
14 五万窪遺跡
15 滝尾御前遺跡
16 伊勢崎東遺跡
17 有馬条里遺跡
18 元屋敷遺跡
19 稲荷屋敷遺跡
20 椿山遺跡
21 西浦北遺跡
22 深沢遺跡
23 三ノ谷遺跡
24 中横堀遺跡
25 山田遺跡
26 真木山B遺跡
27 真木山C遺跡
28 居村C遺跡
29 網田瀬B遺跡
30 合清水遺跡
31 居村B遺跡
32 居村D遺跡
33 中道遺跡
34 北沢遺跡
35 蟹沢北遺跡
36 内越遺跡
37 上野赤坂A遺跡
38 天池C遺跡
39 林遺跡
40 蓮代寺遺跡3地点
41 給分クイナ谷遺跡
42 細呂木遺跡第4次
43 笹岡向山遺跡
44 松原遺跡
45 清水遺跡
46 開畝遺跡
47 日詰遺跡
48 金山遺跡
49 日野遺跡
50 十二叟遺跡
51 寺中遺跡
52 安積山遺跡
53 滝谷U遺跡
54 モクロウジ迫遺跡
55 大河原遺跡
56 高畔谷遺跡
57 今佐屋山Ⅱ遺跡
58 中ノ原遺跡
59 板屋Ⅲ遺跡
60 門遺跡
61 羽森第1遺跡
62 羽森第2遺跡
63 タタラ山第1遺跡
64 段遺跡
65 日ヤケ遺跡
66 陰地垣内遺跡
67 かなやざこ遺跡
68 檀原遺跡
69 戸井谷尻遺跡
凡例 古代末～中世の製鉄遺跡
△ 竪形炉（平安末）
▲ 竪形炉（中世）
○ 箱形炉（平安末）
● 箱形炉（中世）
70 大槙遺跡
71 下稲迫遺跡
72 清造山遺跡
73 下大仙子遺跡
74 鑪免大池遺跡
75 大成山遺跡（群）
76 大矢遺跡
77 坤東遺跡
78 槇ヶ原遺跡
79 若林遺跡
80 矢栗遺跡
81 見土呂遺跡
82 石神遺跡
83 内野原田遺跡
84 東貞方遺跡
85 冨地原小嶺遺跡
86 森本遺跡
87 原H遺跡
88 原Ⅳ遺跡
89 ワラミノ遺跡
90 由井ヶ迫遺跡
91 七郎丸遺跡
92 苔谷遺跡
93 六反遺跡
94 西原遺跡
95 金糞谷遺跡
96 たたらもとA遺跡
97 狐谷遺跡
98 木下し遺跡
99 祝子遺跡
100 炭屋遺跡
101 二川遺跡
0 200 km

穴澤義功氏作成

紀以降。

⑧　箱形炉の最終発展期である鑪《たたら》製鉄㉚技術が確立した十八世紀代。

このうち、後半の⑤から⑧の段階は、製鉄技術に直接かかわる変化に基づいていいます。すなわち、穴澤さんによれば、日本列島の鉄作りは長期にわたる鍛冶技術の蓄積の後、中国に一〇〇〇年以上、韓国に五〇〇年ほど遅れて、古墳時代後期の六世紀半ばに始まり、次第に発達を遂げてきたことになります。

　製鉄と本格的資源開発の開始時期は、任那の滅亡から白村江での敗戦に、ほぼ符合します。鉄の加工と製鉄技術の開発には、韓鍛冶《からかぬち》㉛ら渡来の技術者の存在もうかがえ、否応なく国産化の必要に迫られていたものとみられます。

　初めに鉄が作られたのは、広島県東部から岡山県下にまたがる地域でした㉜。初期の鉄原料には小塊状の鉱石（磁鉄鉱など）が、続いて粉鉱である砂鉄が採用され、その後の列島の鉄作りを方向づけることになりました。燃料は、須恵《すえ》器窯《きがま》㉝に通じる大型の地下式炭窯が登場するまでは、半島伝来の横口式の窯で製造された木炭でした。

　初期の製鉄炉は浅い土坑《どこう》状の地下構造の上に設けられ、内径四五センチ前後で、円形あるいは隅丸方形の平面形を持つ特殊な低竪形炉であったといいます。両短軸側の炉壁基部に開けられた小さな通風口から人工的に送風し、長軸の両端部から鉱滓《こうさい》㉞を排出し、塊錬鉄の製造を目指しました。八世紀代に東国に出現する、背の高い半地下式竪形炉とは形も方式も大きく異なるため、これを箱形炉と呼んで区別しています。

形炉は、西日本で古墳時代後期の鉱石原料系の製錬炉から発展し、近世の山陰地方の鑪に至る技術である。竪形炉はヨーロッパのシャフト炉に近似し、炉幅に対して背が高い。箱形炉は短軸の両側の炉壁基部に複数の送風孔を設け、長軸の両端部から排滓するという構造に最大の特徴がある。

㉚鑪製鉄
ここでは永代鑪を指す。

㉛倭鍛冶と韓鍛冶
大化改新以前、各豪族に属して鍛冶を職とした鍛冶部《かぬちべ》には、在来の技術による倭《やまと》鍛冶と渡来集団の韓鍛冶とがあった。前者に天津真浦、後者に卓素の名が記録されている。

㉜最古期の製鉄遺跡とみられているものに、カナクロ谷遺跡（広島県世羅郡世羅町）・大蔵池《おおぞいけ》南遺跡（岡山県久米郡久米町）などがある。

㉝須恵器
古墳時代後期から平安時代にかけて盛んに焼かれた陶質土器。良質の陶土を用い、成形はロクロによる。窖窯《あながま》を築き、一〇〇〇度以上の還元炎で焼成するため、灰色または灰黒色を呈し、叩

以後、箱形炉は西日本の各地に急速に広がり、大陸から導入された竪形炉とともに、中世までの鉄生産の基盤を支えていくことになります。この箱形炉は、生産量を増すために長軸方向に容量を広げる形で発達し、近世[35]には鑪製鉄法として、わが国を代表する製鉄技術となっていきました。

くと金属音に近い音を発する。朝鮮の新羅系の技術を取り入れて国産化したもので、やがて瀬戸焼・常滑焼・備前焼などを生む母胎となった。

㉞鉱滓
漢読みでは「こうし」であるが、「こうさい」と慣用読みする（鉄滓なども同様）。金属の製精錬の際に発生するカスのこと。鉄の場合は鉄滓である。

㉟古代・中世・近世・近代
それぞれの始期と終期には異論も多いが、ここでは一般的な理解にとどめる。古代は政治史的区分の大和時代・飛鳥時代・奈良時代・平安時代（四世紀初めごろから十二世紀末まで）、中世は鎌倉時代・南北朝時代・室町時代（十二世紀末から十六世紀後半まで）、近世は安土桃山時代・江戸時代（十六世紀後半から十九世紀後半）、近代は明治・大正・昭和前半を指す。

古代鉄の不思議

法隆寺の鉄釘

「最後の宮大工」と言われた西岡常一《つねかず》①さんは、著書の中でご自身の体験から鉄に触れています。②法隆寺の解体修理のときに出てきた釘《くぎ》を見ると、古いものほどしっかりしているというのです。創建当初の釘は、表面はさびていても、一皮めくれば錆に侵されておらず、叩き直して使うこともできる。しかし、慶長の大修理で補強に使った鎹《かすがい》は、同じ鍛造鉄でありながら錆の固まりで、鉄の役目を全く失っている。今の鉄はというと、五寸釘の頭が一〇年もたつとなくなってしまう……と。

ある方は「人も鉄も古いほどいい」と言っていましたが、人はともかくとして、鉄にはそう言える一面が確かにあります。その理由が知りたいところです。

幸い、法隆寺の鉄釘の一部について、京都大学の西村秀雄・青木信美両氏と、日本鋼管技術研究所の堀川一男・梅沢義信両氏の二つのプロジェクトが別々に行った科学的研究の記録があります。③

現存する世界最古の木造建築である法隆寺は、聖徳太子④と推古天皇⑤が用明天皇⑥の病気平癒を発願《ほつがん》し、推古天皇十年（六〇七）に完成したと伝えています。

①西岡常一（明治四十一年～平成七年）奈良県生まれ。法隆寺昭和大修理、薬師寺の再建などに携わる。奈良県文化賞・吉川英治文化賞・時事文化賞・日本建築学会賞・みどりの文化賞などを受賞。紫綬褒章・勲四等瑞宝章を受章。文化財保存技術保持者・文化功労者・現代の名工表彰など。

②『法隆寺を支えた木』小原二郎との共著、日本放送出版協会、昭和五十三年。『木に学べ』小学館、昭和六十三年。

③西村秀雄・青木信美「法隆寺五重塔並びに金堂の古代釘の冶金学的研究」（『古文化財の科学』第一二号）。堀川一男・梅沢義信「古代鉄釘の冶金学的調査」「古代鉄金物の冶金学的調査」（『鉄と鋼』第四八巻第一・二号）。

④聖徳太子（五七四～六二二）用明天皇の第二皇子。推古天皇の皇太

ところが、『日本書紀』⑦の記事に、天智天皇九年（六七〇）一屋残らず焼失したとあり、明治の中ごろから学会で再建か非再建かの論争が行われてきました。結局、若草伽藍《がらん》の発掘調査により再建という結論に至りましたが、その年代はわかっていません。従って、表1の「当初」は六七〇年以降、七〇〇年代の初めごろまでの間とするのが妥当でしょう。刀剣はまだ直刀の時代であり、ようやく国産が開始されたとみられるころです。創建以来、幾度かの修理が行われていることは史書・文書・墨書きなどから明らかであり、それぞれの試料の年代は確実な根拠に基づいています。

西村・青木両氏の研究は、「昭和の大修理」として五重塔および金堂が完成した翌三十年に発表されました。試料には解体に際して、創建以来何ら補修された形跡のない五重塔天井回縁《てんじょうかいえん》と金堂裳階板掛《もこしいたがけ》から当初の釘を、そして中世の修理で新たに垂木《たるき》に打たれた釘と、慶長・元禄の修理の折に打ち直された垂木の釘を、五重塔および金堂からそれぞれ得ています。

当初・中世の釘の頭部は、いずれも芯部をそのまま扁平に叩き曲げて作られ、肉厚で大きいのに対し、慶長以降では芯部の一部のみを特に伸ばして、それを巻き込んで頭部としていて、概して肉薄でやや脆弱の感があります。最も長大なのは中世釘で、約二四センチあり、元禄のは小釘です。

また、当初釘の①は炭素量の多い部分を中心に、炭素量の少ない部分が外側を取り囲むようになっており、鉄滓《てっさい》⑧は概して細かく長く延び、珪酸鉄《けいさんてつ》系の鉄滓が多いものと思われ、その介在状態から鍛錬度もかなり多いと推定していま

子・摂政として冠位十二階・十七条憲法の制定、国史の編纂、遣隋使の派遣などに手腕を発揮した。大陸文化の交流にも努め、仏教の興隆に尽くした。

⑤推古天皇（五五四〜六二八）
第三十三代。欽明天皇の第三皇女。敏達《びたつ》天皇の皇后。崇峻《すしゅん》天皇が蘇我馬子に殺されると、推されて即位。文化史上、飛鳥時代と呼ばれる一時期を画す実績を残した。

⑥用明天皇（?〜五八七）
第三十一代。欽明天皇の第四皇子。

⑦『日本書紀』
わが国最古の勅撰の歴史書。神代から持統天皇の終わりまでを編年体に記している。養老四年（七二〇）に舎人《とねり》親王らが撰したと言われる。

⑧鉄滓
製鉄などの関連遺跡から発見される鉱滓を、そのほかの金属と区別して呼んでいる。考古学で使われ、一般化した。「てっさい」は慣用読みである。従来はカナクソ・カラミなどと称した。ノロやスラグは、洋式製鉄技術が導入されてからの言葉であるという。鉄滓には、製錬滓のほか、鍛冶滓（大鍛冶滓・

す。中世釘の②は鉄滓の介在率が最も少なく、組織は細かく、他に比べて最も均質的であったといいます。しかし、時に大きな巣を残しているのは、加工度大なるにかかわらず、その鉄滓が融点の高い酸化鉄系のものを多く含むために生じたのではないかとしています。

③の慶長釘は鉄滓の介在量最も多く、これ以降の釘には、鍛錬度において手を抜いたと思わしめる点が多々認められたそうです。慶長釘には別に、ほとんど炭素を含まない包丁鉄組成のものがあり、④の元禄釘の組織はほとんど均一で、炭素量も少ないが、これは小釘であることにもよるだろうと記しています。

化学分析では、総じてマンガンを多く含む結果になりました。通常、砂鉄が主原料の和鉄には、マンガンが皆無か痕跡程度ですから、製鉄原料[9]は砂鉄以外のものではないかと推察しています。しかし、砂鉄に特有のチタンも含有しているので、速断はできないでしょう。

④の元禄釘にマンガンと硫黄《いおう》が比較的多量なのも、気になるところです。また、⑦の慶長釘は特に銅と珪素が多く、炭素量の少ない点が目立ちます。珪素は介在する鉄滓に含まれるものでしょうが、銅は原料によるのか、何らかの要因で混入したのか、判断が難しいようです[10]。

＊

古い鉄ほど純度が高い

堀川・梅沢両氏の試料は、法隆寺金堂の創建当初一本、弘安六年（一二八三）二本、慶長八年（一六〇三）一本、元禄九年（一六九六）か宝永二年（一七〇五）

小鍛冶滓）、鋳物滓などがある。

⑨製鉄原料
砂鉄を原料とした場合、総じてチタンの含有量が多く、わずかだがバナジウムも見られる。マンガンは少なく、銅の混入は全くない。鉄鉱石を原料としたとき、反対にマンガンや銅が多めに含まれると言われる。なお、砂鉄のチタン分は、還元鉄よりも鉄滓の方に多く移行するため、製品への混入はごく少ない。

⑩非金属介在物について
鉄鋼中には炭素のほかにいろいろな不純物（介在物）が含まれている。金属性不純物は硫黄を除き、鉄に対して溶解度を持っており、合金を形成する。水素・窒素・一酸化炭素などのガス不純物も、多少は含有する。非金属介在物とは、鉄鋼中に残存する酸化物・珪酸物・硫化物・耐火物・鉱滓などで、一般に次の三種に分類される。
・加工によって粘性変化したもの（硫化物・珪酸塩など）
・加工方向に集団をなし不連続的に粒状介在物が並んだもの（アルミナ）
・粘性変形しないで不規則に分散する

〈表1〉西村秀雄・青木信美両氏による法隆寺の釘の成分分析　（%）

	時代区分・採取場所		Si	Mn	P	S	Cu	Ti	C
①	五重塔	当初　天井回縁	0.0516	0.0921	0.0187	0.011	0.02	0.025	0.3
②		中世　垂木	0.0254	0.070	0.0102	0.0085	0.03	0.036	0.23
③		近世(慶長) 垂木	0.0610	0.056	0.0201	0.0140	tr.	0.015	0.6
④		近世(元禄) 垂木	0.0094	0.106	0.0279	0.1645	tr.	—	0.2
⑤	金堂	当初　裳階板掛	0.0206	0.084	0.0695	0.0063	0.06	—	0.3
⑥		中世　垂木	0.0374	0.037	0.0332	0.0041	0.01	—	0.45
⑦		慶長　垂木	0.1140	0.065	0.0250	0.0085	0.29	0.006	0.1

〈表2〉堀川一男・梅沢義信両氏による法隆寺の釘の成分分析　（%）

	年代(西暦)	C	Si	Mn	P	S	Cu	Ni	Cr	Ti	Al	N	O
①	607	0.10	0.004	tr.	0.033	0.004	0.008	0.008	tr.	<0.010	0.010	0.0035	0.014
②	1283	0.09	0.013	tr.	0.027	0.003	tr.	0.014	tr.	0.010	0.005	0.0056	0.076
③	1283	—	—	—	—	—	—	—	—	—	—	—	—
④	1603	0.25	0.008	0.23	0.018	0.063	0.062	0.016	0.025	<0.010	0.006	0.0058	0.009
⑤	1696 or 1705 or 1833	—	—	—	—	—	—	—	—	—	—	—	—
⑥		—	—	—	—	—	—	—	—	—	—	—	—

あるいは天保四年（一八三三）一本の計六本です。

当初釘は先端と頭部にグラインダーがかけられ、原形をとどめませんが、ほとんど腐食しておらず、比較的太くて大形です。中世の③は頭部が扁平に叩き曲げて作られており、この中では二六センチと最も長い形をとどめています。④の慶長釘は、中世のものに比べると若干肉が薄いようです。⑤⑥はいずれも細い小形の釘で、腐食が進んでいます。

化学分析によると、介在物はきわめて多いが、慶長釘を除けばマンガ

もの（粒状酸化物）鉄鋼はこれらの介在物によって、機械的・物理的性質が著しく影響されるが、和鉄やその製品である日本刀において、因果関係は微妙である。

ン・硫黄・銅の含有はきわめて少なく、固溶元素の点では非常に純粋な炭素鋼であるとのことです。当初釘と中世釘（弘安六年）は、砂鉄を原料とした錬鉄から製造されたものと推定しています。ただし、チタンはほとんど含まれていません。慶長釘の素材には、砂鉄ではなく鉄鉱石から得た錬鉄を想定しているようです。

　古代釘の特徴は現代の釘と異なり、同一試料内でも顕微鏡組織に著しいムラがあることだそうです。精細に見ると、いずれも明らかに炭素量の異なる数個の粗鉄を鍛着して製造しています。①は極軟鋼を主体とし、炭素量の高い二、三の鋼が合わさり、一部粗大なフェライト⑪組織も存在しています。熱処理試験の結果、この粗大粒子は鍛造時の残留歪《ゆが》みと、繰り返し加熱によって生成したものであることが判明し、また純度の高いことも粗大化を助長した一因であろうとしています。

　②も①と大体同じような状態で、粗大化フェライトも認められます。③は、高炭素の芯部を低炭素の鋼が取り囲んでいます。同じ中世の②にその傾向が認められないことから、故意に芯部と周囲、あるいは頭部と先端部の炭素量を調節していたかどうかには疑問を持ち、むしろ偶然の結果とみたようです。

　近世の釘では、⑤が組織のムラが多いのに対して、⑥はほとんど均一です。ムラは少ないものの、縦方向に合わせ目の存在することから、二種類以上の粗鋼の鍛着が明らかであるとしています。

　両氏はこの六点以外に、複数の古社寺から得た試料二二点も併せて金属学的

⑪フェライト
A_3変態点（九一〇℃）以下の鉄をα鉄と言い、組織学上フェライトと称する。成分はほとんど純鉄に近い。軟らかく、展伸性が大で、強磁性体である。

な調査の対象としています。その結果を総合して、古代鉄金物の材質・形状と製造年代について、次のような考察を加えています。

①　形状
　釘の頭の形状とその成形方法は、時代によって若干相違している。年代の古いものは幹の一部を扁平にし、そのまま折り曲げてあり、年代が新しくなるに従って扁平の程度を著しくし、比較的大きな形状を作って折り曲げている。全体の形は、年代が下るほど弱々しくなっている。

②　製造方法
　釘・鎹《かすがい》とも、炭素含有量の異なる数種の鋼を鍛着して作られている。年代の新しい釘は、比較的大形のものまで一本の素鉄から作られているようであるが、化学成分や非金属介在物の含有状況から判断して、近代的な製法によったものではない。

③　化学成分
　年代に関係なく、すべてモリブデン・コバルト・錫《すず》・鉛《なまり》・バナジウム・銀・砒素《ひそ》・亜鉛などはほとんど含有しておらず、他の合金元素もごく微量で、きわめて純粋である。古い時代のものはすべての成分が著しく低いのに対して、西暦一〇〇〇年ごろ以降に製造されたものについては、製造年代との間に次のような傾向が認められる。

　マンガンは大体〇・〇一パーセント以下で全般に著しく低いが、一五〇〇年ごろ以降のものに高い値を示す試料があった。このことは、砂鉄以外の原料も使用されていたことを物語っている。
燐《りん》は一四〇〇年ごろまでは低く、大体〇・〇三パーセント以下であるが、一五〇〇年以降のものではこの数値を超える試料の方が多くなっている。特に鋖で一七〇〇年以降に製造されたものの中に、〇・三〜〇・五パーセントと非常に高い値を示す試料があった。

硫黄もきわめて低く、マンガンの低いことと並んでわが国の鉄金物の特徴を表しているが、時代が下るに従って高くなる傾向が見られる。

銅も大体〇・〇二パーセント以下であるが、釘には〇・〇六〜〇・〇八パーセントを示すものが数点あり、製造年代との関連は認められなかった。なお、介在物の面積率については、バラツキは大きいが、年代とともに増加する傾向が認められた。

④　顕微鏡組織と硬さ

製造時期が新しくなるほど、大きな粗鉄の製造が可能になったためか、重ね合わせの数は減少しており、それだけ組織および硬度のムラも少なくなっている。一方、古いものほど介在物が入って組織にムラはあるが、不純物の含有量が少なく、固溶元素のきわめて低い純粋な鋼である。

＊

沸かしが利く和鉄

これらの分析結果は、大変興味深いものです。
まず、多くはマンガン・燐・硫黄・銅などの含有がきわめて低く、低温還元で得た和鉄の特性を示しています。古代の製品に鉄鉱石から作ったことをうかがわせるものがありますが、これだけのデータから原料を特定するのは危険です。それにしても、近世の和鉄に砂鉄以外の原料を想定するのは困難です。あるいは、一部に南蛮鉄⑫や輸入銑鉄の使用があったのかもしれません。

和鉄は普通、そのまま製品に打ち延ばすことはせず、折り返し鍛錬という工程を経ます。火床《ほど》で赤熱させたものを鍛打し、長く延びたところで鏨《たがね》を入れ、折り返して鍛着します。必要に応じてこれを繰り返します。いわば、鉄を錬る作業です。その目的ですが、一つには含有炭素量の低減と均一化があります。また、鍛打することで鉄滓を絞り出し、鋼を清浄にします。折り返しは、その回数の自乗倍の鋼層を形成させますから、折れや曲がりにも強くなります。

これに対して、鉄鉱石を原料にし、コークス⑬を高炉⑭で高温燃焼させて取り出す現代の鉄には、折り返し鍛錬は処しません。用途に応じて既に成分の調整がしてあってその必要がないのと、あえてやろうとしても非常に困難です。刃物の刃金付けなどのときと同じように、硼砂《ほうしゃ》⑮などのフラックス（融剤《ゆうざい》）を用いないと鍛着しません。専門家は、現代の鋼が溶鋼から製造され、組成と組織の均一化を施しているためといいます。それにフラックス

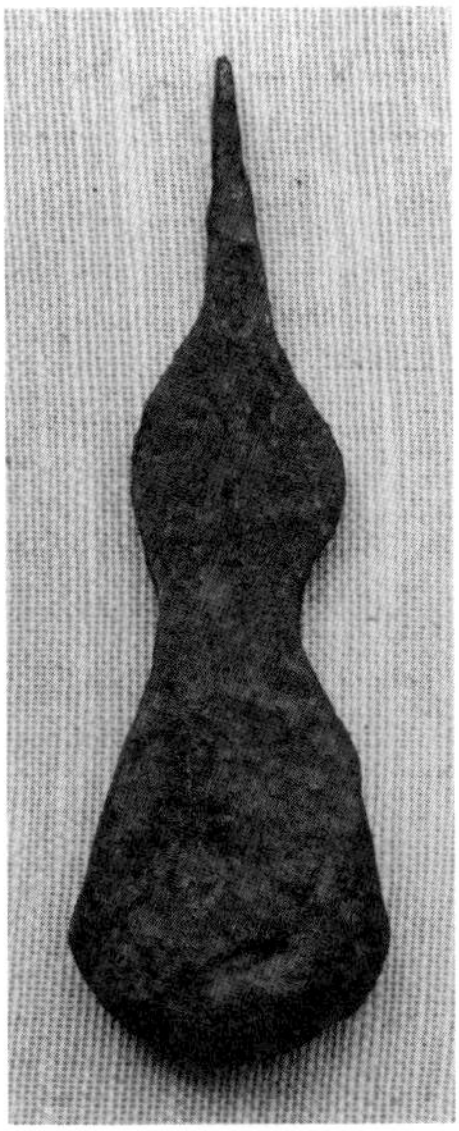

南蛮鉄

⑫南蛮鉄
慶長（一五九六〜一六一五）のころ、当時「南蛮」と言われていた南方のシャム・ルソンなどから舶載された鉄。鎖国令後はオランダ船によってもたらされた。刀への使用は幕府の抱え鍛冶・越前康継が最初である。一時は珍重されたが、十七世紀後半以降、国産の鉄が安価で出回るようになると、使用されなくなった。その形状から瓢箪鉄・木の葉鉄・短冊鉄などとも言う。長谷川熊彦博士は、南蛮鉄の産地をインドのサレム地方に措定し、材質を銑鉄に近い鋼とみているが、産地も材質もこれに限らなかったであろう。

⑬コークス
石炭の蒸し焼き（乾留）によって得られる多孔質の固体。成分のほとんどが炭素で、火力は強い。製鉄用コークスには、高炉で鉄鉱石を還元する、装入物を加熱・溶融する、高炉内の通気を確保する、という三つの役割がある。

⑭高炉
鉄鉱石を製錬して銑鉄を造る炉。かつては溶鉱炉とも呼ばれた。本体は耐火物で内張りした巨大な徳利状の円筒を

を用いると、素材内部に一部が取り込まれ、粗大介在物となって悪影響が懸念されます。

フラックスを使わなくても鍛着する和鉄の性質は、「沸かしが利く」と言います。和鉄に含まれる鉄滓（スラグ）は、熱せられると溶融して表面を濡らし、いわば糊の役目を果たします。折り返し鍛錬は、この鉄滓を適度に排除しながら組成と組織の均一化が図れる方法であり、実に理にかなっています。酸化物系介在物の残存は決して精錬技術の未熟の故ではなく、優れた鍛接性を得るための、古人の知恵の結晶である、と言う専門家もいます。

ただし、鋼中に溶け込んだ燐や硫黄などの不純物は、鍛錬によって排除することはできません。このことからも、鉄は生まれが大事であるとわかります。燐は冷間脆性《れいかんぜいせい》と言って、寒いときに鋼を脆くさせる有害な性質があります。硫黄は反対に、熱間脆性と言い、赤熱状態で鋼を脆くさせます。現代では、燐と硫黄の少ない鋼を良質鋼と呼ぶくらいで、いずれも含有量〇・〇三パーセント以下が一つの目安になっています。

現代鋼の製造では、原料の鉱石と燃料のコークスから硫黄が混入するのを免れ得ません。そこで、マンガンを加えて硫黄と化合させ、硫黄の低減を図っています。マンガンは鋼の焼入れ性を高め、強靭性を与える元素でもありますが、硫化マンガンは圧延方向に延びて鋼中に空洞を作り出し、表層で錆の起点となることが知られています。誠に厄介です。

古代釘は中世や近世のそれに比べると、折り返し鍛錬の回数が少なく、介在

なし、上部から、選鉱して品位を上げた鉄鉱石、コークス、融剤（石灰石など）を供給し、下部から溶融した銑鉄を排出する。製品は四パーセントほどの炭素を含み、鋳造用に供するほか、さらに精錬して炭素や不純物を除き、鋼や鉄にする。

⑮硼砂
無色の結晶性固体。天然硼砂を再結晶したもの。これを酸で処理すると硼酸になる。融解した硼砂は他の金属を容易に溶解できるので、古代から融剤として用いられてきた。

物を相当に残していますが、鋼そのものはきわめて清浄であることがわかりました。さびにくい性質はそんなところに由来するのではないかと思います。

＊

朽ち果てぬ鉄とは

東北大学名誉教授の井垣謙三先生は「朽ち果てぬ鉄」を求めて永年、多くの研究を重ねてこられました。⑯ 先生によれば、出雲の包丁鉄⑰や英国製錬鉄（パドル鉄⑱）などに認められる次の共通点が、さびにくい鉄の諸要素だそうです。

① 炭素濃度が〇・〇一パーセント、またはそれ以下と非常に低い。珪素とマンガンは現代の鉄に比べて〇・一パーセント程度と低いが、燐は〇・一パーセント程度とむしろ高い。酸素濃度は〇・七〜一・二六パーセントと、桁《けた》違いに高い。

② 粒状または棒状の非金属介在物が微細に分散したフェライト組織を示し、非金属介在物はウスタイト系とシリケート系であるが、前者が主である。

また、井垣先生は、緻密な被膜が鉄の表面を覆い、不働態化することがさびにくさにつながるところから、不働態維持電流に着目されました。不働態維持電流とは、鉄の表面に電気化学的に形成された不働態被膜から漏れて流れる電流を言い、この値が小さいほど被膜が健全であること、つまり、さびにくさを意味します。調査試験の結果は、丁寧な鍛錬を加えられた試料ほど、低い不働態維持電流を示す傾向が認められ、古い時代の試料の大部分は優れた耐食性を持っていることが知られました。

⑯「朽ち果てぬ鉄を求めて」（『材料科学』第三三巻第三号）など。

⑰包丁鉄
中国地方で生産された錬鉄の商品名。割鉄とも言う。銑や歩鉧を大鍛冶屋の左下場で半溶融状に下げ、さらに本場で卸し、板鉄に加工した。刃物や工具の地鉄には不可欠のもので、高価に取引された。その形状からの名称であるが、命名は明治になってからという。

⑱パドル鉄
パドル炉で製造した錬鉄。パドル炉は、銑鉄から鋼や錬鉄を作るために、平炉に先駆けて発明された。青銅や鉄の溶解炉であった反射炉を精錬用に改良したものという。燃焼室と精錬室があり、石炭を燃やして銑鉄中の炭素を酸化除去する。その際、中央の孔から鉄棒を差し入れて、こねる（puddle）。一定量を取り出して、水圧機またはロール機で鍛錬し、スラグを絞り出す。なお多量のスラグが残留し、材質は脆弱であるが、鍛接性に優れている。

井垣先生の研究の成果の一つが、和釘用純鉄⑲ＮＫＫ–ＳＬＣＭです。

これには奈良の薬師寺⑳の回廊復元に際して、西岡棟梁から愛媛県在住の鍛冶白鷹幸伯《しらたかゆきのり》さんに和釘の発注があり、適当な素材がなかったために井垣先生に協力を仰いだという経緯があります。先生はマンガン・硫黄・珪素などの不純物を極減した純鉄ならば、今後一〇〇〇年の永きにわたっても建造物を支え得ると考え、ＮＫＫに製造を要請されました。ＮＫＫでは、一チャージ五〇トンの設備であったので、高々数トンの注文では全く採算が合わないにもかかわらず、貴重な文化遺産を守っていく有意義な仕事であるとの判断から、あえて引き受けることにしました。

転炉㉑操業で得られた溶鋼二五〇トンのうちの五〇トンを電気炉に取り分けた後、精錬は特に念入りに行われたようです。釘の製作には折り返し鍛錬は行わず、火作りによる鍛造のみですが、ＳＬＣＭ材は沸かしも利く品質で、腐食試験の結果も優れた耐食性を裏付けたとのことです㉒。

なお、ＳＬＣＭ材は薬師寺のほか、室生寺《むろうじ》㉓や岩国の錦帯橋《きんたいきょう》㉔、横浜みなと・みらい21地区の赤煉瓦《れんが》倉庫群にも使用されたそうです。

古代釘の分析結果でもう一つ興味深いのは、炭素含有量の異なる数種の鋼を鍛着していることです。

鉄がきわめて貴重な時代に、単に小片を寄せ集めて作ったようにも見えますが、私はかなり意識的に組み合わせているのだと思います。芯部と周囲、先端部と頭部の炭素量を故意に変えているかどうかに関して、堀川・梅沢両氏は疑

⑲純鉄
工業上、純鉄として扱われているものは、電解鉄である。電気メッキと同様の方法で、硫酸塩などの水溶電解液中で屑鉄や屑鋼を電解すると、高純度の鉄が得られる。少量の水素を含むのが難点とされる。鉄が高純度になると、強固な被膜が形成されて耐食性が向上し、再結晶温度の低下から加工性が大幅に改善されることも知られている。

⑳薬師寺
奈良市西ノ京町にある法相《ほっそう》宗大本山。天武九年（六八〇）天武天皇の勅願により建立。平城遷都とともに遷移。その後、数次の火災を経て再建された。

㉑転炉
銑鉄から鋼を製造する炉の一つで、化学的に物質を転換するというのが本来の意味であるが、わが国では機械的に動転する炉という意味も込めている。十九世紀後半に発明されたベッセマー転炉に端を発する。その後、脱燐が可能なトーマス転炉が現れ、次いでＬＤ転炉などにより欠点の克服と生産性の増大が図られてきた。転炉製鋼法は現在も主流を占めている。

問を呈していますが、必ずしも否定できません。組み合わせを行う以上、その部分に合った材質を選ぶのは、工人の常識ではないでしょうか。

これと同じ技法は古代の刀剣類にも見え、後には部材ごとに硬軟を異にして鍛え、芯鉄と皮鉄を組み合わせる方法も現れてきます。刀に限らず、日本の刃物全般に共通する技法の原形がここにあるように思えます。

また、時代が下るに従ってその材質にムラが少なくなるのは、精錬まで含めた製鉄の技法が変化してきたことをうかがわせます。銑《ずく》を製造して、これを下げ、錬鉄に加工するやり方が、いつのころからか始まっていたのでしょう。

＊

侮れぬ近世の職人技

時代は近世に属しますが、京都・西本願寺御影堂《ごえいどう》の瓦鉄釘《かわらてつくぎ》の材質を近年、武蔵工業大学の平井昭司教授が分析しています。

西本願寺は言うまでもなく、浄土真宗本願寺派の総本山です。起源は親鸞《しんらん》㉕没後の文永九年（一二七二）に娘の覚信尼《かくしんに》㉖が造った東山大谷の御影堂ですが、破却や兵火に遭い、移った大坂石山㉗では織田信長に抗戦して焼かれ、転々としました。現在地は豊臣秀吉の寄進したところです。堂宇《どうう》は寛永十三年（一六三六）の再建ですが、広さ二五〇〇平方メートル、高さ三〇メートルという世界最大級の木造建築物で、世界文化遺産㉘にも登録されています。

建立《こんりゅう》以来、寛政十二年（一八〇〇）から文化七年（一八一〇）にかけての大修理のほか、幾度か修理が行われていますが、平成十年（一九九八）からは一〇

㉒堀川一男「奥出雲のたたらの里と7t インゴット」（『バウンダリー』平成九年五月号）。

㉓室生寺
奈良県宇陀郡室生村にある新義真言宗豊山派《ぶざんは》の寺。一名女人高野《にょにんこうや》。平安時代初期の建立。

㉔錦帯橋
山口県岩国市を貫流する錦川に架かる反り橋。アーチ式の五橋が連なる。全長一九三・三メートル、幅五メートル。延宝元年（一六七三）岩国藩主吉川広嘉《きっかわひろよし》の創建。

㉕親鸞（承安三年〈一一七三〉〜弘長二年〈一二六二〉）
浄土真宗の開祖。絶対他力や悪人正機などの説を唱え、時代に大きな影響を与えた。著書に『教行信証《きょうぎょうしんしょう》』のほか、弟子唯円《ゆいえん》の編による『歎異抄《たんにしょう》』がある。

㉖覚信尼（元仁元年〈一二二四〉〜弘安六年〈一二八三〉）
鎌倉時代の尼僧。親鸞の死後、京都東山大谷に親鸞の像を安置して大谷廟を創立。本願寺の基を築く。

㉗石山本願寺
現在の大阪城本丸の地にあった浄土真

年間をかけた大がかりな修復工事が始まっています。屋根瓦の全面的な葺《ふ》き替えは、寛政から文化にかけての時代に続き、二度目です。

鉄釘は、丸瓦の上から粘土を貫き、土台の垂木に打ち込んで瓦を固定するような仕組みになっています。形は、頭部がお椀を伏せたような半円形で、針部はいずれも四角錐《すい》をなし、瓦に接触する部分は多少角を取り、瓦を傷めない配慮がなされています。長さはおよそ四〇センチ前後、中央部で約一センチ角といいますから、建築用で流通している最長の五寸釘（約一五センチ）に比べてもいかに大きいかがわかります。これが三〇〇〇本も使用されていたそうです。

頭部の肉が薄いものと厚いもの、さらに厚いものの中でも針部が頭部まで突き抜けているものの三種類があり、肉の薄い釘が当初の寛永年間、厚い釘が文化年間と推察されています。中央部から頭部にかけての、粘土と接触していたり雨ざらしになっていたりしたところはザラザラとさびていたものの、木に刺さっていた先端部は、褐色の滑らかな錆の状態であったといいます。葺き替えの際には多くを再利用するそうですから、三六〇年ないし一九〇年の間、過酷な環境にあっても健全な状態を保ってきたとみていいでしょう。

平井教授の分析結果によれば、御影堂の瓦鉄釘は、砂鉄を原料とした炭素濃度〇・〇〇四〜〇・四パーセントの、軟鉄から低炭素鋼㉙に分類される材質で、かつ不純物のきわめて少ない純鉄であるとのことです。そのために、さびにくく、耐久性に優れているわけです。教授は併せて、出雲の田部《たなべ》家㉚に保存されていた包丁鉄と砂味《じゃみ》㉛（いずれも明治末期）、それに靖國鑪《たたら》㉜の包丁鉄（昭和初期）を分

宗の寺。明応五年（一四九六）、蓮如が建立した石山御坊に始まる。本寺とした後、寺内町に新興商工業者を集め、防備を強化、戦国大名に拮抗する勢力に発展した。信長には一〇年にわたって抗戦したが、天正八年（一五八〇）敗れた（石山合戦）。

㉘世界文化遺産

「世界遺産条約」（世界の文化遺産及び自然遺産の保護に関する条約）に基づき、世界遺産一覧表に記載された文化遺産。条約は一九七二年の第十七回ユネスコ総会で採択され、わが国は平成四年に締約国となった。同年、政府は文化遺産として法隆寺地域の仏教建造物と姫路城を、また自然遺産として屋久島と白神山地を推薦した。

㉙炭素鋼

炭素を除く元素の量が合金鋼として規定されている量以下の鋼。炭素量はおよそ二パーセント以下で、これ以上の炭素を含むものは鋳鉄である。炭素鋼のうち、炭素量〇・二五パーセント以下のものを低炭素鋼、〇・六パーセント以上を高炭素鋼、その中間を中炭素鋼と分類する。〇・〇二パーセント以

西本願寺御影堂の瓦鉄釘。下は錆を落とした状態。

析し、鉄原料の産地推定の指標を得ています。瓦鉄釘と包丁鉄などは同様の結果を示し、出雲の包丁鉄を使った可能性を示唆しています。

不思議に思ったのは、中央部に比べると頭部と先端部の炭素濃度が高く、つまり硬く作られていたことです。一つの材質でありながら、あたかも合わせ鍛えをしたかのように硬度を異にしています。試料は例外なくそうなっていますから、意図的に調整していることになります。その結果は、頭部は金鎚で叩いても変形しにくく、先端は刺さりやすく、それでいて瓦を支える中央部は柔軟な、誠に具合のいい構造です。

硬い部分にも焼入れは施していないとのことです。とすると、軟らかいところだけ脱炭したか、必要な部分に浸炭させて硬くしたかですが、包丁鉄の性格から見て後者の可能性が大きいと思います。それでは、どういう方法によったものでしょうか。例えば、溶かした銑の中にその部分だけをサッと入れることも考えられます。いずれにしても、今は伝わっていない処理です。

下を特に極低炭素鋼と呼ぶこともある。また、鋼は一般に炭素量が多くなると硬さを増すが、硬さによって極軟鋼・軟鋼・硬鋼などと分類することもある。

㉚田部家
島根県飯石郡吉田村の鉄師。代々長右衛門を名乗る。一帯に広大な山林を持ち、最も規模の大きい鉄山経営を行った。現存する菅谷鑪は同家の所有。

㉛砂味
鉧は破砕した後、鋼作場でさらに小割りして選別するが、その最上級品を造鋼（玉鋼）、これに次ぐのを頃鋼と称した。砂味は玉鋼を小割りする際に生じた小さな鋼片を言う。品質に遜色はないが、かつて砂味のみはお歯黒の原料に供された。ほかに得られる歩鉧・鉧《けら》細《こま》・造粉《つくりこ》などは、銑とともに大鍛冶屋に回され、包丁鉄に加工された。

㉜靖國鑪
財団法人日本刀鍛錬会の軍刀製作に必要な材料を確保するため、昭和八年、島根県仁多郡鳥上村に新設された。一切の運営に当たったのは安来製鋼所である。十九年の最終操業までに一一八

西岡棟梁のおっしゃる通り、古代釘の優秀さは科学的にも裏付けられましたが、後世の釘もなかなかどうして、大したものです。江戸時代の卓越した鉄の生産技術と鍛冶の加工技術を、西本願寺御影堂の三〇〇〇本の瓦鉄釘はいみじくも語っています。

代を数え、約五〇トンの玉鋼を生産した。靖國鑪の名称は、鍛錬会が靖國神社境内にあったことに由来する。

日本刀の起源

機能からみた刀剣の発達

平成十五年（二〇〇三）の正月早々、静岡県三島市の佐野美術館①で「草創期の日本刀」と題する展覧会がありました。副題に「反りのルーツを探る」とあるように、刀の反りが最初に生まれたのはどこか、今日「日本刀」と呼ばれる形態が備わったのはいつか、それはどのような発達過程をたどってきたのか、がテーマの、斬新な企画でした。

斬新と言うのは、刀剣学が日本刀の完成以降を主な対象とし、鑑賞者の関心も研磨を経た日本刀に限られている中にあって、刀剣の側から考古学の領域にまで踏み込んで日本刀の原点を究めようとする意欲が感じられたからでした。

出土刀剣類は考古学者に委ねるのが常道とはいえ、末永雅雄②博士や石井昌國③氏らの亡き今、両分野をカバーするまでの役割を期待することは困難です。日本刀の側には、形状・地鉄・刃文・銘字などの子細な検討に基づき、作品の製作された時代・国・流派・作者までも特定できる蓄積があります。近ごろは出土刀剣類の研磨例も少しずつ増えていますから、考古学や金属学の支援を受けながら、むしろ〝自前〟で時代をさかのぼる研究が期待されます。「草創期の

①佐野美術館
実業家佐野隆一の東洋古美術コレクションを中心に昭和四十一年開設。収蔵する刀剣類も多く、また「長光」「正宗」など、著名刀工の特別展を開催している。三島市中田町一—四三　☎〇五五九—七五—七二七八

②末永雅雄（明治三十年〜平成三年）
考古学者。大阪府生まれ。高瀬真卿・関保之助・浜田耕作に師事。『日本上代の甲冑』『日本上代の武器』で先駆的研究が認められる。橿原考古学研究所を創設し、四二年間所長として遺跡の調査研究と、研究者の育成に当たった。文化勲章を受章。

③石井昌國（大正五年〜平成二年）
國學院大學在学中から日本刀を研究。昭和四十一年『蕨手刀』を上梓し、古代刀の研究に新たな視点を導入した。

日本刀」展は、そのような学際的な研究の成果の一つをわれわれに見せてくれたのでした。

日本刀の最大の特徴は、反りにあります。反りが生じる以前は直刀であり、その時代の刀剣類を一括して上古刀とか古代刀と呼んでいます。上古刀から日本刀に大きく変化するのは、平安時代中期であろうと言われています。

上古刀には剣④や鉾《ほこ》⑤のように両刃《もろは》のものと、片刃の刀があり、刀のうち長いものを大刀、短めのものを横刀と書いて、いずれも「たち」と読んでいます。剣はもともと突き刺すことを主目的として作られており、大刀は突く機能と断ち切る機能を併せ持っています。弥生時代から古墳時代前半は剣の出土が多く、その後は大刀などが圧倒するのを見ても、「突く」「切る」両機能を兼備した大刀の方が武器として優れていたと思われます。

この期の大刀の形態（造り込み）は、平造《ひらづく》りが先行し、次いで切刃《きりは》造りが生まれ、奈良時代になって鋒《きっさき》（切先）両刃造りが流行したとみられます。まれに鎬《しのぎ》造りの直刀を見ますが、これは切刃造りの稜線が棟寄りに移動したものであり、日本刀誕生が近いことを暗示しています。

一般的には、刃先の断面が鋭角になればなるほど鋭利さは増しますが、曲がりや折れに弱くなります。反対に、鈍角になるに従って丈夫さは増しますが、切れ味が鈍ります。また、平造りでは、切り口が刀身に密着するために、負荷がかかります。そうしたところの経験を踏まえて、平造りから切刃造りへ、切刃造りから鎬造りへと変化したものでしょう。日本刀で最も多い鎬造りの造り

財団法人日本美術刀剣保存協会評議員・審査員。著書に『日本刀銘鑑』『刀剣銘字大鑑』の大著のほか、『古代刀と鉄の科学』（佐々木稔との共著）がある。

④剣
両刃で、表裏とも中央に鎬があり、左右相似形となるもの。多くは密教の法具として、三鈷柄《さんこづか》を付けて用いられた。「つるぎ」「たち」と読むときは、上古の刀剣類の総称とすることが多い。

⑤鉾
柄を付けて用いる刺突用の武器。これが変化して槍になったとみられる。矛とも書く。正倉院には両鎬の槍状のものと、片鎌の付いたものとがある。

込みは、棟の厚み（重ね）と表裏の鎬間の距離（鎬の高さ）、鎬の位置の三条件を、鋭利さと堅牢さの上から追究した結果と見ることができます。

そして、いよいよ反りの登場です。

若干の反りは大刀にもありますが、多くは内反り⑥で、外側に反るものはまれです。おそらく偶然に生まれたものでしょう。これに対して日本刀の反りは、明らかに意図的に作られています。焼入れ技術が進んで焼き幅が広くなれば、刃方の組織膨張が棟方を上回り、自然に反りがつきます。さらに深い反りを見込んで、焼入れ前の火作りで刀身を反らせておくのは、昔も今も同じでしょう。

反りは当然、断ち切る目的に対して力学的に有効に作用します。切り付ける、深く切る、抜き去るという三つが、一連の行為として滞りなく同時に行えるからです。これが太刀です。太刀は、馬上戦にも威力を発揮しました。

造り込みの種類

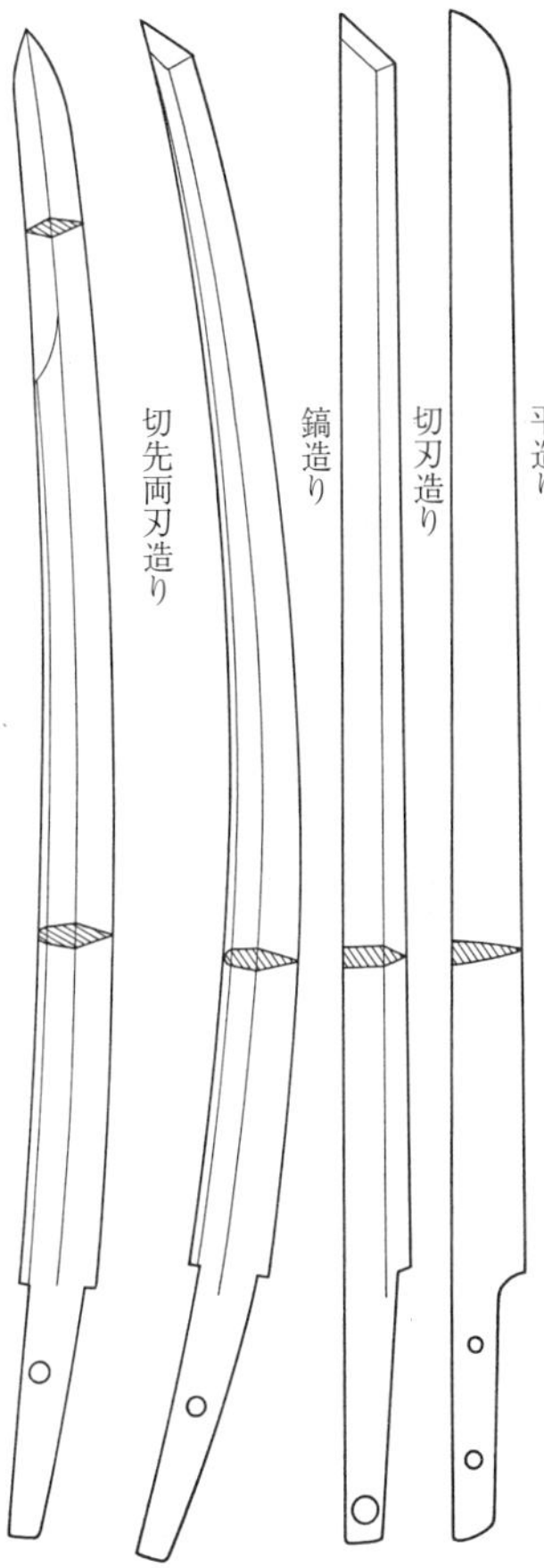

⑥内反り
棟の線が外側に向かう普通の反りとは反対に、刃の方にうつむくもの。

しばらく後の室町時代になると、打刀《うちがたな》（刀）が太刀に取って代わります。⑦ 使い方の違いは、太刀が刃を下にして帯執《おびとり》で腰に結び、これを「佩《は》く」と言うのに対して、刀は刃を上にして腰帯に差す点にあります。太刀は「抜く」「切る」という二段階の動作を要しますが、刀はその動作が連続し、抜き打ちが可能です。戦闘に熾烈《しれつ》さが加わり、武器に「速度」が求められたところに出現の一因があろうと思います。

いずれにしても、刀剣は武器である以上、厳しく機能を要求され、そのことによって形状も変化してきたのは間違いありません。

*

日本刀の誕生

「草創期の日本刀」展では、反りのルーツを蕨手刀《わらびてとう》とみています。従来の直刀の中心《なかご》⑧と異なり、刀身と共鉄《ともがね》で柄《つか》を作り、その頭部が早蕨《さわらび》の巻いた形に似ることから、この名があります。使用するには、柄に籐《とう》などを巻いて手持ちを良くし、小さな鐔と鞘《さや》を付して腰に下げたとみられます。起源は七世紀前半の関東・中部地方といわれ、その後、東北地方から北海道にかけて流行しました。特に、岩手県・北上川中流域に集中して出土しており、柄反りのある大形のものが多いといいます。柄が外側に曲がることにより、刀身は反りを持った状態に近い角度を生んでいます。

さらに九世紀には、柄の中央に毛抜き状の細長い樋《ひ》を透かし彫りにした毛抜形透蕨手刀が登場します。しかし、十世紀になると蕨手刀は姿を消し、柄頭を

⑦平安時代末期に成立した「伴大納言絵詞」などには、打刀を腰に差した図が見られるところから、発生はかなり古いと思われるが、僧兵や従者に限られ、一般化していない。応永（一三九四～一四二八）ごろには刀銘（刀を差したとき、銘が外側になる）が急増する。十六世紀には、太刀から打刀への転換がほぼ完了したと思われる。

⑧従来の直刀の中心の多くは、刃方を削いで次第に幅を狭めてある。ほとんど反りはない。木柄などを付けて、目釘で固定するものが普通である。また、懸通し孔もまま見る。

方頭形とし、共柄の中央に樋を透かす形式だけが踏襲されます。現存するものは柄反りが強く、刀身にも反りがあり、平造りからやがて鎬造りへと変化していきます。これを毛抜形太刀と言います。毛抜形太刀は後に儀仗用に限られていきますが、十二世紀の初めごろは「俘囚《ふしゅう》の野剣《のだち》」と呼ばれていたそうですから、蝦夷《えみし》の刀の様式として一般に認識されていたものでしょう。

毛抜形太刀が実用から離れていった理由の一つは、柄の造りが衝撃の吸収に関して難があったためとみられます。これとは別に、直刀の中心の形式に仕立てて木柄を付け、手持ちを良くする改良がなされ、ここに鎬造りで反りを持つ日本刀が完成します。

このようにして日本刀の形態は十世紀の末ごろ、中央において完成を見たわけですが、その最大の要素である反りが、遠く離れた陸奥《みちのく》に源を発したことは注目されます。背景には、律令国家成立以降の中央との熾烈な戦いがあり、一帯に独自の高度な鉄文化があったとみて間違いないでしょう。

完成した日本刀の重要な要件としてぜひ加えておきたいのは、地鉄《じがね》と刃文です。直刀の時代には、素材を寄せ集めてかろうじて地鉄にまとめたものや、焼刃があるかどうかわからないものなど、鉄質は劣り、作刀の技術も稚拙な作が少なくありません。それが次第にまとまりを見せるようになり、形態の完成から二世紀近くを経た平安時代末期、作者名を切り付ける作が山城・備前・伯耆・大和⑨などに知られるころには、格段の進歩があり、鑑定も十分可能な水準に到達しています。鑑定が可能であるとは、地鉄に特有の色合いと鍛え肌が現

⑨山城の宗近、備前の友成・包平・正恒・信房、伯耆の安綱・真守、大和の行安・行正など。

れ、刃文の構成に他と紛れない個性があるということです。とりわけ、意図した乱れ刃を焼き上げる技術は、完成した日本刀にしか見られません。

＊

伝世する上古刀

一方、上古刀にあっても、鉄は誠に不可思議な様相を見せています。伝世品としてよく知られる奈良・正倉院⑩の刀剣類や、聖徳太子の御剣《ぎょけん》と伝える大阪・四天王寺⑪の二口の直刀などを見ると、ますますその思いを強くします。

正倉院には大刀・刀五五口、手鉾⑫五口、鉾三三口、刀子《とうす》⑬類八七口などがあり、奈良時代に製作されたものとするのが通説です。私は一部しか見ていませんが、すべてを精査された本間薫山先生によれば、スラグの目立つものの多い中にあって、鍛え目がいかにも細かで折り返しの多いことを表し、地鉄が美しく潤い、直刃《すぐは》を基調とした焼刃の良さと相まって、後の日本刀の上作に匹敵するほどの技量を示している作があるとのことです。

また、現存品とは対応しませんが、「東大寺献物帳⑭」には、一〇〇口の大刀の中に切先両刃造りのものが一六口あり、そのうち五口を唐大刀《からだち》、同じく五口を唐様大刀、一口を高麗《こま》様大刀と記しているといいます。唯一現存する唐大刀に金銀鈿荘唐大刀《きんぎんでんそう》⑮があって、唐大刀とは外装の様式を指すと思われますが、献物帳に記載する言葉が文字通り、中国製およびそれらを模して作ったものを意味するのか、そうだとすれば刀身も同様の解釈でいいのかどうかは不明のようです⑯。金銀鈿荘唐大刀は見たところ、いかにも貴人の佩用《はいよう》らしく贅《ぜい》を尽くした

⑩正倉院
古代の主倉庫を正倉と言うが、現存するのは奈良・東大寺の正倉院のみである。天平勝宝八年（七五六）、聖武天皇の四十九日忌に当たり、光明皇后が東大寺に献納された聖武天皇の遺物を主に納める。

⑪四天王寺
大阪市天王寺区元町にある天台宗の寺。五四一年、聖徳太子が摂津玉造に創建したのに端を発し、後に現在地に建立された。今も庶民の盛んな信仰を集めている。

⑫手鉾
穂先に対して、柄の短い鉾。正倉院の手鉾の穂先は鍵形の特異な形状で、上半分だけに刃が付いている。

⑬刀子
古代の小刀《こがたな》。奈良県・唐子遺跡からは、弥生時代の鹿角製の柄を持つ刀子が出土した。古墳の副葬品にも多く見る。正倉院には橘夫人佩用と伝えるものをはじめ、いかにも貴人の所持と見える精巧な装飾が施された刀子が多い。

⑭東大寺献物帳
光明皇后が聖武天皇の遺愛品を東大寺

外装で、刀身の出来も傑出しており、本間先生の言われる通りだと思いました。

四天王寺にあるのはいずれも国宝で、それぞれ「丙子椒林剣《へいししょうりんけん》」⑰「七星剣《しちせいけん》」と呼ばれています。剣といいながら、実際には二口とも切刃造りの大刀です。名称の由来は、前者には佩裏《はきうら》の腰に「丙子椒林」の四文字の金象嵌《きんぞうがん》が、後者には雲形《くもがた》・七星・三星・竜頭の金象嵌があるためです。

七星剣はややスラグの介在が目立ちますが、丙子椒林剣は完璧で、見る者すべてが感銘を受けると言っても過言ではないくらい、神々しい趣を漂わせています。上古刀中の最高傑作です。地鉄は小板目⑱がよく錬れ、厚く霜の降りたように地沸《じにえ》⑲が白く、これに細直刃《ほそすぐは》を焼いて湾《のた》れ⑳と小乱れごころを交え、匂深く小沸つき、細かい金筋・砂流《すなが》し㉑がかかります。造り込み以外の点では後の日本刀の作風に変わらず、山城などの上工㉒にも劣らぬ作位でしょう。

ところで、日本刀の鑑賞や鑑定には長い歴史があるために、独特の言葉遣いが少なくありません。情緒的でわかりにくいとも言われます。さほど古い言葉とは思えませんが、われわれ刀鍛冶も共感できるので、しばしば「澄んで明るい鉄《かね》」なる表現をします。すると、これがわかりにくいらしく、特に鉄の専門家などから炭素含有量や組織・組成に引き寄せて質問されます。関連がないとは言いませんが、それとはどうも別物らしいのです。

ある伝書を見ていましたら、「さえたる鉄色《かねいろ》」として「少しももたれず、鍛えしぶとく、さらりとしたる体《てい》にて、いかにも闇の夜にさえきりたる空を見る如くなり」とあり、これだなと思いました。快晴の秋空は、どこまでも澄んで

に献納した際の目録「国家珍宝帳」など五巻を言う。

⑮金銀鈿荘唐大刀
革着せ黒漆塗りの鞘に麒麟・飛鳥・唐草などを研ぎ出し蒔絵で表し、金具は銀台鍍金の透かし彫りに玉荘を施している。刀身は、切先両刃の切刃造り大刀で、小板目が詰み、きれいな直刃を焼いて、地刃ともに冴える。製作はいずれも、献納と同時代の八世紀という。

⑯六世紀後半の大型横穴式石室墳である藤ノ木古墳からは、膨大な量の副葬品に交じって倭装大刀五振が発見された。柄や鞘に直弧文という日本独自の文様を施す形式は、主に四～五世紀に流行したものという。それが一〇〇年後も踏襲されていることに、関係者は驚いている。その後、御所市から鍛冶・刀装製作工房が発見され、これらの国産化が意外に早かったことが確認されている。

⑰丙子椒林
「丙子」は干支、「椒林」は作者名とする説が有力である。

⑱板目肌
木を挽いた断面に現れる模様に木目・

明るく見えます。ところが、新月の夜でも、見上げた空が少しも暗くなく、無限の透明を感じることがあるものです。満天の星は地沸であり、天の川は匂です。名刀の地鉄にはそんな透明感があり、底から沸き上がってくる働きがあります。科学的な根拠を示して、正確に説明することができず申し訳ないのですが、丙子椒林剣の地鉄の印象も、澄んで明るい鉄でした。

＊

上古刀と相州上作

研師の小野光敬《こうけい》㉓さんは、正倉院と四天王寺の刀剣類をすべて研いでいます。その小野さんから上古刀の地鉄の感触をうかがったことがあります。

お話によると、地鉄が最も良いとされている平安・鎌倉時代の名刀よりも、共通してはるかに素晴らしい砥当たり㉔だというのです。砥当たりの良しあしは研師独特の評価の表現で、地鉄の出来に整合するとみて大体間違いがなさそうです。上古刀は、軟らかくて砥石に素直に食いつき、粘って腰があるといいます。ただ軟らかいだけの地鉄だと、地肌は起きてきませんが、上古刀の肌は凜《りん》としています。日本刀に比べ低炭素に見えながら、冴えがあります。

正倉院の手鉾や鉾には、大刀類に比べて劣るものが多く、フクレがたくさん残っていたそうです。フクレとは、折り返し鍛錬などの際に一部が鍛着しないまま残ってしまった状態を言い、研磨の途中で割れや破れを生じる厄介《やっかい》な代物《しろもの》です。われわれ刀鍛冶であれば、打ち上げた刀にフクレを発見したら、即座に失敗作と判断します。研師は古作にフクレがあるとわかったとき、どう処理し

柾目・板目があるが、刀の地鉄にもこれに似た肌目が見られる。小板目とは板目肌が細かい状態を指す。

⑲地沸
刃縁につく沸と同じ性質のもので、これが地にあるとき地沸と言う。

⑳湾れ
ゆったりと波打ったような形になり、乱れの谷から山にかかる変化が緩やかな焼刃。大湾れと小湾れがある。

㉑砂流し
やや粗めの沸が連なって、箒《ほうき》で掃いた跡のように見える状態。刃縁付近の刃中に縦に現れる。

㉒古刀期の山城には三条派・粟田口派・来派・綾小路派があるが、特に粟田口派の作品は姿・地鉄・刃文とも気品にあふれ、名刀の典型と目されている。

㉓小野光敬（大正二年～平成六年）
岩手県出身。加藤勇之助・本阿彌光遜に師事。昭和五十年、重要無形文化財「刀剣研磨」の保持者に認定される。五十四年紫綬褒章、五十九年勲四等旭日小綬章を受章。正倉院の御物一四八口の研磨は昭和二十七年から二五年間に及んだ。

たらよいか一番悩むといいます。

しかし、このときは何の工夫もせず、研いでいるうちに破れることもなく、自然に収まってしまったそうです。想像以上に軟らかそうです。

なお、丙子椒林剣と七星剣は、研磨をするまでは四天王寺の宝庫に裸身《はだかみ》で納められていました。記録からは、少なくとも室町時代以来、その状態にあり、全身黒錆㉕に覆われていた模様です。そういう状態の錆身だと普通はどうにもならないものですが、研磨の結果は朽ち込みもほとんど残らず、われわれの前に健全な姿を見せてくれたというわけです。

奈良時代の名作の砥当たりに共通する日本刀はあるかどうか、小野さんにあらためてうかがってみました。「ある」と言います。それは、正宗や貞宗、行光㉖など、本筋の相州物だと、はっきり言われました。相州物の地鉄は凛として働きも豊富なので、一見硬い印象を受けます。しかし、実際には、砥石に吸いついてくるような軟らかさがあるそうです。

また、両者には共通して、どこかに小さなシナエがあるとのことでした。シナエとは、刀身にシワのように現れた横キズを指します。

見た目の共通点に加え、研ぎ味や欠点まで似ているところに、深く考えさせられるものがありました。

＊

俵博士の出土刀分析

俵國一《たわらくにいち》㉗博士は東京帝国大学工学部に設けた日本刀研究室で、従来ほとんど手

㉔砥当たり
刀を研いでいるときの感触。特に下地研ぎの最終工程である内曇地砥で、良しあしが顕著に認められるという。

㉕黒錆
鉄の表面がFe_2O_3・xH_2Oで覆われ、次第に内部まで腐食が進行する現象が錆である。大気環境で見られる錆は外層と内層の二重構造からなり、外層は結合が粗で保護性に乏しい赤錆であるが、内層のFe_3O_4は緻密で密着性もよく、防食機能がある。これが黒錆である。鐔などの場合、仕上げに錆付けを行うのは、意図的に黒錆を発生させるものである。

㉖貞宗・行光
貞宗は通説に正宗の門人で、後に養子になったという。行光は正宗の父とされる。三者の製作期は鎌倉時代末期から南北朝時代にかけてである。

㉗俵國一（明治五年～昭和三十三年）
島根県生まれ。帝国大学工科大学採鉱冶金学科、ドイツ・フライベルク鉱山大学に学び、帰国後、東京帝国大学教授、同工学部長。日本鉄鋼協会・日本鉱業会各会長、日本工学会理事長など

が着けられていなかった日本刀を科学的な見地から研究されました。出土品の上古刀一〇点についても詳細に分析し、大正八年（一九一九）の『鉄と鋼』㉘に発表されていますので、その結果を参照します。

出土地は福岡・大分・奈良・長野・静岡・群馬の各県ですが、古墳の年代は不明です。含有炭素量はおおむね少なく、日本刀のように刃部と地部で相違するのではなく、炭素の多めのところが固まり状、あるいは板状に偏在するものがあります。概して銅の含有が多く、中にマンガンを含むものもあり、古くは製鉄に砂鉄以外の原料を使用していたと、博士は断定しています。丸鍛えが半分を占める一方で、意識的に三枚合わせ㉙にしたものもあります。

腐食によって焼刃が失われたためもあってか、半数には焼入れの跡が認められません。ただし、三段加熱処理という複雑な作業をしたものがあるとのことです。三段作業とは「いったん比較的高温で焼入れした後、これを七〇〇度以下で焼き戻し、さらに焼刃土を塗って刃部のみ最も適当に焼きを入れる」方法だそうです。

これは俵博士が映り㉚のある刀の組織分析から推定されたらしく、刃部に十分な硬度を与え、棟部には靭性が加わる熱処理であるとのことです。当時の軍艦用甲板にも、同様の作業が行われているとの指摘もされています。

釘の話でも見たように、どうやら古代鉄には砂鉄以外の原料、例えば含銅磁鉄鉱などを使ったものが意外に多かったようです。それに炭素量は低めで、焼きが入らない場合も考えられ、刀剣の地鉄としては未熟とも言えます。しかし、

を歴任。初めて大型金属顕微鏡を導入して金属組織学の確立に尽くしたほか、鑪製鉄の実証的研究や日本刀の冶金学的研究に業績がある。文化勲章を受け、文化功労者に選ばれた。著書に『古来の砂鉄製錬法』『日本刀の科学的研究』『鉄と鋼—製造法及性質』がある。浜口雄幸内閣で商工大臣を務めた俵孫一は兄。俵家の家庭環境については俵孝太郎著『わが家のいしずえ—明治の父権教育』に詳しい。

㉘『鉄と鋼』
社団法人日本鉄鋼協会発行の論文誌。創刊は大正四年。

㉙丸鍛え・三枚合わせ
丸鍛えは無垢とも言う。組み合わせについては次ページ参照。

㉚映り
刀身を光に透かしたとき、刃文の影の

組み合わせの種類

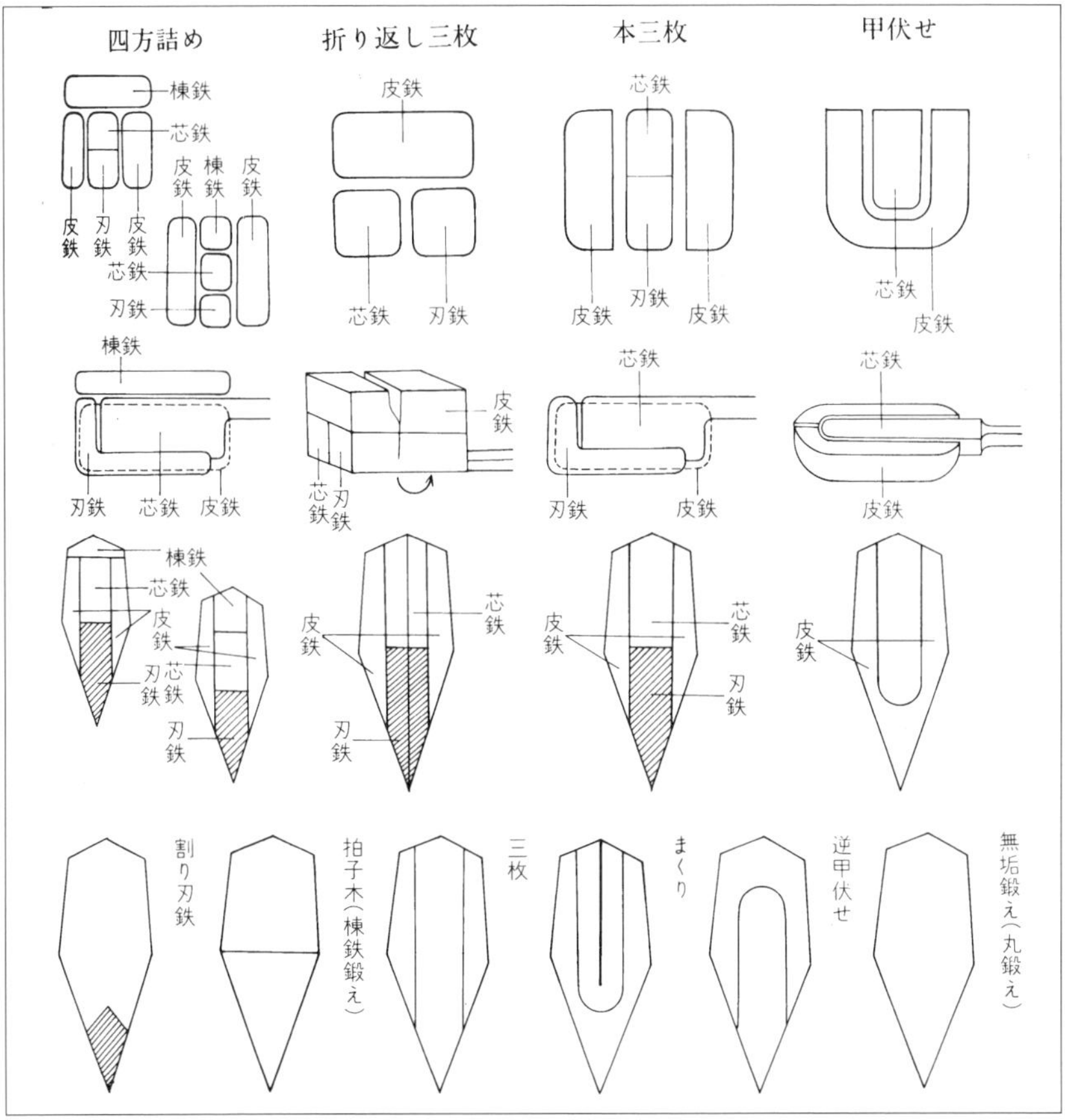

ように地に白く見えるもの。その形状や状態から棒映り・乱れ映り・白気映り・沸映りなどの名称がある。

溶融元素はきわめて微量で、純粋に近い、精良な鉄です。条件の悪い土中で千数百年を経ても、それなりの形状を保っているのは、この鉄質のためでしょう。

初期の日本刀にも、見るからに炭素量の低そうな作があります。そして、刃が潤んだり、㉛まま「焼き落とし」と言って、元に焼きの入っていない部分があります。焼き落としを折れないための配慮とみる方もいますが、やはり焼きが入らなかったと解釈するのが妥当です。というのは、先に比べると元は温度が上がりにくく、厚みも加わりますから、低炭素鋼の場合あり得ることです。

それでいて、地鉄にはいかにも古刀らしい風格があるから不思議です。

＊

百錬鉄とは何か

上古刀の鉄原料が仮に磁鉄鉱だったとして、その鉄が国産か、それとも大陸・半島産かは難しい判断です。砂鉄製錬に切り替わる以前、わが列島でも鉄鉱石の製錬が行われています。ただ、確実に刀剣の素材を輸入した時代があり、刀剣そのものにも舶載品が混在しています。素材や製品としての刀剣が海外からもたらされたことは、文献からもうかがうことができます。

『日本書紀』神功《じんぐう》皇后㉜紀五十二年の条に、次のようにあります。

（前略）久氏等、千熊長彦《ちくまながひこ》に従ひて詣《まうけ》り。則ち七枝刀《ななつさやのたち》一口《ひとふり》、七子鏡《ななつこのかがみ》一面、及び種種《くさぐさ》の重宝《たから》を献《たてまつ》る。仍《よ》りて啓《まう》して曰《まうさ》く、「臣《やつこ》が国の以西《にしのかた》に水《かわ》有り、源《みなかみ》谷那《こくな》鉄山《てつのむれ》より出づ。其の邈《とお》きこと七日行きて及《いた》らず。当《まさ》に是の水《みず》を飲み、便《すで》に是の山《むれ》の鉄《かね》を取りて以て永《ひたぶる》に聖朝《ひじりのみかど》に奉らむ」とまうす。（中

㉛匂口（刃縁）が冴えず、あるいは明瞭な形にならず、にじんだように見える状態を「潤む」と称する。

㉜神功皇后
『日本書紀』によれば、仲哀天皇の皇后。天皇急死後、朝鮮に出兵して新羅を討ち、百済・高句麗を服属させたという。なお、九世紀末の制作とされる神功皇后像は国宝に指定されている。

略）是より後、年毎に相続《つ》ぎて朝貢《たてまつ》る。

これは百済《くだら》による倭国への朝貢の由来を記したもので、久氏は百済王の使者、千熊長彦は百済に渡った倭の将軍とされます。久氏らは同盟を誓う百済王の意思として刀や鏡などを倭王に献上し、その上、谷那鉄山㉝の鉄を永遠に奉呈すると言っています。人物は伝説の域を出ませんが、それでも四世紀の後半に、百済と倭の間に外交関係があり、鉄資源の供給を受けていた事実は垣間見《かいまみ》ることができます。

ここに登場する七枝刀は、奈良県天理市・石上神宮《いそのかみ》㉞の御神宝であり、国宝の七支刀《しちしとう》であるとする説が有力です。全長は約七五センチ、剣の左右に交互に三本ずつ両刃の枝刀があり、中央の平地両面に六十余文字の金象嵌の銘文を施しています。この全貌については昭和五十六年（一九八一）にＮＨＫ特集「謎の国宝七支刀」で紹介があり、大きな反響を呼びました。

銘文からはあらためて、中国の東晋年号の泰和（＝太和）四年（三六九）に製作され、おそらく『日本書紀』の記述とは逆に、百済王から隷属する倭王旨㉟に下賜されたものであろうとされました。

問題は「造百練銕《てつ》七支刀」の一節であり、われわれの関心もそこにありました。従来は「銕を百練して七支刀を造る」と理解されていたところです。類似の象嵌銘は、奈良県・東大寺山古墳出土の環頭《かんとう》大刀㊱（後漢年号の中平〈一八四～一八八〉）の「百練清剛」や、熊本県・江田船山古墳出土の大刀㊲の「八十練」があり、中国には「五十煉」「三十煉」の銘文も実在するそうです。

㉝谷那鉄山
臨津江・礼成江の上流の黄海道谷山郡を充てる説もあるが、はっきりしない。

㉞石上神宮
大和における最高の神社で、物部（石上）氏が氏神として代々奉仕した。武器に関する伝承を数多く伝えている。

㉟旨
天皇の名を中国風に表現した例に倭の五王（讃・珍・済・興・武）があり、五世紀に在位した天皇にそれぞれ擬せられているが、旨も倭王の一人であろう。一説に「倭王の御旨によって作った」との解釈もある。

㊱東大寺山古墳出土環頭大刀
天理市櫟本町にある四世紀後半の前方後円墳から出土。全長一一〇センチの平造り大刀。柄に青銅製の飾環頭が付く。棟に推定二五文字の金象嵌がある。

㊲江田船山古墳出土大刀
玉名郡菊水町の前方後円墳から出土。全長九〇・七センチ。平造り。刀身表の元部に花模様と天馬が、棟に七五文字が銀で象嵌されている。

文字通りに解釈すれば、折り返し鍛錬を回数重ねることであり、中国の文献でもそのように記されるとのことですが、過度になると脱炭するばかりでなく、どんどん消耗していきます。実際的な方法ではありません。

この材質の解明には、新日本製鐵第一研究所のスタッフと石井昌國氏らが当たりました。七支刀そのものを分析することは不可能なので、試料には七支刀の素材に共通すると思われる石上神宮御禁足地出土の伝十握剣《とつかのつるぎ》㊳（四～五世紀）、埼玉県・金鑚《かなさな》神社古墳出土大刀㊴（五世紀）、それに韓国・公州の土壙墓《どこうぼ》から出土した古斧などが用いられました。

この結果、石井氏によれば、百練（錬）鉄とは刀鍛冶が折り返し鍛錬をして刀に仕上げる工程を表す言葉ではなく、製鉄の工程で仕上げられた最高級地鉄（低炭素の清浄な軟鋼）を示すとされました。すなわち、鉄鉱石を溶融還元し、さらに溶融状態で脱炭した、いわゆる炒鋼《しょうこう》であるといいます。八十練や三十練は、最も清浄な百練鉄に対する品位を表すとも推定しています。そして「銕を百練して七支刀を造る」のではなく、「百練銕をもって七支刀を造る」が、鉄が語る真実であると断定しました。

解明に当たったスタッフの一人、佐々木稔さんは、「古代の比較的清浄な低炭素鋼は、海綿鉄㊵を鍛錬したのではなく、溶融した銑鉄を塩基性スラグで精錬、脱炭したものと考えざるを得ない」㊶と記しています。しかし、炒鋼炉のような簡単な炉で、単純な攪拌《かくはん》法により、最初から炭素量〇・二～〇・三パーセントの鋼を精錬したとは考えにくいとし、一パーセント前後の鍛造可能な高炭素鋼

㊳十握剣
握り拳一〇倍分ほどの刃長を持つところからの名称である。全長一〇二センチ。平造りの大刀。明治十一年、石上神宮の社殿改築が行われた際に、御禁足地から出土したものという。

㊴金鑚神社古墳出土大刀
児玉郡神川村出土。全長一〇三センチ。平造り。

㊵海綿鉄
鉄鉱石または砂鉄を溶融温度以下の一〇〇〇～一一〇〇℃に加熱し、木炭・水素・天然ガスなどで還元した多孔質海綿状の鉄。スポンジ・アイアン、還元鉄とも言う。砂鉄を原料とする海綿鉄は特に有害不純物の含有が少ないため、工具鋼のような高級特殊鋼に利用されている。

㊶「銘文鉄剣の材質と製法」（『月刊百科』第二二九号、昭和五十六年）

を措定《そてい》します。だからこそ加熱・鍛打を繰り返して、脱炭・脱滓する三十練、五十練、百練の鍛錬法が炒鋼法を補って発達したのだ、といいます。そして、この中国の技術が半島に伝わり、七支刀の製作された時代には、百済でも盛んに低炭素鋼が作られていたとみています。

同じく「百練利刀」と金象嵌のある埼玉・稲荷山古墳㊷出土の辛亥銘鉄剣についても解明がなされ、これは昭和五十八年のNHK「歴史への招待―推理・稲荷山鉄剣」として、前・後編二回にわたり放映されました。

鉄剣が発見されたのは昭和四十七年にさかのぼりますが、数年後の保存処理の過程で錆に埋もれていた金象嵌が発見され、歴史ブームの中で、にわかに脚光を浴びることになりました。放映のあったこの年、国宝に指定されています。一一五文字の銘文から、この剣が西暦四七一年にわが国で製作されたことは、ほぼ間違いないとみられます。

試料には、保存処理の際に取り除かれた黒錆六個、合計〇・二グラムが供されました。やはり新日本製鐵第一研究所で、CMA（コンピューター制御X線マイクロアナライザー）という最新の解析システムにかけたところ、炒鋼と推定される結果になりました。炭素量は推定〇・二〜〇・三パーセントだそうですから、象嵌のある平地はかなり軟らかいと思われます。ただ七支刀のような祭祀用ではなく「利刀」とありますから、刃の部分は鋭利でなくてはならず、それなりの硬さを持たせてあったものでしょう。

NHKでは、稲荷山鉄剣の復元まで企画しました。地鉄・鍛法・象嵌技法な

㊷稲荷山古墳
行田市大字埼玉に所在する埼玉《さきたま》古墳群の一つ。五世紀末から六世紀末にかけて最大級の古墳を築造し続けた勢力を、武蔵国造とする見方もある。鉄剣は全長七三・五センチ。象嵌銘は剣の表裏に、平地の先から元までいっぱいに施されている。

ど、当時を想定して忠実に再現しようというわけです。「炒鋼」であれば本来は、攪拌されて細かいスラグが残存しますが、現代の精錬技術ではスラグ分とメタルがほとんど完全に分離するので、やむを得ず電解鉄㊸を真空加熱炉で溶解して合金成分を添加し、炭素・銅・マンガンの量を調整するにとどまったようです。素材は新日本製鐵が提供し、作刀を隅谷正峯さん、象嵌を苔口仙琇《こけぐちせんしゅう》㊹さん、研磨を藤代松雄㊺さんがそれぞれ担当しました。

出来上がりが期待されましたが、厳しい時間の制約もあって、必ずしも意図通りというわけにはいかなかったようです。しかし、今では錆に覆われ、かろうじて金象嵌が顔をのぞかせた鉄剣が、千数百年前は光り輝く利刀であったということを、視聴者は実感することができたのでした。

㊸電解鉄
屑鉄や屑鋼を硫酸塩などの水溶液中で電解して製造される鉄。水素をわずかに吸収するので、質がもろいと言われるが、純度は高く、工業上純鉄として扱われる。

㊹苔口仙琇
刀身彫刻の第一人者。大正十一年生まれ。財団法人日本美術刀剣保存協会理事、新作刀展覧会審査員。横浜市在住。

㊺藤代松雄
大正三年生まれ。父福太郎に研磨を、兄義雄に鑑定を学ぶ。昭和六十三年、美術刀剣研磨技術保存会幹事長に就任。平成八年、重要無形文化財保持者に認定される。十年、勲四等旭日小綬章を受章。東京都在住。

鋼か、銑か

玉鋼は最高の鉄

「日本刀は玉鋼《たまはがね》で作る」とは、刀に詳しくない人でも知っていることです。では、なぜ玉鋼なのか――。それは、世界で最も純粋な鋼だから。これも常識です。玉鋼はタタラ（鑪）製鉄という古くからのやり方で製造することも、よく知られています。

玉鋼がいかに優れた鋼であるかは、科学的な分析によっても証明されています。現代の工業では、いったん製造した銑鉄から不純物を取り除く処理をしますが、鑪では初めから純粋な鋼を作ります。前者を間接製鋼法、後者を直接製鋼法と言い、直接製鋼を目的とする鑪は世界の製鉄史の中でも、きわめて特異な存在です。

それには、まず不純物の少ない原料を使います。全国に豊富にある砂鉄はその条件にかなっており、中でも奥出雲（島根県）の真砂《まさ》①は純良です。次に、製錬に使う燃料も不純物の少ないものでなくてはいけません。硫黄《いおう》分などを多く含むコークスではなく、昔から木炭を使ってきたのはそのためです。

三番目は、鉄を取り出す温度が低いことです。溶鉱炉のように炉内が高温に

①真砂
赤みがかって見える赤目砂鉄に対して、黒色で光沢があり、粒形も大きい。燐や硫黄、チタンの含有が比較的少なく、品位の高い磁鉄鉱である。赤目に比べて還元の速度が緩やかであるところから、鉧押しに用いられる。山陰地方の山砂鉄に見るが、全国的には少ない。

なると、有害物質が溶け込んできます。その点、鑪は比較的低温であり、それでいて鉄が具合良く成長するよう、炉の材質や構造、送風の仕方に細心の配慮をしています。この困難な操業を作業者として、また責任者として担い、優れた鋼を作ってきたのが、村下《むらげ》②と呼ばれる人たちです。

もう一つ玉鋼の優れているところは、材質が均一で、鍛えていくだけで刃金《はがね》に使えることです。かつては鋼と包丁鉄（錬鉄）があれば、たいていの刃物や道具は製作可能でした。しかし、用途ごとの品質が用意され、しかも延ばして成形するだけで製品になる洋鋼が安価に出回るようになると、いかにしても非効率な鑪製鉄は衰微していきます。

江戸時代末期に刊行された刀剣書『古今鍛冶備考』③は、当時の鉄の産地として奥州（東北地方）・但州（兵庫県）・因州（鳥取県）・伯州（同）・雲州（島根県）・石州（同）・播州（兵庫県）・作州（岡山県）・備中（同）・備後（広島県）・芸州（同）・薩州（鹿児島県）の一二地区を挙げ、そのほか諸国からも出るが、少量なので略すと記しています。鉄の生産において、山陰・山陽が他を圧倒していたことを示しています。

また同書は、鋼の俗称として出羽《いずわ》鋼・千草《ちぐさ》鋼・印可《いんが》鋼の名を記します。出羽鋼は石州邑知（智）郡出羽村に産し「邑知《おおち》鋼」とも言い、同じく千草鋼は播州宍粟《しそう》郡千草村産で「宍粟鋼」、印可鋼は伯州日野郡印可（賀）村産で「伯耆《ほうき》鋼」とも称します。今では見ることもまれですが、昔はいずれも上質の鋼の代名詞として知られ、日本刀の素材の代表的なものでした。そもそも鋼を主体に産するのは伯

②村下
江戸時代から明治にかけて操業された鑪は、専門的な集団によって担われてきた。その技師長を村下と言う。ほかに補助役の炭坂、炉に炭を装入する炭焚、吹子を踏む番子、手子または小回りと呼ばれる手伝いなどがいた。

③『古今鍛冶備考』
刀工の銘鑑と中心の押形を主にまとめた七分冊の刊本。文政十三年（一八三〇）初版。山田浅右衛門吉睦の著とされるが、実際の著者は肥前唐津・水野藩士柘植《つげ》平助であるともいう。

者・出雲・岩見の山陰三国に限られ、ほかでは銑《ずく》と、これを加工した錬鉄であったようです。

ところで、玉鋼あるいはそれに類する鋼が、古刀の時代から使用されていたものではないとの確信を持って、古伝を探ろうとしたのが、復古刀④を唱えた幕末の刀工水心子正秀です。

日本刀史を見ると、粗製品が量産された戦国時代で古刀期は終わり、慶長（一五九六～一六一五）からは新刀期に入ります。新刀には天下統一後の思潮を反映して、堅牢で美術性の高い入念作が求められました。その新刀鍛冶が目指したのは、古作で言えば、鎌倉・南北朝時代の名刀です。新刀に限らず、以後の刀工の共通目標がこの時代です。新刀・新々刀期に個性的な作風を築き、優作を残した名流・名工は少なくありませんが、厳しい言い方をすれば、再現はかないませんでした。

＊

古刀は銑卸しか

水心子もその一人です。多くが、主に鍛法を試行錯誤しながら古名刀を追究したとみられる中にあって、水心子は素材の差に着目します。少し長くなりますが、彼の著書『剣工秘伝志《けんこうひでんし》』⑤の一節を見ることにします。

出羽、千草今有る風の鋼は天文《てんぶん》の比《ころ》より仕出したる者にて《ママ》、其以前は無き事也。故に応永比迄《ごろまで》の鍛冶は自ら銑を吹《ふき》をろして鋼とし、能《よ》くをりたる時は其儘《そのまま》打延《うちのべ》て刀剣に造る「是所謂《いわゆる》鋳刀也」。又鋼の出来思はしからさる

④復古刀
古刀を理想とし、新刀以来の鍛法の革新を図ろうとした幕末期の製作思潮、およびその作品。新々刀。水心子は『剣工秘伝志』『刀剣弁疑』『刀剣実用論』『刀剣武用論』『鍛錬玉函』などの著述で鍛刀界に大きな影響を与えた。

⑤『剣工秘伝志』
水心子が門人に伝授した秘伝書。陸奥介弘元に与えたものが早く、奥書きに文政四年（一八二一）とある。

時は二、三遍も鍛へて造りたるも有り。今世の如く数遍鍛へたるには非す。多くとも七つ八つ折を限とせしと也。然るにをろし加減に依りて剛柔出来不出来悉《ことごと》く有りて、程能処《ほどよきとこ》ろ甚《はなは》た得難き事故《ことゆえ》に其比よりは自然と出羽、千草の鋼の数遍鍛へて造りたる事多し。是を以てをろし鉄の伝終《つい》に絶へたり。去《ママ》れとも応永の比迄は関の兼元⑥、長船康光、盛光⑦等の作には、をろし鋼にて数遍鍛へたると又鍛へさると一人の作に両様有ると有れとも、其後の作には至《いたり》て稀《ま》れなる事にて、慶長以来の作なとには猶以て稀れ也。最《ママ》も適々《たまたま》をろし鉄と云事は有れとも、古の如く唯其ま、打延て造る事を失ひ、今風の出羽、千草を用ゆる如く数遍鍛へて造る事に心得たる故に、古伝は絶へたり。是を以て慶長以来の作を新刀と号す。古風の鉄性にあらさる故也。中にも洛陽国広⑧、肥前忠吉⑨なとは最早二百年に及《およば》は新刀と云へきにも非す。今の世の作に同き鉄性なるは是皆鋼に依る所也。今世も往古の如くをろして造る時は、則《すなわ》ち古刀の如く也。予、近年故有て正宗相伝の系図並に鍛法の書を得たり。其中備前三郎国宗⑩の伝有り。依て国宗の伝を以て造る時は備前物にて、正宗の伝を以てする時は相州物の如し。又、出羽、千草の鋼を数遍鍛ひて造る時は、則ち慶長以来の作に似れり。故に新刀大坂打の風、備前風、相州風、此の三刀を造て古今鋼の製法異なる證拠と為し、子孫に伝ふる者也。最も備前風、相州風と云へとも別の鋼には非す。今の世に流行する出羽、千草の鋼也。唯古伝の如く自らをろして用ゆる迄也。

⑥兼元
室町時代の刀工。美濃国関では和泉守兼定と双璧をなす。三本杉の刃文で知られ、切れ味では最上大業物に格付けされる。二代は孫六兼元で特に名高い。

⑦康光・盛光
応永備前の双璧。このころの備前物は、匂出来で腰の開いた互の目丁子を焼いている。

⑧国広
日向国の出身。京都一条堀川で打つ。多くの門人を擁し、「新刀の祖」と呼ばれる。慶長十九年（一六一四）八十四歳で没すという。

⑨忠吉
佐賀藩工。上京し、埋忠明寿に学ぶ。寛永九年（一六三二）没。忠吉以後、肥前刀と呼ばれる特徴ある作風は幕末まで踏襲された。

⑩国宗
鎌倉時代の刀工。鎌倉に下向し、粟田口国綱・一文字助真とともに相州鍛冶の基を開いたとされる。

水心子は、室町時代の初め、応永（一三九四〜一四二八）のころまでは出羽鋼や千草鋼のようなものはなく、銑が作られていたのであり、刀鍛冶は自らこれを卸し、鋼としていたと主張します。よく卸せたときには鍛えずに打ち延ばすだけの「鋳刀」であったと言いますが、これは理解に苦しみます。実物に照らしても、文字通りの、折り返し鍛錬を経ない日本刀があったとは思えません。前記の「百錬刀」のような特別な製作法でも想定したのでしょうか。

ただ、往時の卸し鉄はよほど加減が難しかったものか、そのまま折り返し鍛錬が可能な鋼が出現すると、卸し鉄をもって「鋳刀」を作る古伝は絶えた模様です。水心子は、卸し鉄こそが古刀再現の道と信じ、秘伝書などからこの技法を復元します。この文の後段には「鋼をろし銑をろし方の事」「銑をろし略方の事」「銅鉄をろし方の事」[11]が続きます。

水心子正秀は出羽国赤湯（山形県）に生まれ、安永三年（一七七四）江戸に出て秋元家に仕え、川部儀八郎藤原正秀と称しました。水心子は号です。本書が記されて数年後の文政八年（一八二五）、七十六歳で没しました。理論と実践の両面で卓越し、百数十名の門人を育成した功績や、復古刀論がその後の鍛刀界に及ぼした影響は特筆に値します。現代の鍛法は、卸し鉄も含めて、水心子流と言っても過言ではないでしょう。

しかし「古今の鋼の製法が異なる証拠として」子孫に伝えたという三刀のうち、大坂新刀[12]写し以外の、肝心の備前伝と相州伝でそれらしい作風を見たことがありません。実用論に基づいて晩年に製作した備前伝は評価が低く、むしろ

⑪銅鉄卸し
銑または鋼を吹き卸し、溶融したら銅を加えて「銅鉄」を作るというもの。金を加える黄金鍛えも一部で行われているが、意味のある方法とは思えない。

⑫大坂新刀
長曾禰虎徹に代表される質実剛健な江戸新刀に対し、大坂の華麗で洗練された作品群を大坂新刀と呼ぶ。その代表工が津田助広と井上真改である。

助広《すけひろ》や真改《しんかい》を写した作の人気が高いのは、作品の出来からして、やむを得ないところです。

古刀期のある時期までは卸し鉄に用いられていたという銑が、どのように作られていたか、その後に鋼がどのような経緯で作られるようになったのか、前出『古今鍛冶備考』の「鉄山略弁」で見てみましょう。著者は、幕府の首斬り役として知られる山田家⑬の五代目、浅右衛門吉睦《よしむつ》です。同書には水心子が「鋳錬鍛挫略弁」を寄稿していることを見ても、この項が彼の知見と共通するのは間違いのないところで、あるいは水心子の代筆の可能性さえうかがえます。

鉄山砂吹《すなふき》の法古今転移したる次叙を尋るに、往古の砂吹の法は蹈鞴《ふいご》を蹈《ふむ》事七日七夜と云。炉釜も一重に塗立、銕湯《てつゆ》を流し取斗《ばかり》にして、是を銑と唱え、此一ト色の銕を以万器を造る。尤刀剣及ひ諸《もろもろ》の刃物を造るにハ鍛冶自《みずから》銑を研《おろ》し鋼に吹抜き用ひし也。上に云如く銑を流し取る事数度に及ひぬれば、炉底に銕塊出来て湯の流れ出さる時に至てその場所ハ止め、別の場所へ新に炉釜を塗立て吹しと也。嚮《さき》に云ふ炉底に塊る銕ハ、七昼夜充《ずつ》数遍吹抜る、故に靭《つよ》くして、打とも擲《なぐ》ルとも欠されば不用の物にして、其ま、棄置しと也。今に至て伯州日野郡俣野村印可鋼を吹出す銕山なとに、往昔《おうせき》の釜跡也とて大なる銕塊遺る所《ところ》有とそ。其後此銕塊ハ精鋼なる事を知り、釜の仕立に工夫をし、前条に録する四方白《しほうじろ》を吹く。鎔法の基本にして大凡《おおよそ》同し仕かけなれとも、七昼夜または五昼夜にして吹を止む。是力を用る事大に厚けれハ、鋼ハ勝《すぐれ》て精密也。靭き故欠て四方白となす事能ハ

⑬山田家　代々浅右衛門を名乗り、江戸幕府の罪人首斬り役を務めた。初代は山野勘十郎久英に試し斬りを修業した。

ず。鑽《たがね》を以て截《き》り割り、打延して出す。是を延鋼《のべはがね》「延鋼ハ精粗混りて塊りたるを択《えら》ひ分《わかた》すして打延したるものなれば、其ま、にて刀剣は造らさりしとそ」と唱う。

言うまでもなく、銑は流して取ります。往古はこの銑で、すべての鉄製品を作ったと記します。刀や刃物を作るのに、鍛冶自らが卸し鉄を行って鋼にするのは、前出と同じです。

銑の操業の最後に人力の及び難い鉄塊ができると、これを放置して移動したようです。巨大な炉底塊⑭は、出雲界隈《かいわい》で俗に「牛の背」と呼ぶものです。後にその鉄質の有用なことを知り、意図的に製造するようになります。四方白とか八方白と言うのは、塊を破砕・分別したときの最も良質な製品を指します。刀剣用として主に供給されたのは、これに類する鋼でした。

*

銑押しは後世の技術

古刀期の素材が銑であったという両書の指摘は、注目されます。しかし、俵國一博士は、この説を否定します。水心子の「往古は今世の如き床もなく、石も立てず、釜にて凡《およ》そ千日千夜吹きたり」「鋼を製する事なく、唯銑鉄はかりを流し取りたり」というのは、実際の製鉄技術に何ら論拠の持つものでないとし、その約六〇年前に下原《したはら》重仲が書いた『鉄山必用記事』⑮(『鉄山秘書』とも)を対比させます。

鉄山のはしまりは、ふみふきと申て今の鋳物師《いもじ》の高殿《たたら》を用ひて鉄涌《わか》せし

⑭炉底塊
炉の底部に形成された固まり。通常は滓を指し、炉底滓や炉床ブロックと同義に用いている。

⑮『鉄山必用記事』
天明四年(一七八四)に世に出た近世鑪製鉄法の古典。全八巻。著者の下原重仲(元文三年〈一七三八〉~文政四年〈一八二一〉)は伯耆国日野郡の人。三代続く鉄師で、伯耆・美作・備中の各地に拠点を有していたが、本書の発表から間もなく鉄山業を廃業した。

なり。ふむ《ママ》ふき多多良《たたら》と云ひしは、重ね言葉なるべし。刃鉄《（鋼）》を第一に吹しなり。銑は僅《わずか》に涌程《わくほど》涌せて、始終皆刃鉄計《ばかり》を押《おし》たるよし。故に上古は刃金性《ママ》強《つよ》能かりし故に、剣も名剣多く出来たるならむ。鉄吹事も鉄山の仕方も今の仕方とは大きに違ふ也。

俵博士によれば、ヨーロッパでも古くは錬鉄・錬鋼のみを製造したもので、銑鉄は十四世紀に至って作り得た⑯のであって、技術の発達、設備の進歩した時期に初めて望める製品であったといいます。水心子の述べているような簡易な仕掛けでは炉内の温度が上がらず、到底銑鉄は得られなかった、というのです。では、当時いかなる製品であったかというと、鋼とも錬鉄ともつかない、中国地方で鉧《けら》と称しているようなものを推理し、これをもって刀剣類を鍛えたであろうとしています。その際、たまたま大塊を得ても柔軟な質であったとしたら、破砕できずに山中に遺棄したとして不思議はない、とも述べています。

私も奥出雲で、半ば地中に埋没した「牛の背」に出合ったことがあります。地元の方は鋼に間違いないと言っていましたが、私には鉄には見えませんでした。あんまり熱心に勧めるので鏨《たがね》を当ててみたところ、案の定、割っても割ってもスラグばかりで、メタルは出てきません。操業に失敗して逐電した村下の話は、しばしば聞きます。炉内の状況を何とか立て直そうと苦闘しているうちに、出来損ないの炉底塊だけが巨大化してしまったのでしょう。鑪の安定操業は、いかに経験を積んだ村下でも容易ではないことを、「牛の背」は如実に物語っていました。⑰

⑯銑鉄を造る溶鉱炉は十四世紀ごろ発明された。当時は木炭を燃料に使っており、製品は木炭銑と呼ばれた。コークス高炉がイギリスで開発されたのは十八世紀である。

⑰窪田蔵郎著『鉄から読む日本の歴史』によれば、牛の背は野鑪の操業によって生じた炉床部の焼結したもので、その上で次々に築炉・操業が繰り返されていき、長年の間に始末に困る大塊に成長してしまったものという。

俵博士は、銑鉄を得ている原始的な操業の例として、満州（中国東北地区）で見た方法を挙げています。鉄鉱石と石炭を坩堝《るつぼ》⑱に入れて加熱還元し、いったん鉧を作った後、これをやや背の高い炉で溶融し、銑にするというものです。今では、早くも漢代に銑を得ていたことが知られていますが、大正のころにその情報はなかったのでしょう。

水心子の銑鉄先行説は否定する一方で、卸し鉄については大いに共感を示されています。古刀が卸し鉄を用い、新刀が和鋼によっているために、新古の区別は地鉄を見れば判然としているといいます。従って、後代に至り、銑を卸して鋼にするのも、古刀期に使用した鉧様の素材に近い性質を得る一手段である、と。卸し鉄は和鋼に比べると、局部ごとの炭素量のバラツキが大きいものですが、これは刀の地鉄として愛好家の珍重する一現象であり、刀鍛冶が欲する炭素量を得る上でも便利な方法であるとみます。

卸し鉄を打ち延べるとする「鋳刀」についても、説明こそありませんが、不思議はないらしく、俵博士の印象は肯定的です。

*

中世は銑である

俵博士と異なる見解を持っておられたのは、安来製鋼所⑲社長などの任にあった工藤治人《はると》⑳博士です。昭和五年（一九三〇）の講演を基に『刀剣会誌』㉑に「和鋼に就《つい》て」を発表されたのが十二年、『日本刀講座』㉒旧版第四巻に「日本刀の原料」を書かれたのが九年ですから、冶金学の泰斗《たいと》である俵博士の論文を既に数

⑱坩堝
磁器または黒鉛、粘土などの耐火物で作られた金属溶解用の器。精錬を行うときは、銑や鋼を坩堝に入れて蓋をし、外部からガスや石炭で加熱・溶融させ、スラグなどが自然に浮遊分離するのを待って坩堝を取り出す。溶鋼は取《とり》鍋《べ》に移した後、鋼塊とする。

⑲安来製鋼所
明治三十二年創業の雲伯鉄鋼合資会社に始まり、大正五年、㈱安来製鋼所を設立。昭和九年、戸畑鋳物㈱に合併、同社安来製鋼所となる。その後、㈱日立製作所との合併を経て日立金属㈱となり、現在は同社安来工場がヤスキハガネの伝統を継承している。

⑳工藤治人（明治十一年～昭和三十八年）
二四七ページ参照。

㉑『刀剣会誌』
明治三十三年に設立された刀剣会（後の中央刀剣会）の機関誌。一時期『かたな』と改題している。終戦による解散に伴い、会誌も廃刊になった。

㉒『日本刀講座』
雄山閣が昭和九年から十二年にかけて出版した二五分冊のシリーズ。分担執

多く目にしていたことは間違いありません。

　戦後になって私自身、晩年の工藤博士から教えを受けることになります。後でご覧に入れる手紙でもわかるとおり、博士の主張は一貫して明白です。「中世は銑である」と。中世の区分についてはいろいろ学説があるようですが、一般には鎌倉幕府の成立（一一九二年）から室町幕府の滅亡（一五七三年）までの約三八〇年間を指します。この期間は、ほぼ古刀期に相当します。古刀の素材が銑であったか、それとも鉧（炭素量が一定しないが、鋼の範囲内にある鉄塊。大形鑪の製品に限定せず、鋼と同義で使用する）であったかは、われわれ刀鍛冶にとって根本の問題です。

　工藤博士の想定する製鉄の推移は、次のようなものです。

　奥出雲・船通山《せんつうざん》麓の小高い峰に残る野鑪《のだたら》㉓跡からは、掘り窪めた穴に砂鉄と薪《まき》を積み、自然通風を利用した素朴な製錬を思い描きます。できたものは銑と鉧ですが、銑は加工ができず、鉧は鍛錬によって鋼にも錬鉄にもなるので、鉧のみを利用したとみます。その後に木炭の使用と踏み鞴《ふいご》㉔が伝わり、築炉に進んだろうといいます。太古に比べると能率は増したが、依然として鉧だけしか利用できない時代です。

　大きな革新は、応神天皇の世に、百済《くだら》から卓素《たくそ》㉕なる者が渡来して韓鍛冶《からかぬち》の法を伝えたこととみています。これが、後の左下法《さげほう》㉖に通じるようで、銑を処理して鋼や鉄が利用できるところとなりました。製鉄・精錬技術の進歩と相まって鍛冶の作業も向上し、やがて天国《あまくに》や神息《しんそく》㉗など、名が知られる最初の刀工

筆により、刀剣・小道具・外装のほか、鍛錬や科学、古記録などを網羅、日本刀の総合的な把握に資した。戦後の改訂新版に対して「旧版」と通称する。

㉓野鑪
一カ所に定着して製鉄をするようになった近世の方式に対して、それ以前、原料である砂鉄や燃料とする木を求めて移動した製鉄のあり方、およびその炉を野鑪と言う。

㉔踏み鞴
金属の製錬や鍛冶の際に、火勢を調整する送風装置を鞴（吹子）と言う。古くは手や足で操作するもの、水車などの動力を利用するものがあり、素材には木や革、粘土などが用いられた。ここで言う踏み鞴がどのようなものか明らかでないが、十八世紀中ごろの著作『日本山海名物図会』には、両端に三人ずつが位置し、握り綱を持って板踏み鞴を操作している図が見える。

㉕卓素
『古事記』応神天皇の条に、百済の近肖古王が論語、千字文とともに献上した技術者の中に卓素の名が見える（西暦二八五年）。事実とすれば、渡来した

が登場します。

古刀期には、鑪場で吹いた銑を刀工自らが処理していたとするのは、水心子正秀の主張と同じです。水心子はこれを卸し鉄と言い、工藤博士は左下法によって鋼や錬鉄にしていたと記します。いずれも、刀工の負担が大きかったことを表しています。南北朝時代以降は殊に戦乱が相次ぎ、武器の需要が急増します。すると、刀作りにも効率が求められるので、刀鍛冶は自ら鋼を作る面倒な仕事をご免こうむって、鉄師㉘にそれが移っていきます。鑪場では銑を流した後にでき鉧に着目し、鉧を主体に吹くようになったと推定します。

中国地方の山陽側では、赤目《あこめ》と称する赤鉄鉱を多量に含んだ磁鉄鉱の砂鉄を産し、山陰側には赤目のほかに、赤鉄鉱を含まない磁鉄鉱だけの砂鉄、すなわち真砂があります。赤目を使用すれば還元が早く、銑ができます。これに対して真砂は還元が遅いために、生まれた鉄が炭素を含むこと少なく、鉧を取るのに適しています。いわゆる鉧押し法㉙は、水心子の言うように応永ごろを境に山陰で始まり、銑押し法と並行して盛んに行われるようになったというのが、工藤博士の考えです。

＊

見えてきた中世の「鉄」

俵・工藤両博士の活躍された時代には、製鉄遺跡の調査などはほとんど皆無でした。俵博士は実地踏査と文献、そして科学的研究で、工藤博士は出雲での見聞と砂鉄製錬の工業への応用、靖國鑪の立ち上げなどを通して、それぞれ日

韓鍛冶の始祖ということになる。

㉖左下法
銑などを精錬して鉄にする方法。詳しくは一三三ページ参照。

㉗天国・神息
天国は大宝（七〇一）、神息は和銅（七〇八）ごろといい、古剣書に最も早く現れる刀工である。当時はまだ直刀の時代であり、該当する在銘作はないが、後代の存在は必ずしも否定できない。

㉘鉄師
鉄穴場から鑪、大鍛冶場までを有し、和鉄の生産に当たった総合経営者。鉄山師とも言う。

㉙鉧押し法
銑の生産が主目的の銑押しに対して、鉧（鋼）を得る目的の直接製鋼法。真砂砂鉄を使用する。命名は俵國一博士であるといい、かつては「三日押し」と呼んだ。

本刀の地鉄解明に迫っておられます。私はたまたま工藤博士に親しくさせていただき、今も信奉していますが、いずれが正しいかを論じるのは不遜なことだと思います。要は、勉強させてもらったわれわれが、それで「結果」を出せるかどうかしかないと思います。

鎌倉・南北朝期の名刀の地鉄が何であったか、実際のところはわかっておりません。私自身も、銑が中心であったろうと思いつつ、鉧の可能性も否定できません。仮に銑であったとしても、水心子の説く卸し鉄で古刀が再現できるわけではありません。いきおい、地鉄と鍛法の無限の組み合わせを試行錯誤的に探っていかざるを得ません。

そもそも、中世に作られていたのが銑か鉧かの結論も、学界で固まってはいません。古代や近世の製鉄のあり方については、各方面からの研究が進んでいたのに対し、中世は永く「謎」とされてきました。鉄の需要は格段に増していたはずなのに、発見される遺跡がきわめてまれなのです。それに、時期を知る手がかりである土器などの伴出遺物がほとんど出土しないことも、中世と特定しにくい原因でした。それでも近年、理化学的年代測定法によって中世の製鉄遺跡とされる例が、中国地方を中心に出てきています。

それらの発掘調査からわかったことは、中国山地では、古代の箱形炉が大形化して長方形箱形炉に変化するとともに、地下に本床状遺構および両側に小舟状㉚遺構を設け、湿気の遮断《しゃだん》と炉の保熱を工夫していることです。これは、明らかに後の高殿鑪《たかどの》㉛の祖形とみられます。また、鞴座《ふいござ》の跡から推定すると、牛一頭

㉚本床・小舟
中国地方の近世鑪の地下構造の名称で、全体を本床と言い、炉の直下には大舟が、その両側には小舟が二つ設けられる。炉は堅牢な地盤に築くが、同時に保温と防湿への配慮が不可欠である。床釣り（炉底の築造）を殊に入念に行うのはそのためである。

㉛高殿鑪
資源を求めて移動を行う野鑪に対して、近世に至り、一地点で長年月連続的に操業するものを永代鑪と言う。また、高殿という特異な建家を伴うので「高殿鑪」とも言う。

分ほどの大きさの鞴が使われていたことも間違いなさそうです。中世の製鉄技法は古代に比べ、やはり相当進んでいたことがわかってきました。

日本刀の絶頂期に、この地の鉄が鎌倉に運ばれたのかどうかも、気になるところです。新刀期の刀工大村加卜《かぼく》の『剣刀秘宝』㉜には、正宗をはじめ相州鍛冶がその地鉄を鎌倉の浜砂鉄から得たと記されていますが㉝、この説も無視し得ません。近隣に製鉄遺跡がなかったか、関心を持っていましたら、伊東市宇佐美に寺中《じちゅう》遺跡が発見されました。ここは、平安・鎌倉時代に活躍した武士団の一つ、宇佐見氏の本貫《ほんがん》の地です。一六基という製鉄炉の数と膨大な鉱滓の残存量からみて、かなり大規模な製鉄工房だったと思われます。時代は十三世紀と特定されました。しかし、その後、はたと操業がやむのも不思議です。

穴澤義功さんによれば、十三世紀の遺跡から出土した鉄塊系遺物㉞のうち、分析された試料を炭素量別に見ると、寺中遺跡では軟鉄系一五パーセント、鋼系七七パーセント、銑鉄系八パーセントであるのに対し、北沢遺跡㉟（新潟県豊浦町）では同じく〇、二〇、八〇、中ノ原遺跡㊱（島根県瑞穂町）では二三、〇、七七と比率が異なり、この時代には軟鉄～鋼レベルの鉄を主体にするところと、鋼～銑鉄を主体にするところが併存したことを示しているといいます。

また、島根県頓原《とんばら》町・板屋Ⅲ遺跡㊲は、除滓と脱炭および板鉄成形を行う精錬鍛冶炉であったろうということで、近ごろとみに注目されています。つまり、主に銑鉄を精錬して包丁鉄に仕立てた近世の大鍛冶屋に相当する役割を果たしたものであり、間接製鋼による鉄生産体制の萌芽が、古代末から中世の初めに

㉜『剣刀秘宝』
貞享元年（一六八四）の著述。大村加卜は医師で、作刀は余技というが、造詣は深い。ただし、特伝の「真之十五枚甲伏鍛」は理解し難い。

㉝鎌田魚妙『本朝鍛冶考』（寛政七年〈一七九五〉刊）にも「備中鍛工ハ国乃鉄、相州ハ鎌倉浜砂鉄を用ゆ、粟田口ハ宍粟・千草・出羽鉄也、皆口伝に存せり」とある。

㉞鉄塊系遺物
古代の製鉄遺跡で発見される銑鉄塊や鉄滓混じりの小鉄塊。鍛冶素材として広く流通していたことが、最近判明してきたという。

㉟北沢遺跡
九二ページ参照。

㊱中ノ原遺跡
丘陵の急斜面を削平して造った一四×四メートルほどの狭い平坦面に立地。古代末～中世前期の遺構とされた。

㊲板屋Ⅲ遺跡
竪穴状遺構に「板屋型（精錬）鍛冶炉」が複数残存し、十二世紀から十三世紀に出現する大形の長方形箱形炉で生産された荒鉄（銑鉄主体）を処理する作業場と推定されている。

既に見られるというのです。

いずれにせよ中世には、錬鉄も鋼も銑もあり、それらの加工を経て提供される製品もあって、選択肢は大きく広がっていたわけです。そのほか、地域ごとの特色ある地鉄もあったでしょう。古刀は想像以上に変化に富んだ素材の中から、これはと思うものを選んで作っていたことが確実になってきました。日本刀に最高の価値が置かれ、権力者の求めにはいや応なく応じた時代ですから、最適の地鉄をもって作刀したのは、当然と言えば当然です。

＊

新々刀の主材料は玉鋼

出雲の研究家で、地元の鑪製鉄に詳しい高橋一郎さんは、絲原《いとはら》・卜蔵《ぼくら》・杠《ゆずりは》・田部《たなべ》・桜井など有力な鉄師各家の古文書の検討から、多くの興味深い事実を導き出しておられます。

高橋さんは便宜上、販売を目的とする製鉄業である「企業たたら」と、自家用鉄素材を生産する小規模な「自給たたら」に二分します。企業たたらはさらに「初期企業たたら」と「近世企業たたら」に分けます。両者を区分けする時期は、天秤《てんびん》吹子㊳の使用が始まる元禄四年（一六九一）であるといいます。これによって労力は軽減され、風力増は生産量の急増に直結し、やがて鑪場を覆う高殿が出現すると、冬季の操業も行われるようになりました。それまでは、乾燥期の秋に限られ、しかも露天で吹差《ふきさし》吹子㊴を用いる操業であったようです。

地元に伝承する「砂鉄七里に炭三里」という言葉は、かさばる木炭を鑪場ま

㊳天秤吹子
板踏み鞴を改良し、送風効率を高めるとともに省力化したもの。あたかも天秤に見えるところから、この名がある。板踏み鞴のシマ板を中央で二分し、中央にあった支点を両端に移し、真ん中に天秤台を設け、その中心に置いたテコ棒の両端とシマ板の切断部分を鉄棒でつないで、一方のシマ板が下がれば他方が上がるように工夫してある。通常、二人の番子が中央の台にまたがり、両足でシマ板を交互に踏んで操作する。

㊴吹差吹子
差し吹子（鞴）とも箱吹子とも言う。わが国では最も普及した吹子で、鍛冶の用途に従って多様化した。

鑪と天秤吹子のモデル（旧和鋼記念館）。

（右）靖國鑪で生産した玉鋼。左は特級品の「鶴」、右は一級品の「松」。（左）「包丁鉄」と呼ばれる錬鉄。いずれも旧和鋼記念館蔵。

で調達する大変さを表したものです。道路も運搬手段も整わない当時、一カ所での操業は二、三年が限度で、大炭山㊵を求めてひんぱんに移動していました。

　このころ出荷する製品は銑のみであったといいます。赤目と真砂を用いた四日押し（四昼夜操業）がもっぱらでした。享保《きょうほう》四年（一七一九）以降の記録に、大坂における割鉄《わりてつ》（錬鉄）の取引価格が毎年見られるところから、銑の精錬が常態化する時期も推定できます。割鉄は銑の二倍の価格であったそうですから、目減り分を考慮しても収益増になります。大鍛冶屋を傘下に収め、鑪場と合わせて名実ともに鉄の総合経営に当たった者を、出雲では鉄師と呼びます。

　生産量が大幅に増加したのは宝暦年間（一七五一～六三）です。馬匹《ばひつ》を使う運搬力の増強で、大炭を求めて鑪場を移動する必要が減り、鉄穴流し《かんなながし》㊶の普及で砂鉄の採取量が増えると、年間の操業代《よ》数㊷も急増します。また、鑪場が長期間にわたって一カ所に固定すると、防湿・保温に配慮して炉床の構造が次第に複雑になっていきます。

　この末年からは、鉧を破砕する大銅《おおどう》㊸が開発されて、鋼と歩鉧《ぶげら》㊹に分別できるようになりました。鋼はそのまま出荷しますが、歩鉧は銑とともに大鍛冶屋で精錬し、割鉄にします。これによって、企業たたらの収益も大幅に増えました。

　製品のうち、需要の大きいものは圧倒的に割鉄でした。鋼は刃先に少し使うだけなので、値段も割鉄の半分で、鉄師の売り上げに占める割合は割鉄八割に対し、鋼二割であったそうです。後に四日押しは三日押しに短縮されますが、生産品は銑と鉧が半々で、鉧のうち鋼と歩鉧の割合は二対三と、従来同様でし

㊵大炭山
製錬用の炭を大炭、大鍛冶・小鍛冶が使う炭を小炭と言った。大炭にする木を近場で確保できるかどうかは、鑪の重要な立地条件の一つであった。

㊶鉄穴流し
鉄穴とはもともと砂鉄を掘る場所を指すが、近世の仕法では山の崖を切り崩し、引き入れた流水によって土砂に含まれる砂鉄を比重選鉱するというものであった。これを「鉄穴流し」と言い、従事者を鉄穴師《かなじ》と呼んだ。

㊷代
一回の鑪操業を「代」と言う。四日押し（四昼夜）と三日押し（三昼夜）があるが、いずれも一代と数える。

㊸大銅
銑を方柱形に鋳込んで作った巨大な錘《おもり》。滑車をもって櫓《やぐら》に吊り上げ、一気に落下させることにより鉧を割る。これを銅折りという。さらに小銅や小鎚を使って小割りし、選別した。

㊹歩鉧
鉧から鋼を選別した残りの製品。左下場に送られ、銑などとともに錬鉄に加工された。

た。真砂を使う出雲でも、意外に銑が多かったことがわかります。

　このように、技術的改良を重ねて量産化に成功した出雲の製鉄業は、圧倒的優位に立って、市場を席巻《せっけん》します。安永元年（一七七二）からは年間を通した操業が定着し、天明年間（一七八一〜八九）には鑪場が固定化する、いわゆる永代鑪が始まります。それは大正十二年（一九二三）の一斉廃業まで続きます。

　ちなみに、工藤博士によれば、極上の鋼を玉鋼と呼ぶようになったのは明治の中ごろのことらしく、かつての最上品は造鋼《つくりはがね》とか粒鋼と称するものでした。別に玉鋼の名称もあったのですが、それは造鋼を取った残りの鋼で、歩鉧ととものに錬鉄の素材に回されていたそうです。別名を頃鋼《ころはがね》とも言います。

　陸海軍の工廠《こうしょう》から坩堝《るつぼ》鋼《こう》の材料を求められたとき、㊺鋼商は溶解用なら高級な造鋼を出荷するまでもないと考え、玉鋼を納入したといいます。これが意外にも工廠で評価が高く、上等の鋼を玉鋼と呼ぶことが次第に浸透していきました。「玉」という語感が悪くないのに加え、工廠では坩堝鋼から大砲の砲弾《たま》を作ったからだとの説もあります。割鉄をその形状から包丁鉄と呼ぶことになるのも、玉鋼とほぼ同じ時期からのようです。

　どうやら、玉鋼あるいは類する高品質の鋼が市場に出回ったのは、さほど古いことではなく、大鋼が開発された宝暦年間以降のようです。刀で言えば、新刀末期です。すると、もっぱらこの鋼を用いて作ったのは、新々刀ということになります。水心子正秀や山田浅右衛門吉睦の往古「銑鉄」説は、当時、世間に知られた伝承であったのかもしれません。


㊺雲伯鉄鋼合資会社では明治三十八年ごろ、軍器用特殊鋼（坩堝法）の原料として包丁鉄や頃鋼の納入が盛んに行われたという。

出土した古代の鉄塊

判明した大炭の樹種

私の住む町域の二カ所で、かつて製鉄遺跡の発掘調査が行われたことがあります。真木山《まきやま》遺跡①と北沢遺跡がそれで、鉄の研究者の間では今も何かと話題に上る遺跡です。

当地は阿賀北（阿賀野川右岸地帯）における新潟平野の東端に当たり、真木山遺跡のある真木山、北沢遺跡のある本田山とも、五頭《ごず》山塊の前山である笹神丘陵の北部に位置します。付近は良質の粘土を産し、古代の土師器《はじき》②・須恵器《すえき》生産から中世の陶窯業を経て、現代の瓦《かわら》生産にまで及ぶ、屈指の窯業地でもあります。もちろん、山中にはナラ・クヌギ・アカマツ、その他雑木も豊富で、燃料には事欠かなかったでしょう。

この西側は、福島潟を中心とする潟湖《せきこ》性低地です。江戸時代以来の干拓によって今や美田の広がる穀倉地帯になっていますが、元の汀線《ていせん》は相当奥まで達していたと思われます。砂鉄は流入する小河川からばかりでなく、水運を利用すれば阿賀野川河口や海浜から入手することも容易でした。製鉄の立地条件は整っていたと言えます。

①真木山遺跡
旧豊浦町大字万代新田。現在はフォレストゴルフクラブ内に所在している。

②土師器
弥生式土器に続き、古墳時代から奈良・平安時代にかけて製作された素焼きの土器。通常、黄褐色で文様はほとんど見られない。焼成温度は八五〇℃前後、手捏《てづく》ねによる成形のほか、高度なロクロも使用された。窯は小規模ながら、焼かれた製品は日用品として広く普及した。

一帯の山中にはおびただしい量の鉱滓や焼けただれた炉壁、送風管の一部などが散乱する場所があって、一部の人には昔から製鉄関連遺跡であることが知られていました。かなくそ沢・金掘沢・鍛冶山・金山など、それを想像させる地名も数多く残っています。

真木山遺跡の発掘調査は昭和四十八年（一九七三）七月の暑い盛りに行われました。発掘地点は「全国遺跡地図」③にある四カ所ですが、鉄関係の文献に真木山B遺跡とC遺跡のみが取り上げられるのは、他の二カ所が須恵器窯跡であるためです。真木山の外観は東側が高い、なだらかな丘陵ですが、中に分け入ると中小の尾根や谷が縦横に入り組み、かなり複雑な地形になっています。

両遺跡の位置関係は、南西方向に突き出した小尾根を間にして約三〇〇メートル隔てます。いずれも谷間の緩斜面に平坦なステップが設けられていて、このステップ上に、B遺跡で二基、C遺跡で五基の製鉄炉が発見されました。

保存状態の比較的良好なB遺跡の一基を見ると、炉底は平らで、短軸五五センチ、長軸九六センチの胴張り長方形を示しています。残存する炉壁の高さは最高部で七六センチといいますから、意外に大きなものです。

もう一つの炉内から得た木炭を試料として^{14}C年代測定④にかけたところ、六世紀後半という結果でした。ただし、これではいかにも古く、C遺跡から伴出した須恵器片なども勘案すると八世紀末ごろから九世紀前半、ないし十世紀にかけてとするのが妥当のようです。それにしても、奈良時代末から平安時代前半です。刀がまだ直刀であった時代に、都から遠く離れたこの地でも、かなり大

③全国遺跡地図
文化財保護法に基づき、埋蔵文化財を周知させる目的で作成した冊子。都道府県ごとの分冊となっている。

④^{14}C年代測定
「放射性炭素年代決定法」と言い、代表的な自然科学的年代測定法。生物は生存中、大気を取り入れているので、生物体中において、放射性炭素（^{14}C）の通常炭素に対する割合は、大気中の値と等しい。しかし、生物が死ぬと、^{14}Cは放射壊変の結果として減少の一途をたどる。従って、検体中の原子比を測定すれば、試料が成長を止めた時点がいつか逆算可能となる。この方法は、約五万年前までが測定範囲とされている。

がかりな鉄作りが行われていたことに驚かされます。

両遺跡とも、炉の前方に大量の鉱滓と木炭が投棄されていました。大量の木炭が未使用のまま捨てられているのは理解に苦しみますが、それが幸いして、専門家が全量の調査を行い、樹種まで特定することができました。重量百分率でC遺跡は栗がほぼ一〇〇パーセント、B遺跡では栗五八・三パーセント、楢《なら》二四・〇パーセント、欅《けやき》九・四パーセント、朴《ほお》八・三パーセントという結果でした。松は全く使われていません。

天明四年（一七八四）に下原重仲が著した『鉄山必用記事』は「木山《きやま》の訳」として、大炭《おおずみ》（製鉄用）には松・栗・槙《まき》が最上で、ブナも良く、杉がこれに次ぐと記しています。ちなみに小炭《こずみ》（大鍛冶屋用）には、松・栗・栃・杉などが良いとあります。大炭にも小炭にも共通してしかるべき理由があって、燃焼速度が速く、高温になりやすく、立ち消え性があって、しかも損耗しにくい性質だからです。これらの木炭には燐分が少ない（〇・〇二パーセント以下）ことも、鉄の品質との関係できわめて重要です。

当時の森林の植生に負うところも大ですが、栗炭を意識的に選択しているのは、古代の工人がその優位性を知っていたからに相違ありません。

＊

鉄塊は遺失物か、放棄物か

関係者を等しく驚かせたのは、二個の鉄塊の発見でした。廃棄された鉱滓の中から出てきたのです。大きさはおよそ一〇キロと二〇キロで、いずれも小児

真木山B遺跡（通称・高山寺遺跡）

の頭を連想させるような丸い塊状をしています。深錆もなく、生まれ立てのままのような姿で現れたのです。初めてこれを手にしたときは、感無量でした。

鉄塊はすぐに論議の的になりました。

まず、なぜ廃滓場⑤に放置されていたかが謎でした。遺失物か、放棄物かの二つに一つです。この時代に鉄がきわめて貴重であったことは、言うまでもありません。鉱滓に紛れて捨てられてしまったとは思えません。しかも複数です。故意に打ち捨てられたとしたら、理由は何でしょうか。不良品か、派生品か、それとも用途に適さない品質だったとでも言うのでしょうか。

次に、鉄塊がどのような生まれかが問題になりました。初めからこの丸い形で生成されたのか、それとも二次加工を経ているのかです。複数の研究者の方は、切断した外観から見て、半溶融鉄粒が集積して形成された鉄塊であり、顕微鏡組織からは高温度域から徐冷された熱履歴が読み取れるので、製錬炉の生成物と見なしてよいのではないかと言っておられます。

しかし、一次製品とすると、この形状が何とも理解しかねます。先に記したような炉で製錬したとき、溶融状態の鉱滓の中であっても、銑は盤状《ばんじょう》に成長します。球状に作る必然性は考えられませんし、また不可能でもあります。

当時、新発田《しばた》市にあった太平洋金属で化学分析をしたところ、含有炭素量は塊によって一・二五〜三・六五パーセントと測定しました。生まれがどうあれ、低温溶解でこれだけの高炭素鉄を得ていることは、相当に高い技術をうかがわせます。

⑤廃滓場
遺構の存在するステップから斜面下に至る個所。廃滓場は作業の関係からこうした立地を取ることが多いが、真木山では木炭を主体に投棄したところと、鉱滓主体のところがあり、投棄の仕方にも順序や規則性があったことを想像させる。

その後、二個の鉄塊を赤めて鍛打し、その結果を報告するよう関係者から申し出がありました。小さい方の鉄塊に比べて大きい方は炭素量が高く、破面は白銑状[⑥]を呈していました。銑鉄であれば通常は鍛打できないものですが、赤めると少しずつながら鍛打可能でした。小さい方は、初めから鍛打ができました。

これらの鉄塊の鍛打作業中、サクランボか大豆ぐらいの大きさの粒状のものが、こぼれ出てくることに気づきました。鉄塊は粒状鉄を集めて、一つの塊にまとめたものではないかと思われました。粒状鉄が半溶着の状態で鉄塊を形成しているのであれば、炭素量のバラツキはあって当然です。測定した炭素量は部分値ですから、硬いところと軟らかいところが混在し、そのために鍛打を可能にしていたわけです。

ということは、出土鉄塊は一度の製錬でできた製品ではなく、二次工程で仕上げられたものの可能性が高くなります。それなら、まとめるときに丸くすることもできます。C遺跡に基づいて想像をたくましくすると、須恵器窯とされている登り窯状の遺構を仮に製鉄用の炭窯ととらえ、次の後方開放炉で一次の粗鉄作りを行い、次の小形炉を鍛冶炉とみて、そこで二次加工されて鉄塊に仕上げられたのか、あるいは、登り窯状の炉で一次の予備精錬を行い、後方開放炉で鉄塊に作られたのか――。性急に結論づけられることではないので、類例の発見に待ちたいと思います。[⑦]

実は、真木山の鉄塊とほとんど同じものが、昭和二十八年ごろに発見されていました。製鉄遺跡から約一〇〇〇メートルの地点の水田を工事中、耕土下の

⑥白銑
通常、銑鉄は凝固過程で黒鉛を晶出するため、破面が鼠色を呈するが、凝固時の冷却速度が大きいと白色となる。前者を鼠銑、後者を白銑と言う。白銑の結晶は密で、鼠銑よりも低温で溶解するが、流動性が少なく鋳造には適さない。和銑は多くが白銑である。

⑦その後、同様の発掘例がいくつかあるというが、明快な結論は得ていない。十世紀と目される埼玉県川口市・猿貝北遺跡出土鉄塊（四六・五キロ）は、その形状からみて一次製品であることが明らかである。

真菰《まこも》の堆積の中から直径二〇～二五センチの鉄塊二個が出てきたのです。ここは製鉄や鍛冶の行えるような場所ではありません。

伝承では、かつては真木山や本田山の麓近くまで福島潟が迫っており、今も舟着場の小字名が残っています。真木山の鑪場で作った鉄塊を舟に積んで運ぶ途中、水中に落としてしまい、回収できなかったものかもしれません。当地には、髪の毛が三筋動く風が吹き始めたら、舟を出してはならないという言い伝えがあったそうですから、福島潟に漕ぎ出した途端、突風に見舞われたとも想像されます。

真木山遺跡出土鉄塊の断面。左はカットしている。

田圃《たんぼ》から掘り出された鉄塊は、真木山遺跡の調査にもかかわった郷土史家の佐藤義利さんから、私のところに持ち込まれました。分析こそしませんでしたが、破面はやはり白銑状を示し、炭素量はかなり高いように思われました。遺跡から出土した鉄塊同様、鍛打も可能でした。

一千数百年を隔てて姿を現したこれらの鉄塊を見ていると、どんな工人がどのように携わっ

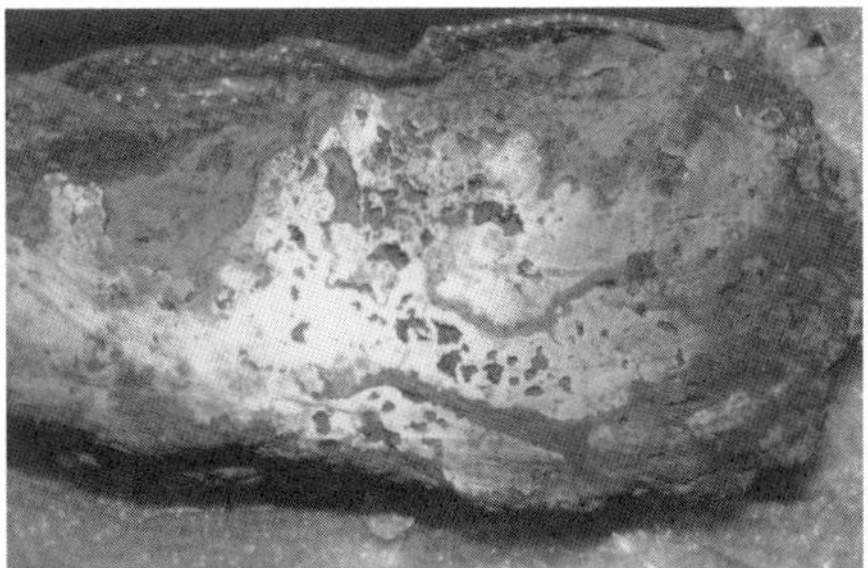

川口市・猿貝北遺跡出土鉄塊。形状からみて一次製品の鉧と思われる。

たものか、どこに運ばれようとしていたのか、どのような鉄製品になるはずだったのか、想像をかき立てられたものです。

＊

古代鉄を鍛える

遺跡出土の鉄塊二個については、安来《やすぎ》市の和鋼記念館⑧（現在の和鋼博物館）や仙台市の金属博物館⑨、数人の研究家らに寄贈された後、残りで作刀することを許していただきました。こういう体験は望んでも得られるものではありません。どのような製作法が適切なのか思案しましたが、鍛打の感触から、常の鍛法をより丁寧にやる以外にないと決めて、仕事に取りかかりました。

まず、鉄を赤めて鍛打しながら延ばし、厚さ五ミリぐらいのところで角状に小割り⑩します。これを台鉄《だいがね》の上に積み重ね、和紙でくるんで、その上に粘土を溶いた泥水をかけ、さらに炭化した藁灰《わらばい》⑪をまぶして火床《ほど》に入れます。松炭を火床に盛って吹子《ふいご》を操作し、温度を上げていきます。この作業を、積み沸かしと言います。和紙で包むのは積んだ鉄を崩さないため、泥水や藁灰をかけるのは保護膜を作って表面をなるべく酸化させず、芯から沸かすためです。

十分に沸いたら火床から取り出し、小鎚で軽く叩いて固めた後に、先手が大鎚で強く打ちます。これで台鉄の上に積んだ鉄の小片は溶着します。再び泥水と藁灰をかけて沸かします。今度は大鎚で鍛打しながら延ばし、鏨《たがね》を入れて二つに折ります。この繰り返しの工程が、折り返し鍛錬です。出土鉄塊の折り返しは一一回に及びました。一一回繰り返すと、鋼は二〇四八枚の薄い層の集積

⑧和鋼記念館
日立金属が紀元二六〇〇年記念事業として、湮滅《いんめつ》に瀕する和鉄・和鋼の資料・文献を収集・保存する目的で昭和十九年に建設。二十一年開館。平成五年に閉館し、現在は和鋼博物館に移管されている。鑪吹き関連用具（重要有形民俗文化財）を中心に、資料を映像と併せて紹介している。安来市安来町一〇五八　☎〇八五四—二三—二五〇〇

⑨金属博物館
日本金属学会付属。金属の歴史資料、生産技術資料を展示。『金属博物館紀要』を発行。平成十五年五月をもって休館。仙台市青葉区荒巻字青葉。

⑩叩き締めてせんべい状にした鋼は、熱いうちに水に入れて急冷する。これを水ベシと言う。そうすると、小割りしやすい。

⑪藁灰
灰というよりも、黒く炭化させた稲藁である。

となります。

日本刀は最終的に炭素量を〇・六パーセント前後にするのが最適とされますが、折り返し鍛錬によって炭素量の低減と均一化が図られ、このころになると当初の含炭量の半分以下になっています。

ここまでの作業で感じられたのは、鉄塊のきわめて良好な鍛接性⑫です。赤熱して鍛打するとき、表面が実にきれいで、油を注いだような光沢があったことが印象に残っています。これらのことからも、和鉄特有の介在物が適当量含まれていたと推測できます。

鍛錬の工程を終え、刀姿を整えるために鑢《やすり》をかけていると、地肌の一部に砂気のようなものが混じり込んでいる感じを受けました。そこを子細に見るために研磨してみると、どうやら一次の粗鉄作りの際に未還元だった砂鉄が鉄塊に混入したもののようでした。

刀作りの最後の工程である焼入れは、デリケートで最も困難な仕事です。熱処理に失敗して刃切れ⑬でも生じさせてしまったら、それまでの苦労は水の泡です。また、どのような刃を焼くかは地鉄によって決まるわけですが、従来の経験と勘が古代の鉄に通用するものかどうか、一抹の不安がありました。幸いに失敗もなく、想定した焼刃を得ることができました。

研師に研磨過程の感触を尋ねますと、地鉄は軟らかで、砥当たりも非常に良く、サクサクと下りて古刀のように研ぎやすいとのことでした。概して時代が下るほど地鉄は硬く、砥石が滑って研ぎにくいと言います。その点、やはり古

⑫鍛接性
赤熱したときに鉄同士の接合が可能かどうかを言う。鍛着できるものを「沸かしが利く」と表現する。和鉄は沸かしが利くが、現代の工業鉄は一般に融剤を用いないと接合できない。

⑬刃切れ
刃先から刃中にかけて垂直に生じた割れ。焼入れの失敗や、実際の使用で生じることがある。焼入れの際、急冷によって初めは収縮するが、やがて焼きが入った部分が膨張し、若干の反りが生じる。この伸縮に鋼が耐えられないと、刃切れが生じる。

い時代の地鉄でした。研ぎ上がった状態を見ると、地肌の模様も古調で、光沢と深みがあり、初期の日本刀に共通する雰囲気が現れていました。

　これらの結果から見ても、江戸時代の大形鑪で作った鋼とは大きな相違があるように思いました。鉄は平安時代ですが、残念ながら、刀は現代に伝わる鍛法をもって作ったものです。平安時代の刀にならないのは、この鍛法の問題も大きいと痛感しました。

　いずれにしても、私にとって二個の出土鉄塊をめぐっては貴重な経験をさせていただき、得るところはたくさんありました。いにしえの工人たちは私の鉄作りに強い刺激を与えてくれ、鉄と刀という根本の問題にあらためて課題を残してくれました。

　なお、出土鉄塊を鍛えた太刀は豊浦町に寄贈し、豊浦町では昭和五十六年一月、越後一宮である弥彦《いやひこ》神社⑭に鉄塊の一部とともに寄進しました。

＊

製錬か、精錬か

もう一方の北沢遺跡の発掘調査は、平成二年（一九九〇）に行われました。

　発見されたのは、製鉄遺構一カ所（炉址三基・廃滓場）、木炭窯四基、中世陶器窯址五基、杣場《そまば》⑮一カ所、白炭窯二基などです。関係者によれば、これらは杣・製鉄・製陶という、いわゆる山の民の一連の仕事であったようです。

　北沢製鉄関連遺構の操業年代は、考古学的に得られた十二世紀後半~十三世紀初頭を上限とし、^{14}C年代測定法で得られた十五世紀中ごろを下限とする幅と

⑭弥彦神社
西蒲原郡弥彦《やひこ》村に鎮座する。弥彦山《やひこやま》はその境内。伊夜比古神社とも書く。祭神はアメノカグヤマノミコト。

⑮杣場
杣とは、材木を得る目的で造林した山、また、杣山から切り出した材木（杣木）、杣木の伐採を業とする人（杣人）を意味する。廃滓場の下層の狭い範囲であるところから、製鉄との関連がうかがえる。

みられます。沢筋を上った斜面に広いテラス状の台地を設け、コの字形の周溝⑯を巡らした炉が三基、三・五~四メートルを隔てて並びます。炉壁などの上部はほとんど失われていますが、五〇センチ前後の深さで炉床の構造物が残っており、防湿のための配慮が見て取れました。地下施設から推測される炉の規模は、壁の厚さを含めて縦横とも一メートル程度のようです。

地下構造といい、規模といい、真木山遺跡より格段に進んでいます。ただし、両遺跡の操業年代には断絶があります。その間をつなぐ製鉄炉が発見されないだけで、少なくとも北沢遺跡での操業が途絶えるまでは、界隈《かいわい》で製鉄は連綿と行われていたとみるのが自然ではないでしょうか。

廃滓場から採集された八〇トン余りの遺物の中から、六・五キロの塊を含む鉄塊系遺物六四〇キロ、砂鉄六〇〇キロが出てきました。これらを基に、遺跡のあり方をめぐって後々までさまざまな論議がなされることになります。なお、原料の砂鉄は分析の結果、日本海に面した網代浜産が高い共通性を示すところから、候補の一つに想定されました。

平成四年発行の『北沢遺跡群』は図版ページも含めると三〇〇を超す大冊ですが、その内容が特異であると研究者の間で評されています。結論を言えば、遺構の目的が製錬(一次製鉄)か精錬(二次製鉄)かについて関係者間に決定的な意見の違いがあったことがうかがわれ、報告書には調査担当者の執筆した「まとめ」のほかに、署名入りで二本の論文が収録されています。つまり、両論を併記して、後日の判断に待つというのが、調査主体である豊浦町教育委員

⑯周溝
幅二〇~四〇センチ、深さ五〇~七五センチで、粉末状あるいは粒状の木炭などを覆土に用い、湿気の除去を図っている。このような例はわずかに、岡山県・千引かなくろ谷遺跡、福井県・金津遺跡、秋田県・坂ノ上E遺跡、石川県・蓮台寺遺跡に見られるという。

会の姿勢でした。

「まとめ」では、六・五キロの鉄塊（銑鉄）を含む鉄塊系遺物が放棄されたことに注目し、遺構が製錬を目的とするものであれば考えられないが、精錬であれば、出来損ないゆえに放棄されたと考えられる、としています。従って、六八トンに及ぶ鉄滓は製錬滓⑰ではなく、炉内流動滓⑱および鍛冶滓（精錬滓⑲）とみます。また、送風用の羽口を検出しないのは、送風を必要としない炉であったことを物語るものであり、古代製鉄における自然通風が実験の結果否定されているところから、当然精錬炉が浮かび上がるといいます。次に、砂鉄は被熱していると考えられ、それは銑鉄を脱炭させるための触媒として使用したものである、さらに、残存する炉床に鉄滓などの癒着物が全く見られない、と以上五つの理由を挙げて、精錬炉説を唱えています。

署名論文の一つは、出土鉄滓と鉄塊の金属学的分析を行い、結果として「まとめ」を補強する形になっています。詳細な根拠は報告書に任すとして、要は、試料の組成から、北沢遺跡では外部から供給された銑鉄塊を素材として、間接製鋼法による鋼の製造が行われていた、というものです。

真木山遺跡でも北沢と同様に、廃滓場から鉄塊が出てきました。前記の説によれば、これも出来損ないで、素材の銑鉄はいずれかから供給されていたことになるのでしょう。ならば、その供給元はどこかに関心が向きますが、可能性として国内のみならず、暗に東アジアをも視野に置いた見解があるようです。

北沢遺跡＝鋼精錬遺跡説は、大きな反響を呼びました。以後、青森県鰺《あじ》ケ沢《さわ》

⑰製錬滓
特定の製錬炉で金属を分離・抽出する際に発生する第一次工程の還元滓。
⑱炉内流動滓
流動状の滓全般を流動滓と言い、炉内で生成する場合を炉内流動滓と言う。
⑲鍛冶滓（精錬滓）
成分の調整や炭素量の調節のために、特定の鍛冶炉を用いて二次的な加工を行う際に発生する酸化滓。通常、精錬鍛冶とは大鍛冶屋を想定し、その作業から発生するのが特徴的な椀形滓とさされるが、ここでの精錬工程は不明である。

町・杢沢《もくさわ》遺跡⑳をはじめ主に東北地方の、従来製錬炉とされていた半地下式竪形炉や鍛冶炉とされていた土坑状の炉は、次々に精錬炉の解釈で塗り替えられていきます。

もう一つの論文は、いくつかの可能性を論じた上で次のように記しています。

① 北沢遺跡では、砂鉄を原料とする製錬を行っていた。なお、一次生産物を材料とした精錬炉の可能性はかなり小さい。

② 確実に生産されたのは、製錬でできた鋼鉄と銑鉄である。

③ 銑鉄の生産は、高温・高還元雰囲気の下で行われ、銑鉄の一部は液相状態になる場合もあったと考えられる。

その製鉄法は古代的な段階から既に脱却し、一部は銑を連続的に流して取る効率的操業に到達していた可能性を指摘しています。炉は鋳造集団の技法に通じる「コンニャク㉑」で築かれた、耐火度の高い、高温操業に適する構造だそうです。これは、北沢遺跡が古代から近世銑押しの永代鑪に移行する過渡期にも位置づけられる技術水準にあることを意味しています。近世鑪は、一般に西日本の長方形箱形炉の発展形態と考えられています。ところが、一種の竪形炉による大規模な銑鉄の生産がこの地で行われていたとなると、十三世紀の段階ではまだ複数の技術系統が列島に存在していたことになります。

いずれにしても、わが国の鉄生産の歴史の中で、依然として最もわからない点が多いのがこの中世です。刀の世界では古刀期そのものに当たるだけに、この時代にどんな鉄をどんな方法で得ていたのか、詳しく知りたいところです。

⑳杢沢遺跡
昭和六十二年に発掘調査が行われ、製錬炉・鍛冶遺構・炭窯・竪穴式住居跡などが検出された。津軽地方岩木山麓に集中する古代末期の鉄関連遺跡の一つで、杢沢は鉄作りの集落として注目された。

㉑コンニャク
耐火性の日干し煉瓦を積み上げ、空隙を粘土で固める築炉法。

太刀　銘　天田昭次作之
平成八年八月八日

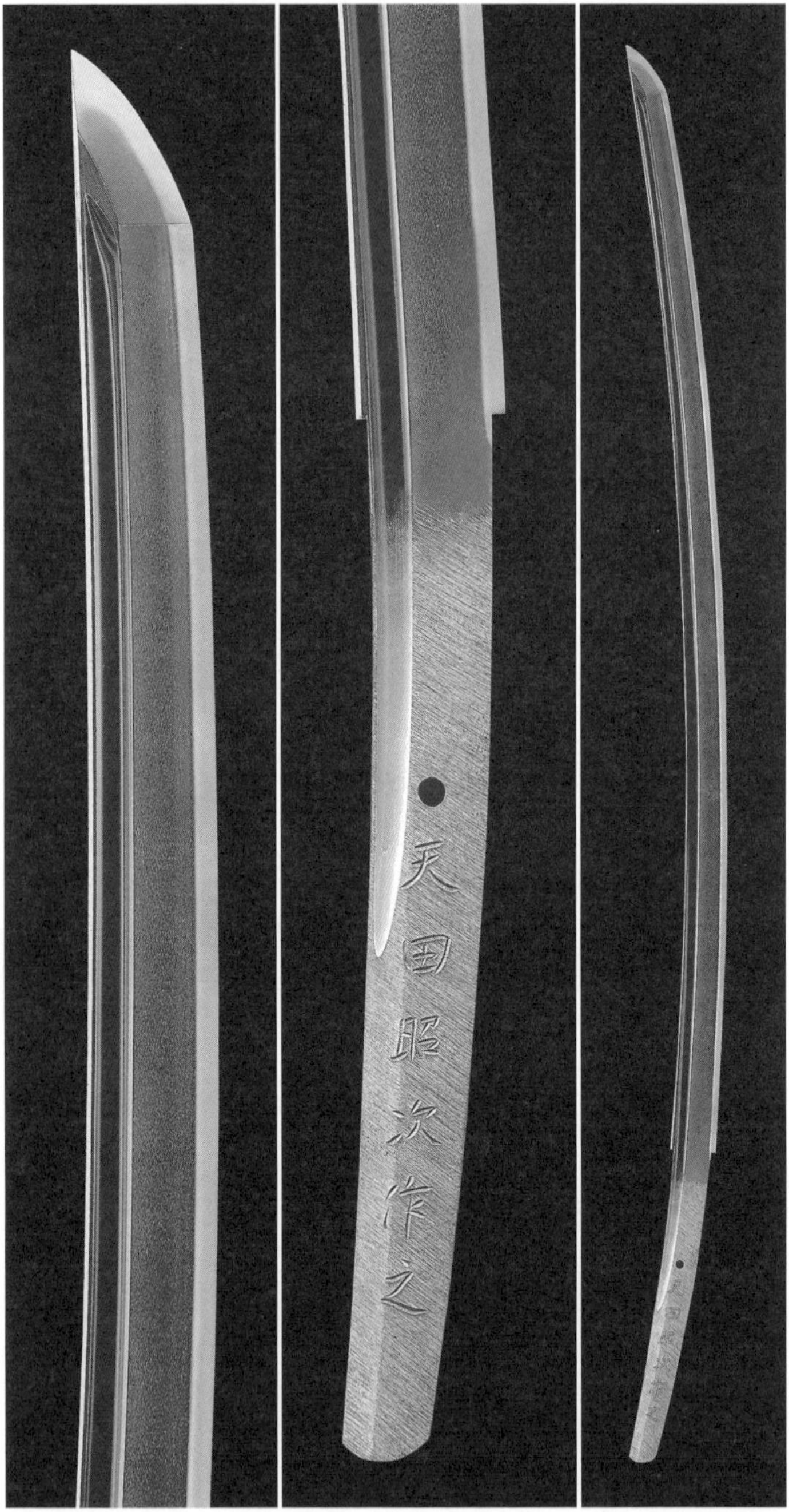

長さ七五・六センチ、反り二・六センチ。直刃は一見容易そうに見えて、破綻なくまとめるのはなかなか難しい。本刀は地刃に沸の働きを意識し、自家製の鉄を処理して鍛えた。直映りも現れている。

II

#「鉄」を求めて

研ぎ上がった自作を見る。

幻の講和記念刀

栗原師の最後の仕事

敗戦によって、日本刀の製作は禁止されました。連合国軍総司令部①（ＧＨＱ）によって日本刀は一律に武器と見なされ、所持することも許されず、警察署へすべて提出するよう命じられました。やがて歴史的・美術的価値のある刀剣類に限り、審査を経た上で所持できるようになるのですが、一時は無差別の接収が行われています。ガソリンをかけて焼かれたり、海中に投棄されたり、戦利品として持ち去られたりして姿を消した刀剣類の数は、一説に国内だけで二五〇万と言われます。

作刀が制度として再開することになったのは、八年後の昭和二十八年（一九五三）九月、美術刀剣類製作承認規程の施行によってです。ただし、この間に二回、まとまった数量の刀が作られています。

一つは「講和記念刀」と言われるもので、栗原彦三郎（刀匠銘昭秀《あきひで》）先生が手がけた最後の仕事になりました。作刀禁止の根拠であった商工・文部・農林・運輸省令第一号「兵器、航空機等ノ生産制限ニ関スル件②」の一部改正を知るや、所管の通商産業大臣あて直ちに申請し、六九工場において三〇〇振製作

①連合国軍総司令部
正しくは連合国軍最高司令官総司令部。昭和二十年から二十七年に至る日本占領のための中央管理機構。アメリカ政府は主要連合国の了解の下にマッカーサー元帥を最高司令官に任命し、その下にアメリカ軍のみからなる総司令部を編制した。総司令部から日本政府に対しては、指令（覚書）などにより占領政策を進める間接統治の方式が行われた（沖縄のみは直接統治）。

②兵器、航空機等ノ生産制限ニ関スル件
昭和二十年十月十日付。これに先立つ九月二十二日、ＧＨＱから日本政府宛指令第三号「経済統制、生産増強其他経済再建の諸措置に関する指令」が発せられ、その第四項により、兵器・航空機・戦闘用艦艇・弾薬などの生産禁止が要求された。しかし、後に米ソ対

することを許可されています。昭和二十七年五月のことです。

兵器生産の緩和を逆手に取りながら、武器としての日本刀を作るのではない、平和を祈念して全国の名だたる神社にこれを奉納するとともに、サンフランシスコ講和条約③の締結に貢献された内外の高官に感謝を込めて贈呈するのだ、と構想したところに、栗原先生の面目が躍如としています。

先生はこのとき、杖にすがって全国を行脚《あんぎゃ》し、戦前の刀鍛冶たちに参加を呼びかけました。刀を作る機会は二度と訪れまいと誰もが諦めていただけに、喜びはひとしおで、先生との再会に涙を流した人も多かったそうです。

栗原先生はその夏、病に倒れ、二十九年五月に亡くなられたため、研ぎ上げることができず、所期の目的は未完に終わりました。私と兄弟子の宮入昭平④（後に行平と改銘）さんとで栃木のお宅に行き、返送作業に当たりました。今も時折「講和記念」の刻印の打たれた作品を目にします。先生の夢は幻となりましたが、戦後の作刀再開に先鞭《せんべん》をつけた功績は大きいと思います。

講和記念刀は私にも声がかかり、太刀を二振製作することになりました。当時は鉋《かんな》作りを主な生業《なりわい》にしていましたが、先生からの思いがけない一報に胸が高鳴りました。戦前は修業中のこととて、作品に銘を切ることはなかったので、今度が初めての機会になります。早速準備にかかりました。

ところが、弱ったことに、材料がないのです。父の時代のものも皆無だし、玉鋼・和銑《わずく》・和鉄の類はほとんど持っていませんでした。

そのころ、かつて父の弟子だった今井貞六さんを五十公野《いじみの》村（現在の新発田

立の深刻化、朝鮮動乱の勃発、保安隊の創設などの情勢変化から兵器生産再開の気運が生じ、武器生産の例外許可の道が開かれた。

③サンフランシスコ講和条約
対日講和条約とも言う。太平洋戦争の終結と国交回復のため、わが国と旧連合国との間で結ばれた条約。昭和二十六年九月八日、アメリカなど四八カ国と締結し、翌二十七年四月二十八日に発効した。

④宮入昭平（大正二年〜昭和五十二年）
二二八ページ参照。

市）に訪ねたら、庭先に山と積まれて古い鉄床《かなどこ》（鉄敷《かなしき》とも⑤）がありました。鉄床は鍛冶屋に必須の道具ですが、一つか二つあれば間に合います。それが数百個、重さにして何トンもあるということは、明らかに材料として使うつもりで集めたものです。明治の中ごろまでに作られた鉄床は和鉄でできていますから、

昭和２６年１２月１７日、神田・関根屋旅館での講和記念刀奉献会結成大会。栗原師（前列中央）を囲んでいるのは全国の刀匠や後援者ら。

十分再利用も可能ですが、用途ごとにそのまま使える洋鋼が普及すると面倒な仕事はしなくなりました。

今井さんも戦前は盛んに軍刀を作っていましたから、刀に使う目的だったのでしょう。しかし、野鍛冶に転向した今では、放置状態でした。

あまりの量に圧倒されて、つい「これ、どうしたの」と聞くと、「全部使えないから、いずれスクラップで売る」と言うのです。再び「どうして使えないの」と問うと、「軟らかくて使えない」と言いま

⑤鉄床　鍛冶具の一つで、鍛錬の際に素材を置く鉄製の台。普通は長方体をなし、横座（刀匠）の右側に、過半を地中に埋めて安定させる。伏せ床としないものを鉄敷と呼んで区別することもある。

す。鉄床は普通、面《つら》の部分に硬い鉄を薄く張っただけで、大部分が軟鉄でできています。上質の鋼を分厚く張ったものもありますが、ごくまれです。

「全部使えますよ」と言うと、半信半疑の様子で、「どうするんだ」と聞きます。「それじゃあ、どうにもならないと思うのを出してくれ」と、その場で作業にかかりました。細かく切り刻んで火床《ほど》で卸すだけですが、溶けて炉底に固まった鉄を引き出してみて、今井さんは「なるほど、鋼になった」と感心しています。

＊

初めての作品を鍛える

私たちは東京・赤坂の日本刀鍛錬伝習所⑥で、日常の仕事として卸《おろ》し鉄《がね》をやったものです。銑でも砂味《じゃみ》でも古鉄でも卸して使いました。玉鋼と合わせて皮鉄《かわがね》に使うこともあれば、甘くして芯鉄《しんがね》にすることもありました。それが当時の一般的なやり方かといえば、むしろ少数派だったと思います。軍刀を作る刀鍛冶は玉鋼も包丁鉄も支給されたし、余計な手間をかける必要はなかったのです。

　切れ味からすると、混ぜ鉄をせず、玉鋼のみを鍛えた方が優れているはずです。それなのに、赤坂ではなぜ面倒な手法を踏襲したのかというと、栗原先生の「名刀」へのこだわりがあったからだと思います。今野昭宗⑦さん、石井昭房⑧さん、それに宮入さんら、兄弟子たちも一様に卸し鉄をやり、名刀を目指していたのです。

　今井さんが卸し鉄を全く知らなかったということは、師匠である父がそのや

⑥日本刀鍛錬伝習所
二一五・二二一ページ参照。

⑦今野昭宗（明治四十二年〜昭和三十一年）
本名定治。宮城県生まれ。淀川重利・栗原昭秀に師事。日本刀鍛錬伝習所所長。新作日本刀展覧会において総裁名誉賞・海軍大臣賞などを受賞。

⑧石井昭房（明治四十二年〜平成五年）
本名昌次。千葉県生まれ。栗原昭秀に師事。新作日本刀展覧会において文部大臣賞・総裁名誉賞などを受賞。昭和三十七年、千葉県無形文化財保持者に認定される。四十年から銃砲刀剣類登録審査員。六十一年、勲五等瑞宝章を受章。

り方をしなかったことを物語っています。父は独学の刀鍛冶でしたから、教わる機会がなかったのでしょう。脱炭と浸炭が自在にできれば、硬軟どんな和鉄でも使いこなせます。それができないということは、材料の範囲が限定されます。折り返し鍛錬によって適度の硬さになる鉄しか使えません。

それを補うために、そのまま使える古い材料を必死で集めたようです。これも当時としては、例外に属する作り方だったかもしれません。玉鋼と包丁鉄があれば立派に刀はできるのに、あえてほかの材料を求めたところに、父のこだわりがうかがえます。時として、父の作品で思いもかけぬような地鉄を目にするのは、材料探しの過程で意にかなった鉄に巡り合い、ひときわ気合いが入って鍛えた一振だったからでしょう。

今井さんも講和記念刀を製作する予定でしたから、「これで良かったら、持っていって使ってくれ」と、鉄床を分けてくれました。それが私の最初の作品の材料になりました。二十七年の八月か九月ごろ、三振を鍛え、まず一振を完成させて「昭聖《あききよ》」と銘を切りました。長さ二尺五寸（約七六センチ）、亡き父に倣って山城伝⑨の直刃を焼きました。刀から離れて七年がたっていましたが、違和感はありませんでした。私なりに工夫も凝らしました。栗原先生に持参すると、「なかなかいいぞ」と褒めてくれました。

講和記念刀に前後して、伊勢神宮⑩から御神宝大刀《たち》六二柄の製作依頼がありました。大刀というのは、古い時代の様式である直刀のことです。ご承知のように、伊勢神宮では二〇年ごとに遷宮が行われ、神殿の造営とともに御神宝も新

⑨山城伝
杢目肌や板目肌の地鉄に沸本位の直刃を基調とする作風。古刀期の大和・山城・備前・相州・美濃の五カ国に誕生し、全国に波及していった典型的な作風を、鑑定と鑑賞の見地から「五カ伝」と分類したのは本阿彌光遜である。

⑩伊勢神宮
三重県伊勢市にある皇大神宮・豊受大神宮などの総称。起源は明らかでないが、古くは最高の国家祭祀の対象であり、一般の信仰が禁じられていた。近世に至り、各地に伊勢講などができ、民衆の参宮も流行した。明治以後は国家神道の中心であったが、第二次大戦後は国家から分離され、宗教法人となった。

調されます。第五十九回式年遷宮は本来、昭和二十四年の予定でしたが、それまでのように国費で賄う方式がＧＨＱの承認を得られず、民間の寄付を募って四年後に実現したといういきさつがあります。大刀を作るにも、やはりＧＨＱに許可を取り付けています。これが二十六年の初めです。

製作者の人選は財団法人日本美術刀剣保存協会[11]（以下「刀剣協会」と略称）が行いました[12]。その一人に選ばれた宮入さんから私に、手伝いが要るから来てくれないかと声がかかりました。刀と聞いて矢も楯《たて》もたまらず、長野に駆けつけました。

仕事を放り出して三カ月も家に帰らなかったのですから、尋常ではありません。宮入さんも私も夢中でした。昼夜の区別もなく刀に没頭しました。あらためて教えられることも多く、このときの体験は、その後の刀鍛冶としての行き方の基礎になったと思います。

⑪財団法人日本美術刀剣保存協会
昭和二十三年二月、美術刀剣の保護とその研究・鑑賞を普及させる目的で設立された。初代会長は細川護立。事務所は国立博物館内に置かれた。現在は刀剣博物館にある。

⑫二唐義弘・石井昭房・宮口寿広・酒井繁政・塚本起正・遠藤光起・宮入昭平・月山貞光・高橋貞次・守次則定・元村兼元・木下吉忠・隈部忠利の一三人。

桶谷博士「日本刀のこと」の波紋

日本刀に神秘はないか

文化財保護法①に基づき、昭和二十七年（一九五二）三月、保存すべき伝統的工芸技術に日本刀が選定され、高橋貞次《さだつぐ》②さんがその保持者に認定されました。これに講和記念刀と伊勢神宮御神宝大刀の製作が続くと、かつての刀鍛冶の間にはいずれ刀が自由に作れるようになるかもしれないと、期待が高まってきました。先に記したように、作刀の制度ができたのは二十八年九月、そして年内に二人が製作承認を得ます。③

私の製作承認は翌年の六月三日ですが、これは四月に刀剣協会が作刀技術発表会の開催を告知し、出品を呼びかけたことが大きなきっかけだと思います。このとき、文化財保護委員会に製作を申請した者は全国で一三〇人に及び、一〇九人が承認されたといいますから、いかに作刀の再開を待ち望んでいたかがわかります。

このころ、一つの新聞記事に、刀剣界が憤激するという事態が起こりました。書いたのは当時、東京工業大学助教授だった桶谷繁雄《おけたに》④博士、「日本刀のこと」と題するその一文の大略は、次の通りです。

①文化財保護法
文化財の保存と活用を図り、国民の文化の向上や世界文化の向上に貢献することを目的として作られた、わが国文化財保護の総合的統一法。昭和二十五年に制定され、改正を経て現在に至っている。文化財保護委員会は同法に基づき、文部省内に設置された文化財保護・管理の最高機関。

②高橋貞次（明治三十五年～昭和四十三年）
愛媛県西条市生まれ。本名金市。大正六年、月山貞一・貞勝に入門。同八年、中央刀剣会養成工。昭和十年、第一回新作日本刀展覧会で総理大臣賞を受賞。十一年、松山市道後に鍛刀場を開設。戦後は第五十九回伊勢神宮式年遷宮御神宝大刀を製作。三十年、重要無形文化財保持者に認定される。四十三年、勲四等旭日小綬章を受章。各鍛法

（前略）一体今日の科学の力をもって、古来から有名な刀というものを再現できるか、と尋ねられると、返事に困る。切味、耐久度その他もろもろの点より利器としての刀ならば昔より良いものが容易に作れるといえる。しかし古刀は一本ずつ手作りをしたのであり、焼ハダにいろいろな美しい模様が出ている。これがコットウ品としての刀の価値を左右するのであるが、この模様は鍛法以外に使用した原料の鉄の不純物その他に関係があるのであるから、そう簡単に再現はできないわけである。

古い日本刀には種々の伝説がつきまとっているのが多い。その中の大部分は、うそだと私は考えている。ただし昔の人はそれを真実と思っていたに相違ない。ちょうどカッパの実在を古人が信じていたように。しかし、カッパの話を通じて、我々は何百年か前の庶民の考え方を察することができる。それと同様に、こうした伝説を通して支配階級であった武士の考え方を理解できると私は思うのである。

日本刀の鍛法には多くの秘伝がある。それを検討してみると、我々の目で見て極めて合理的なものもあるが、全然問題にならぬものも多い。今においては日本刀の製作に、神秘は全くないといえるであろう。（後略）

刀剣協会の機関誌である『刀剣美術』⑤第三十号には早速、二人の反駁《はんばく》文が掲載になりました。九州大学工学部の谷村熈《ひろむ》⑥教授が書いた「現代の科学から観た日本刀」と、刀鍛冶の塚本起正《おきまさ》⑦さんの「桶谷博士『日本刀のこと』に関する所説を駁《ばく》す」がそれです。

に通じ、彫技を得意とした。

③第一号は愛知県の筒井清兼で二十八年十一月二十一日付、第二号は宮入昭平で同年十二月二十六日付。

④桶谷繁雄（明治四十三年～昭和五十八年）金属工学者。東京生まれ。昭和三十七年東京工業大学教授、四十六年京都産業大学教授。金属合金の結晶構造の研究のほか、随筆や評論でも知られた。

⑤『刀剣美術』財団法人日本美術刀剣保存協会の月刊機関誌。昭和二十三年創刊。一時『霜華』と改題したが、二十四年十月に『刀剣美術』に復し、現在に至っている。平成十五年末で通巻五六三号。

⑥谷村熈（明治三十一年～平成五年）金属工学者。三重県生まれ。東京帝大工学部冶金学科卒。昭和九年、九州帝大工学部教授に就任し、製造冶金学を担当。工学部長・大学院工学研究科科長・評議員などを歴任。日本金属学会副会長。四十年紫綬褒章、四十三年勲二等旭日重光章を受章。

⑦塚本起正（大正三年～昭和三十五年）福島県郡山市生まれ。本名新八。昭和九年、笠間繁継に入門し、後に自らも

谷村教授は東京帝大で俵國一博士に教えを受け、卒業後、九州帝大に奉職されました。専門は鋳鉄だそうですが、木炭銑を作っていた帝国製鉄⑧の野島国次郎社長から日本刀鍛錬所寄贈の申し出があり、これが昭和十一年夏に完成すると、各地の刀鍛冶を大学に招いて実地に鍛錬を行い、製作過程を冶金学的に研究しています。また、小倉陸軍造兵廠で将校用軍刀の量産を図ろうとしたとき、機械ハンマーを使う効率的な製法を軍とともに開発したそうです。並みの冶金学者とは違います。

谷村教授は、日本刀の貴重な理由は別に神秘的なものではなく、美術的価値にあると説き、科学的な見地から日本刀の価値をわかりやすく解説しています。すなわち、焼刃境に現れる沸・匂の光沢や刃文の美しさは、日本刀の鍛錬法から必然的に出てくるものである。絵は紙に筆で描くが、日本刀の刃文や沸・匂は焼入れの火加減、土取り、さかのぼれば鍛錬された鋼の組み方の技巧から生まれるのである。科学が進歩したとて名画がやすやすとできないのと同じで、科学の力で名刀ができるものではない。

近代科学では、日本刀よりもっと切れるものができると言う人がいる。科学が進歩すれば、日本刀の鋼より硬度の高いものができるのは当然である。しかし、日本刀の価値は切れ味だけではない。昔から大業物《おおわざもの》⑨が必ずしも名刀とは限っていない。ただ、長尺で薄く、鋭い角度の日本刀があれだけの切れ味を有しながら折れにくいのは、現在の鋼に比し卓越した材質であると言える。その理由は、沸・匂の美しさと密接な関連を持っている。多くの科学者はこの事実

一貫斎と号す。戦前の新作日本刀展覧会で総理大臣賞・文部大臣賞などを受賞。戦後の作刀技術発表会でも活躍したが、四十五歳で没す。弟子に塚本喜昭・小沢正壽がいる。

⑧帝国製鉄
野島国次郎によって昭和六年に創立されたメーカーであるが、野島は明治の中ごろから製銑に着手し、広島・鳥取・島根に次々と角炉吹きの木炭銑工場を立ち上げている。十二年に没し、子息福太郎が継承してからは需要が急進し、叢雲《むらくも》鑪（島根県横田町）や砥波《となみ》鑪（鳥取県日南町）で玉鋼の製造まで手がけた。最盛期は従業員数一二〇〇を超えたという。四十一年に解散。

⑨大業物
切れ味の特に優れた刀。山田浅右衛門吉睦らが試し切りをした一八〇工について『懐宝剣尺』は最上大業物・大業物・良業物・業物の四階級に位列づけしている。

⑩帝展
帝国美術院展覧会の略称。文展の後を受けて、大正八年に設立された帝国美術院が主催した。初代院長は森鷗外。

をよく知らない。

元来、炭素の多い鋼を焼入れすれば、硬度は高いが必ず脆い。硬度と粘り強さは両立しない。ところが日本刀の地鉄では、巧妙な鍛錬により硬軟の組織が組み合わされているから、硬質一点張りの現代の刃物鋼のように脆くない。日本刀特有の繊細な、しかも傷やカスの少ない織り合わせ構造が沸・匂を出し、また脆さを防いでいる――と。

さらに、昔からの秘伝とされる方法を刀匠に聞いてみると、合理的で感心させられることが多いといい、日本刀の科学的研究は俵博士により大いに進んだが、まだまだ研究の余地がある、と結んでいます。

＊

分析から名刀は生まれない

塚本起正さんは、日本刀が一度だけ出品を認められた昭和九年の帝展⑩を見たくて、郷里の福島から自転車で上京、笠間一貫斎繁継⑪さんの作品に感動し、その足で飛び入り入門を申し込んだという熱血の人です。笠間さんが日本刀鍛錬伝習所の初期の師範だった関係で、私の修業中にも、塚本さんは赤坂によくお見えでした。宮入さんとは年齢も近く、良きライバルでした。戦後は、作刀技術発表会⑫で特賞を四回受賞し、将来を期待されましたが、昭和三十五年、惜しくも病没されました。鍛刀界にはまれな論客でしたから、自己の体験を踏まえ、桶谷博士は日本刀のすべてにはなはだしい認識不足であると断じています。

塚本さんはまず、科学者の研究に基づいて製作された多くの洋鋼刀のうち、

帝展はこの昭和九年の十五回展で終了し、新文展となり、戦後は日展に継承されている。帝展第四部美術工芸に刀剣の参加が認められたのは、栗原彦三郎の建議による。

⑪笠間一貫斎繁継（明治十八年～昭和四十年）
静岡県生まれ。本名義一。宮口一貫斎繁寿・盛岡正吉に師事。昭和八年、日本刀鍛錬伝習所師範。十年、頭山満が設立した常磐松刀剣研究所に主任刀匠として移る。刀匠の稀有な大正期に、月山貞勝・堀井俊秀らとよく伝統を守った。弟子に塚本起正・酒井繁政・宮口恒寿らがいる。

⑫作刀技術発表会
昭和二十九年（展覧会は翌年）に始まった新作刀コンクール。会場は東京都美術館。後には、上野松坂屋で販売も兼ねて展観された。三十九年まで一〇回開催され、四十年から平成三年までは新作名刀展、以後は新作刀展覧会と改称し、現在に至っている。現在は作刀のほか、刀身彫りと彫金の部がある。

⑬羽山円真（弘化三年〈一八四六〉～大正九年〈一九二〇〉）

美観と実用を兼ね備えた例は一つもなく、明治の羽山円真《はやまえんしん》⑬の右に出るものはないといいます。

また、博士が指摘する「不純物」こそ刀工が心魂を注いで悩み苦しむところの千変万化の働きの実体であり、折れず曲がらずよく切れる日本刀の特徴ともなっている、これと炭素との結合状態が金筋・稲妻・地景⑭・地肌などの現象をもたらす要素であって、その一部分の異分子を不純物として取り上げるより、変化の妙たる卓越性を究明するのが学者の態度ではないか、と述べています。

この辺りは俵博士や本多光太郎⑮博士も研究しておられるが、依然結論できない点も多く、神秘は全くないなどと割り切ってはいないはず、としています。例えば、古備前⑯の名作にまま見る地斑映《じふうつ》り⑰などは想像も及ばぬ芸術の極致であって、失礼ながら俵博士の真摯《しんし》な研究をもってしても、せいぜい白気映《しらけうつ》り⑱程度にとどまっている、と批判の矛先は先覚にまで及びます。

桶谷博士にすれば、再び脚光を浴びそうな日本刀を題材にして、金属学の立場から軽い読み物を書かれたのかもしれません。日本刀の社会から強い反発があろうとは、想像もしなかったでしょう。結局、反論はありませんでした。

鍛刀界からすれば、一〇年近い空白期間を経て作刀の再開が見えてきた矢先です。小沢正壽《まさとし》⑲さんは、第一回作刀技術発表会の会場で塚本さんから「また新作刀で飯が食える時代が来るぞ。共にやろうじゃないか」と誘われ、あらためて師弟の縁を結んだそうですが、誰もが高揚した気分でした。

刀が作れるだけでもありがたい、それが戦前のように仕事としてできる、ま

三河・吉田藩士の次男に生まれる。通称鈴吉。十五歳で鈴木正雄に入門。初銘正寛、浄雲斎と号した。大村益次郎の佩刀を作る。明治になり、郷里の豊橋で刃物鍛冶に転じたが、再び上京し、下谷・谷中清水町に住んだ。作品には、当時の洋鋼を素材に用いたとみられるものが少なくない。

⑭地景
地鉄に交じって、他と異なり、線状に黒く光って見える部分。刃中の金筋や稲妻と同じ性質のものである。

⑮本多光太郎（明治三年～昭和二十九年）
物理学者。愛知県生まれ。明治四十四年東北大学教授、大正八年同大付属鉄鋼研究所初代所長、昭和六年東北大総長となった。物理冶金学を開拓し、KS鋼など強力磁石鋼の世界的発明で知られる。十二年、文化勲章を受章。

⑯古備前
鎌倉時代に至り一文字派が主流となる以前、備前に栄えた一派。三条宗近と同時代と伝える友成、最も現存品の多い正恒をはじめ、信房、真恒、利恒、助包、吉包など多くを数える。「備前三平」と呼ばれる高平・包平・助平の

して軍刀作りを押し付けられるのではなく自由に美術刀剣が作れる、古名刀の再現も夢ではない、と思ったものでした。しかし、やがて、現実がそう甘くはないことを皆が実感するのです。

　桶谷博士の投じた一石は、鍛刀界にとっては決して悪いものではありませんでした。ともすれば戦後の作刀を戦前の延長で希望的にとらえがちな刀鍛冶に、冷静に考える機会を与えてくれたという一面もあります。かつてのように建前では通らない、日本刀に対する世の中の通念も見ることができました。

　桶谷博士のは極論ですが、現在でも同じように、科学の力をもって古刀ができないはずがないという主張があります。残念ながら、答えは谷村・塚本両氏と同じです。古典とも言うべき俵博士の『日本刀の科学的研究』[20]以来、さまざまな研究がなされてきました。その援用によって解明された点は多いとしても、日本刀の神秘は依然として続いています。

　いかに緻密に分析できたとしても、それで名刀ができるわけではありません。分析から創造は生まれない、と断言しても差し支えないでしょう。作品からうかがえる天才刀工たちの足跡は、それほど隔絶して見えます。

　その最たるものが「地鉄」です。

　桶谷博士は、期せずしてそのことをわれわれに再確認させるきっかけを作ってくれたのでした。

うち、高平には現存する正真作を見ない

⑰地斑映り
地斑とは、部分的に異質の鉄が交じって、色合い・肌合いが異なって見える状態を言う。地斑映りは、乱れ映りであって、その暗帯が指で押したように際立って黒く見えるものである。古備前物にしばしば見る。

⑱白気映り
まとまらずにボッと白く見える状態。美濃物などに多いが、名刀が備える条件ではない。

⑲小沢正壽（大正九年～平成六年）
埼玉県生まれ。本名岩造。昭和十三年、大倉鍛錬所に入所し、宮口一貫斎寿広に師事。三十三年、塚本一貫斎起正に師事。新作名刀展で高松宮賞・毎日新聞社賞・名誉会長賞などを受賞。子息寿久も刀匠。

⑳『日本刀の科学的研究』
昭和二十八年、日立評論社刊。B五判、函入り、四六〇ページに及ぶ。装幀は棟方志功。内容は明治三十九年から大正十三年までに研究・発表した報告論文で、俵博士は同研究により大正十年、学士院賞を受賞している。

なぜ自家製鉄か

理想・理念を明らかにせよ

第一回作刀技術発表会は昭和二十九年（一九五四）十二月十五日に出品が締め切られ、刀剣協会の置かれていた東京国立博物館の一室で審査にかけられました。審査員は本間薫山・佐藤寒山・本阿彌光遜《こうそん》①・村上孝介②・宮形光盧《こうろ》③・近藤鶴堂④・吉川恒次郎⑤・本阿彌猛夫⑥・山田英⑦・霞俊夫の一〇氏、結果は出品九三点に対して合格五二点・不合格四一点という厳しいもので、合格刀のうちから特賞二点、優秀賞八点が選ばれました。

私は、講和記念刀のときと同じく主に古鉄を卸して鍛え、直刃を焼いて、締め切りの一週間ほど前に協会へ持参しました。霞さんが見てくれたのですが、開口一番「研ぎが悪い」と言うのです。研ぎは刀の出来とは関係ありませんが、悪い研ぎは刀を鑑賞する上で致命的です。やむなく、その足で千葉の中島宇一《ういち》⑧さんを訪ねました。

中島さんは栗原先生とも昵懇《じっこん》で、戦前、伝習所の仕事をしていただいたりしていました。そのころは四谷が仕事場でしたが、空襲を避けて一時長野に疎開し、戦後しばらくして幕張に移り、研ぎを再開していたのです。上手な研師と

①本阿彌光遜（明治十二年～昭和三十年）前橋藩の抱え研師・川口孫太郎欽明の子に生まれる。本名定吉。本阿彌琳雅に入門。断絶していた水戸本阿彌の名跡を継ぎ、光遜と名乗る。書籍『日本刀』『日本刀大観』『日本刀の掟と特徴』などのほか、雑誌『刀剣研究』『趣味のかたな』を刊行。元は研師であるが、鑑定家として著名で、主宰する日本刀研究会は大きな影響力を持った。研磨の弟子に永山光幹・小野光敬（いずれも重要無形文化財保持者）らがいる。

②村上孝介（明治三十八年～昭和五十三年）山形県生まれ。戦前、本阿彌光遜主宰の日本刀研究会に学ぶ。昭和四十から刀剣誌『刀苑』を発行。刀苑社を興し、一時、財団法人日本美術刀剣保存協会の理事を務めた。

③宮形光盧（明治三十七年～昭和四十年）

もなれば、既にかなり多忙になっていました。

事情を話すと、「よし、わかった」と仕掛かりの仕事をさておいて、すぐに内曇《うちぐもり》に取りかかってくれました。内曇砥⑨は下地研ぎの最後の工程で、形状を変えるほどの研磨力はありませんが、地鉄の仕上がりに大きな違いをもたらします。本来の持ち味である細かい地肌や働きを引き出すには、地鉄に合った砥石を選び、十分に手間をかける必要があります。内曇砥は「研ぐ」と言わず、「引く」と言って引き研ぎが主になりますが、この引き方が悪いと、見どころも発揮できません。

中島さんは約束通り、締め切りに合わせて研ぎ上げてくれました。一見して度肝を抜かれました。刀がまるで違って見えるのです。このとき、刀と研ぎとは不可分のものだと、あらためて実感しました。

昭和十年秋の第一回新作日本刀展覧会⑩に出品する父の刀を栗原先生が見て、「出来はいいが、研ぎが悪い」と、名人平井千葉⑪先生に研ぎ直しを依頼されたことがあります。一介の田舎鍛冶であった父は、研ぎ上がってきた自分の刀を見たとき、おそらく私と同じような心境だったと思います。

幸い、私の刀は優秀賞を受賞しました。「小竜景光⑫」を写した高橋貞次さんとともに特賞を受賞した宮入さんが、「地鉄はオレのよりいいくらいだ」と褒めてくれたのを覚えています。宮入さんの受賞作は最近も見る機会がありましたが、現在の新作刀の水準に比しても遜色がなく、当時としては断然あか抜けしていました。その宮入さんが褒めてくれたのは、何よりの喜びでした。

東京生まれ。本名武次。後に東雲と号す。本阿彌光遜の高弟として、研磨と鑑定に従事。刀剣誌『刀剣趣味』『東雲』を発行。文化財保護委員会専門委員・財団法人日本美術刀剣保存協会理事などを務めた。

④近藤鶴堂（明治十九年～昭和四十年）茨城県生まれ。同郷の高瀬羽皐《うこう》に学ぶ。高瀬が明治四十三年に創刊した『刀剣と歴史』を継承し、刀剣保存会を主宰した。

⑤吉川恒次郎（明治二十六年～昭和六十三年）毛利家の御用研師の家に生まれ、石川周八に学ぶ。大正十年から宮内省御用研師として御剣の研磨と手入れに当たった。

⑥本阿彌猛夫（明治四十一年～平成八年）研師平井千葉の長男として東京に生まれる。大正十二年、本阿彌琳雅に師事し、昭和二年、養子となって本阿彌家を継ぐ。号日洲。四十五年、美術刀剣研磨技術保存会幹事長。五十年、重要無形文化財「刀剣研磨」の保持者に認定される。五十三年、勲四等旭日小綬章を受章。

⑦山田英（明治四十四年～昭和四十九年）

展覧会は年が明けて一月十五日から三日間、上野の東京都美術館⑬で開かれ、その初日に美術館講堂で授賞式がありました。一〇年ぶりに会う懐かしい顔ぶれでした。しかも、全員が刀を作れる喜びに浸り、意気揚々としていました。半面で、かつて大いに活躍し、当然この席にいるべき方たちが見えなかったのは、いかに長く過酷な空白期間であったかを物語っています。

作刀のあり方について、佐藤寒山先生が「新作刀の理想」と題し『刀剣美術』第三十一号に書いています。

……今日刀匠に要求するものは白兵戦用の軍刀ではなく、鑑賞に値する美術品である。ところが、軍刀鍛造当時の鍛刀理念から抜け切っていない刀匠が多いのが実情である。選に漏れた作刀の大部分は、姿格好の悪いもの、中心《なかご》の仕立ての悪いもの、何を作ろうとしているのか理念の不明なものである。これからは、おのおのが私淑するところを明らかにし、そこに向かってひたむきでなければならない。それが理想・理念であり、理想は古名刀の研究から始まる。

まさに、その通りでした。佐藤先生から「君は一体何を狙いとして作ったのか」と問われて、明確に答えられる刀鍛冶はこのとき、きわめて少数だったと思います。

あれから四十数年の新作刀の歩みを眺めると、第一回作刀技術発表会は名実ともに戦後作刀史の第一歩であったと言うことができます。

＊

埼玉県生まれ。杉本薫秋《くんしゅう》に研磨を学び、中央刀剣会養成工となる。戦後、中央刀剣会を主宰し、『刀剣会誌』を発行。

⑧中島宇一（明治三十六年～平成六年）
二六一ページ参照。

⑨内曇砥
下地研ぎの最後の工程に用いる砥石で、その質は最も細かい。軟らかめのものを刃砥とし、硬めを地砥として使用する。一般に刃研ぎ用は薄灰色、地研ぎ用は濃灰色を呈している。産地は京都。

⑩新作日本刀展覧会
大日本刀匠協会が主催し、文部省が後援。昭和十年に第一回を催し、十二年は休止したが、十八年の第八回まで継続した。会場は東京府美術館（第一回は京都府美術館・福岡県教育会館も巡回）。刀剣・研磨・外装・刃物工芸の四部があった。

⑪平井千葉（明治六年～昭和十二年）
東京生まれ。本名葉太郎。愛宕下の山田松兵衛に入門、その後、本阿彌琳雅の下で本格的に修業し、名人とうたわれるに至った。特に相州物の研ぎでは新手法を開拓し、他の追随を許さなか

目標に徹し切る

翌年の第二回展には、出品しませんでした。完成させて刀剣協会まで行ったものの、迷った末に持ち帰りました。前作に比べて得心がいかなかったからです。第三回展・第四回展の作品も不満足ながら、いずれも優秀賞に入りました。第三回の講評で霞さんが「砂鉄を卸して自家製鋼⑭による苦心作を出している」と、私の作品を好意的に見てくださっていますが、そのときはまだ自家製鉄のみでまとめるだけの成果は上がっていなかったと思います。

地鉄に関して少しは評価され、優秀賞を受賞する一方で、自分の作刀に疑問を感じていました。今のレベルでは優秀賞かもしれないが、理想とする鎌倉・南北朝期の名刀に比べたら問題にならない。いくらひたむきにやったつもりでも、差は歴然としています。

鍛法や技量もさることながら、最も大きな問題は材料でした。前述したように、刀を始めたとき玉鋼は全く持っておらず、容易に手に入りませんでした。もし特級品の玉鋼でも豊富に持っていたら、展開は全く違っていたと思います。例えば、靖國鑪《たたら》の「鶴」⑮を使ったという八鍬《やくわ》靖武⑯さんの地鉄は、入選ながら青く澄んで素晴らしいものでした。あれに卸し鉄を加えて沸《にえ》をつけ、変化が表せたら、古名刀とは違うにしても、それなりに満足が得られたでしょう。玉鋼がないから、やむなく鉄床《かなどこ》などの古鉄で代用していたわけです。

ところが、その古鉄の質によって、刀の出来が大きく左右されるのです。これはと思うものも見つかりにくくなっていました。自分の技量ではこれ以上は

った。本阿彌日洲・平井松葉は実子。

⑫小竜景光
備前長船景光の元亨二年（一三二二）作の太刀。表の鎺元に小ぶりの剣巻き竜の彫り物があるところから「小竜景光」と言い、また磨り上げてあって鎺上に竜が顔を出す風情から「覗き竜景光」とも呼ばれる。楠正成の佩刀と伝えられ、幕末に山田浅右衛門が所持、明治に至り宮内省に献上された。現在は東京国立博物館にあり、国宝。

⑬東京都美術館
大正十年に東京府主催の平和記念東京博覧会が開催されたとき、永久的美術館設立の計画が起こり、篤志家の寄付を得て同十五年に完成した。上野公園内にあり、当時刀剣協会が置かれていた東京国立博物館とは至近の距離にある。現在の建物は昭和五十年に新築された。

⑭自家製鋼
「自家製鋼」「自家製鉄」という言葉がいつごろから使われたか明らかでないが、戦前では見ていない。とすると、刀鍛冶の間で一般化するかなり以前、天田氏が作り出した可能性が高い。

望めない、せっかく刀が作れる時代になったのに、もはやこれまでか、と暗澹《あんたん》たる気持ちになりました。

気に入った材料が手に入らない、たまたま入手できたとしても、それで古刀ができるわけではない、それなら自分で鉄を作ってみよう、究めていけば古刀の再現も可能かもしれない、と思い立ったのは昭和三十一、二年ごろでした。

中島宇一さんに意見を求めると、「現状に甘んじていては駄目だ。掘り下げていかないと、作る意味がない」と言います。中島さんは後に『清麿大鑑』の大冊を著すほどの研究家でもありましたが、その山浦一門⑰を例に挙げました。

兄の真雄《さねお》は荒試しにも耐え抜く刀の機能を追究し、弟の清麿は新々刀と思えない傑出した作品を残しています。真雄に銑《ずく》や砂味《じゃみ》を買った記録があり、子の兼虎の初期作（嘉永五年、行宗銘）に「信州佐久郡茂来嶽《もらいだけ》以磁石製鐵鍛⑱」添え銘の脇指があるということは、ほとんど玉鋼のみに頼っていた当時の刀工と行き方が明らかに違います。皆が当たり前と思う行き方で目指す結果が出ないなら、別の道を行くしかないではないか――中島さんは既に私の気持ちを読んでいました。

禅に「徹見《てっけん》」という言葉があります。文字通りの意味は「見ることに徹する」「極める」ことですが、禅僧は徹見が仏になる道筋であると考えます。われわれの仕事に置き換えると、刀を極めることに通じます。正宗を狙うなら、正宗に徹し切らなければ、その域に到達し得ない――。まだ二十歳代の若さでしたから、人生を賭けて極めようと、やみくもに突っ込んでいったのです。

⑮鶴
靖國鑪で生産された玉鋼のうち、特級品を示す名称。次いで松・竹・梅（上・下）に等級分けされた。

⑯八鍬靖武（明治四十二年～昭和五十八年）
山形県生まれ。本名武。昭和十年、財団法人日本刀鍛錬会に入会し、池田靖光・阿部靖繁の先手を務める。いわゆる靖国刀匠の一人。新作名刀展で正宗賞・名誉会長賞・寒山賞などを受賞し、無鑑査。

⑰山浦一門
山浦の姓を名乗るのは真雄・清麿兄弟と真雄の子兼虎であるが、真雄は真田家の抱え鍛冶として一七人の弟子がいたといい、清麿の弟子には栗原信秀・斎藤清人・鈴木正雄らの上手がいる。

⑱畠山次郎著『灼熱の火―茂来山鉄山物語』によれば、磁石とは鉄鉱石のこと。兼虎が茂来山の鉄鉱石を自ら製錬し、得た鉄で鍛えたように見えるが、茂来山鑪で製した銑鉄を用いたのではないかという。

＊

やれどもやれども光明なく

終戦までの七、八年間は日本刀の需要が沸騰して、刀鍛冶という職業が成り立っていました。戦後、作れるようになったからといって、先々が楽観できたわけではありません。むしろ、戦前のようなことにはならないと誰にも予測できました。やりたくても事情が許さなかった人は少なくありませんが、無理をして刀に復帰することはなかったのです。事実、刀を捨ててほかの道を選び、それで成功された方も多いのです。それなのに、あえて刀を選んだところに、何かがあるのです。

文芸評論家の故小林秀雄⑲さんは、限りなく奥の深い日本刀は嫌だと言って、鉄鐔《てつつば》を愛玩したそうですが、刀の「魔力」を直感したのかもしれません。

結局、刀作りという魔の道を選んだ上に、鉄作りに踏み込み、鉄の魔力に取りつかれることにもなるのです。

まず煉瓦《れんが》を積んで小さな竪形炉を作り、吹子《ふいご》を取り付けました。さすがに鍛冶火床《ほど》で鉄ができるとは思いませんでしたが、製鉄炉に関する知識はほとんどありません。文献と言ってもわずかに出雲の大形鑪の解説書がある程度、中世の製鉄は全く不明で、古代の製鉄遺跡の発掘例もまだまれでした。

実は、栗原先生が岩手県東磐井《いわい》郡に鉱区⑳を持っていたことを最近知って驚きました。昭和十一年ごろ、出雲や伊豆の製鉄遺跡を探訪したり、出雲の有力な鉄師卜蔵《ぼくら》桂さんを赤坂に招いて小形炉の操業実験を行ったりしています。やは

⑲小林秀雄（明治三十五年〜昭和五十八年）文芸評論家。東京生まれ。戦前から知られていたが、戦後は評論集『無常といふ事』の出版に始まり、『考へるヒント』で芸術論・人生論を展開、一〇年以上をかけた『本居宣長』では日本的知性のあり方を探った。昭和四十二年、文化勲章を受章。

⑳鉱区
石油・石炭・鉱石など、法定鉱物の地下資源を採掘し、取得することができる（鉱業権）一定範囲の地域。採掘深度に制限はないが、境界線（直線）直下の外は含まれない。鉱業権者には鉱区税が都道府県から課せられる。

り、古刀の再現を念頭に置いてのことでした。しかし、私が入門したころは跡形もなく、作品にまとめた話も聞きませんでしたから、自家製鉄は成功しなかったものでしょう。

私の場合も、初めのうちは、やれどもやれども鉄になりません。弟と交代で吹子を操作し続け、炉の上から砂鉄と木炭を交互に装入するのですが、炉底にたまるのは熱で溶けた砂鉄の黒い固まりか滓ばかりで、キラキラ光る鋼は少しもありません。要するに、砂鉄は酸化鉄ですから、酸素を引きはがさないと鉄にはならないのです。炉内を還元雰囲気にする理屈と実際がわからず、ただ夢中で吹子を押し引きするばかりでした。後の作刀界においてもしばらくは、砂鉄を還元して鉄を作ることに理解が至らず、「砂鉄卸し」などという意味不明の言葉が通用していたものですが、このころの私がまさにそのレベルでした。

そのうち、少しは鉄が取れるようになりました。しかし、含炭量が少なく、卸さないと使えません。加工するのは一向に構わないのですが、刀にすると地も刃も冴えません。何とかいい鉄ができないかと、炉の構造や羽口をいろいろ変えてもみました。

昭和三十四年からは作刀技術発表会への出品を取りやめました。当時は作品の注文もほとんどなく、出品のために作るだけでした。それに要するエネルギーは想像以上だったのです。自家製鉄だけでは作品をまとめる自信がない、今さら古鉄をあさる気も起きないし、いっそのこと、発表会に費やす力をすべて鉄作りに注ごう、と思ったわけです。

本格的に自家製鉄の研究に入っても、失敗の繰り返しでした。今度こそは、今日こそはと、吹子を吹き続けました。そのうちに、とうとう体を壊してしまいました。風邪をひいているのに徹夜を重ねるなど、無理を重ねたのがたたったのでしょう。胸をやられていました。それでも仕事はやめませんでした。治療に専念すれば回復も早かったのに、修業時代以来、なまじ体力に自信があったので、大したことはあるまいと、肋膜《ろくまく》にたまった水がガボッ、ガボッと音を立てるような状態でやっていたのです。風邪をこじらせ、肺炎で急逝した父の二の舞になる寸前でした。もくろみは完全に挫折でした。

ようやく再起を果たしたのは昭和四十三年になってです。新作名刀展[21]と名を変えていたコンクールの第四回展（通算で一四回目）に自家製鉄による作品を発表し、奨励賞を受賞しました。奨励賞は作刀技術発表会の優秀賞と同格です。一〇年間に入賞者の顔ぶれは様変わりしていました。往時は私が最年少だったのに、すぐ後に戦前を知らない若い刀鍛冶が続いていました。

㉑新作名刀展
昭和四十年から平成三年まで、二七回にわたって開かれた展覧会の名称。その後、新作刀展覧会に改称され、現在に至っている。

作刀界の材料問題

鑪の火は消えて

日本刀の材料は昔も今も、原料の砂鉄または鉄鉱石を木炭で低温還元して取り出した和鋼（玉鋼《たまはがね》）・和銑《わずく》・和鉄です。これらを生産する炉を鑪《たたら》と言い、近世以降は施設全体を高殿と書いて「たたら」と読むことがあります。ここで、主に鋼を取る目的で操業する方式が俗に言う鉧押《けらお》しであり、銑鉄を主目的にするものが銑押《ずくお》しです。

銑は溶かして鋳物にするほかに、鋼を選別した残りの歩鉧《ぶげら》などとともに脱炭・加工して包丁鉄（錬鉄）にします。日本の伝統的な刃物や工具は鋸《のこぎり》や鑢《やすり》などの一部を除き、西洋のそれのように全鋼《まるはがね》ではなく、硬鋼と軟鋼を組み合わせて作りましたから、かつては鋼のほかに大量の包丁鉄が必要だったのです。日本刀も例外ではなく、芯鉄《しんがね》や棟鉄《むねがね》に使っていました。

明治の初めまでは和鋼・和鉄一辺倒だったわが国の鉄製品も、洋鋼・洋鉄が輸入され、国内でも高炉による生産が行われるようになると、安価で処理のしやすい洋鋼・洋鉄の使用に転じていきます。[①] そして、中国地方で盛行していた鑪は大正末ですべて停止します。

①明治十二年の鉄類国内総需要に対する国内産高の割合は三四・二パーセントで、以後漸減し、三十年には四・一パーセントにまで落ち込んでいる。

再び火を点じたのは昭和八年（一九三三）、日本刀鍛錬会[②]の靖國鑪でした。靖國鑪は昭和十九年までに一一八代《よ》操業し、五〇トンを超える玉鋼を生産しました。この間に、戦争の拡大とともに軍刀の需要が高まり、そのための鑪もいくつか復興しました[③]。そこで生産された玉鋼や包丁鉄は、陸海軍の受命《じゅめい》刀匠[④]をはじめとする全国の刀鍛冶に提供されたのです。

当時、鉄鋼は第一の統制品であり、刃物鍛冶でさえ自由に使えなくなっていました。一方で軍刀が求められましたから、一般の鍛冶から刀鍛冶に転業する人たちも相次いだのです。まして受命刀匠ともなれば、作品を買い上げてもらえる上に、玉鋼でも木炭でも豊富に支給されます。

私の経験では、十九年の初めごろ、神田の書店で漢和辞典を買おうとしたら「金ではなく、モノを持ってきたら換えてあげる」と言われました。そこで、栗原先生から分けてもらった炭を一俵持っていったことがあります。同じころ、都内で所帯を持った叔母夫婦のところに炭を持っていってあげたら「何よりのお祝いだ」と喜んでくれました。今の若い人には想像もできないでしょう。普通は、わずかな炭さえ手に入れにくい時代でした。

余談になりましたが、そんなわけで戦前の刀鍛冶の多くは、玉鋼や包丁鉄のストックを戦後に持ち越していました。それでも、作刀再開から一〇年もすると底を突いてきます。高度経済成長の中で日本刀ブームが訪れ、新作刀にも好影響が及びます。作刀界に新しい世代も加わってきました。いきおい、材料の問題が浮上してきました。

②日本刀鍛錬会
昭和七年十二月に、主として陸海軍将校らの軍刀整備を目的として設立された財団法人。陸軍の拠出金のほか、御下賜金、財団法人原田積善会・三谷ていらの寄付を基にしている。翌年七月には靖國神社境内に鍛錬所を開き、宮口靖広・梶山靖徳・池田靖光が刀匠として作刀に当たった。一門の刀匠の名乗りには「靖」を冠する。解散までの一二年間に製作した作品数は約八一〇〇振。

③叢雲鑪（島根県横田町）、菅谷鑪（同吉田村）、樋廻《ひさこ》鑪・金屋子鑪（同広瀬町）、智河原鑪（同石見町）、知井宮鑪（同出雲市）、砥波鑪（鳥取県日南町）など。

④受命刀匠
太平洋戦争中、陸海軍から軍刀製作を委嘱された刀匠。材料が支給され、買い上げが保障されたが、将校軍刀鑑査委員会による墜撃・巻き藁切り・鉄板切りなどの厳しい検査に合格しなければ、納品できなかった。

既存の材料が払底すれば、新規に製造するしかありません。しかし、かつての鑪が復興する可能性は皆無です。仮に一〇〇人の刀鍛冶が年間一〇振ずつ製作するとして、必要な材料はせいぜい一〇トン、五代も操業すれば賄える量です。そのために砂鉄を選鉱し、炭を焼き、炉を築き、技術者を確保するというのでは、採算が全く合いません。出雲の鉄師《てつし》の協力は期待できませんでした。

そこで出てきたのが自家製鉄（鋼）です。私は当時、病気で全く仕事をしていませんでしたが、私の事例は先駆けであり、一つのヒントだったかもしれません。自家製鉄は材料問題が解決できる上に、古刀の地鉄を再現するカギになる――私がかつてそう考えたように、作刀界全体も期待したのです。中には、自家製鉄に成功しさえすれば、古刀の再現は果たしたも同然と楽観視する向きさえありました。美術刀剣の製作が始まって一〇年、依然として古刀の壁を破れない焦りが背景にあります。

＊

自家製鋼時代

昭和五十二年に刀剣協会が「日刀保たたら」の操業を開始し、材料問題は解決を見ますが、そこまでの鉄に関連した動きを追ってみましょう。

三十八年、ＮＨＫテレビの「ある人生」が宮入さんを取り上げ、番組の中で、千曲川《ちくまがわ》の砂鉄を採取し、自家製鉄の実験に取り組んでいる様子を紹介しています。宮入さんの志向は材料問題よりも、古刀の再現にあったと思います。この年、高橋貞次さんに次いで二人目となる重要無形文化財保持者⑤（人間国宝）に、

⑤重要無形文化財保持者
演劇・音楽・工芸技術など無形の文化的所産で、わが国にとって歴史上または芸術上価値の高いものを「無形文化財」と言う。無形文化財は人の「わざ」そのものである。そのため、文化財保護法では、重要無形文化財の指定と併せて保持者の認定を行い、伝統的な「わざ」の保護に当たることを定めている。保持者は一般に「人間国宝」と称される。

宮入さんは五十歳の若さで認定されました。

三十九年、姫路城が解体になり、使われていた建築金物が放出になりました。姫路城は白鷺《しらさぎ》城とも呼ばれ、南北朝時代に赤松氏が築いたのが初めで、関ケ原の戦功で城主になった池田輝政が慶長期に五層の大天守などを完成させています。その古鉄は新刀初期以前にさかのぼります。放出量はわずかでしたが珍重され、「以白鷺城古鉄」と銘を添えた作品が残されました。

四十二年、隅谷正峯さんが『刀剣美術』新年号に「タタラ復興を」と題して書いています。「私たち刀鍛冶の宿命として当然弟子の養成を考えねばならず、これはある意味では作品を造ること以上に重要な問題かと思われ……（中略）タタラの復興、和鋼製造を刀剣界全体の問題としてお考えいただきたいと心から念願いたします」と、大局的な見地から訴えています。

この年、広島の旧帝国製鉄敷地に保管されていた玉鋼と銑二五トンが売りに出されました。前にも触れた通り、帝国製鉄は木炭銑メーカーですが、戦時中は叢雲《むらくも》鑪（島根県横田町）や砥波《となみ》鑪（鳥取県日南町）の経営にも当たり、玉鋼や銑を生産しています。戦後はコスト高の木炭銑の需要が次第に減少、前年に倒産し、管財人の管理下にあったものです。

四十四年、島根県飯石《いいし》郡吉田村において、近世鑪製鉄の復元実験が行われました。この一〇年ほど前から、村下の健在なうちに鑪製鉄法を再現し、その解明と記録の保存を図ろうとの声が挙がり、実現が追求されてきました。日本鉄鋼協会⑥が中心となり、日本鉄鋼連盟⑦・鋼材倶楽部⑧の支援を得て、たたら製鉄復

⑥日本鉄鋼協会
鉄および鋼に関する学術・技術その他の問題を研究・調査し、鉄鋼業の振興を期する文部科学省所管の社団法人。『鉄と鋼』『ふぇらむ』を発行。千代田区神田司町二—二

⑦日本鉄鋼連盟
鉄鋼業の健全な発展を図ることを目的とする経済産業省所管の社団法人。中央区日本橋茅場町三—二—一〇、鉄鋼会館内。

⑧鋼材倶楽部
鉄鋼に関する調査・研究や普及活動を行い、国民経済の健全な発展に貢献することを目的とする社団法人。平成十三年に日本鉄鋼連盟と合併した。

元計画委員会（委員長・松下幸雄東大教授）が実務を担当、三回の操業実験が行われました。⑨製品の一部は、作刀界にも提供されています。

四十五年、森脇正孝さん⑩の呼びかけで復元鑪を見学し、研究会を出雲市で開きました。参加者は宮入・月山貞一《がっさんさだいち》⑪・隅谷・川島忠善《ちゅうぜん》⑫、それに私の六人です。

四十六年、宮入さんが『刀剣春秋』一〇三号に「今年の課題」を執筆、「結論として古刀の地鉄を再現する道は、自家製鋼以外にはないと思うに至ったわけです」と、率直に心境を記しています。さまざまな試行錯誤を経て、残された未知の方法に期待した刀鍛冶は、少なくなかったと思います。

この年十一月、隅谷さんが自身の鍛刀所で自家製鋼を公開しました。これが第一回自家製鋼研究会で、以後、四十七年第二回（森脇さんの菊水鍛錬所）、四十八年第三回（月山さんの日本刀鍛錬道場）と続き、四十九年の第四回は私のところで開きました。回を重ねるごとに参加者も多くなり、こうした刀鍛冶間の問題意識の高まりが五十年の全日本刀匠会⑬の結成につながっていきます。

四十七年の新作名刀展授賞式の終了後、刀剣博物館講堂で隅谷さんが自家製鋼について講演を行いました。化学式を駆使した鉄の製錬の仕組みを聞いて、多くの刀鍛冶は唖然とするばかりでした。残念ながら、当時の水準はまだその程度のものだったのです。詳細は『刀剣美術』誌上に「自家製鋼時代」と題して掲載されました。

この年の秋、隅谷さんと私に対して、刀剣協会から第一回薫山《くんざん》賞⑭が授与されました。自家製鋼の研究と指導が認められたものですが、このころになると、

⑨たたら製鉄復元委員会『たたら製鉄とその鉧について』日本鉄鋼協会、昭和四十六年。

⑩森脇正孝（明治四十四年～平成十一年）本名要。梶山靖徳・池田靖光・小谷靖憲らに師事。米子市で作刀。

⑪月山貞一（明治四十年～平成七年）本名昇。代々刀を業とする家に生まれ、父貞勝より作刀技術を学ぶ。昭和四十一年、二代目貞一を襲名。奈良県桜井市で作刀。四十六年、重要無形文化財保持者に認定される。五十三年、全日本刀匠会理事長。四十八年紫綬褒章、五十四年勲四等旭日小綬章を受章。

⑫川島忠善（大正十二年～平成元年）本名真。父・初代忠善に師事。島根県仁多町で作刀。新作名刀展無鑑査、島根県無形文化財保持者。

⑬全日本刀匠会
昭和五十年五月に結成された刀匠の職能団体。現在、約二四〇人が参加。代々の幹事長（その後、理事長・会長に改称）は宮入行平・月山貞一・隅谷正峯・天田昭次・月山貞利。美術刀剣研磨技術保存会・美術刀剣外装技術保存

鉄への関心は刀鍛冶だけでなく、刀剣界全体に高まっていました。新作名刀展の出品作の中にも、翌年ごろから自家製鋼を示す銘文が珍しくなくなりました。既存の材料でなく、自ら製した地鉄を鍛えたということが、作品の出来とは別に、一つの主張になった時代でした。

＊

日本刀の「新素材」の可能性

私のところを会場にした第四回自家製鋼研究会は、全国から一四〇名もの関係者が出席して盛会でした。佐藤寒山先生は国宝・重要文化財を持参され、鑑賞会まで開いてくださいました。

私は小形製鉄炉の操業と併せて、銑の左下法《さげほう》を公開しました。左下法がそのときどれだけの関心を集めたか不明ですが、幾人かは研究を重ねて成功したといい、その後もあらためて教えてもらいたいという刀鍛冶がいましたから、公開してよかったと思います。ただ、作業が掛け持ちになったこともあって、鉄作りの方は意図した製品になりませんでした。

「天田がやっても小形炉はうまくいかなかった。この方法では材料問題は解決しない」との結論に至り、自家製鋼研究会はこれが最後となり、刀剣協会が玉鋼の生産に乗り出します。翌五十年に隅谷さんと私が呼ばれて刀剣博物館の館長室に行きますと、本間先生、佐藤先生、それに理事の小泉富太郎さんが待っていました。佐藤先生が、「いよいよ玉鋼がなくなった。協会として見過ごすわけにはいかん。鑪を始める」と言われました。また「鑪を復元しても、そ

会とともに財団法人日本美術刀剣保存協会に所属する。

⑭薫山賞
財団法人日本美術刀剣保存協会・本間順治会長（薫山）が基金を拠出し、学術・研究上、刀剣界への多大な貢献を対象として始められた顕彰制度。以後、若山泡沫著『刀装小道具講座』、石井昌國『日本刀銘鑑』が受賞し、現在は薫山刀剣学奨励基金による研究論文の授賞制度に継承されている。

れで古刀ができるとは思っていない。君らは別の方法で古刀の再現を目指してくれ」とも言われました。それは、当時の先生方の共通の認識でした。

玉鋼の生産が再開される以前、玉鋼に代わる現代の鉄を探求する動きもありました。日本刀は本来和鋼・和鉄で作るべきであり、洋鋼・洋鉄の類は材料として否定されますが、和鋼と洋鋼の範疇《はんちゅう》を明確にするのは実際のところ困難な面があります。要するに、基準となるのは刀の地鉄としていいか悪いかです。例えば、慶長以降に輸入された南蛮鉄も、一種の洋鋼です。和鋼に比べて燐の含有量が著しく多く、日本刀にはならないと言う人もいます。しかし、実際には著名な刀工が広範に使用しています。大坂新刀の一部などは玉鋼では到底無理で、あるいは南蛮鉄を使用したのではないかと推理する人もいます。そうだとすると、今、助広を狙うなら、玉鋼以外の材料を探すしかありません。探し当てた材料で助広に近い作風が表現できれば、それが仮に「洋鋼」とされるものであっても、評価しなくてはならないでしょう。ただし、使う側に「品質」に対する配慮が求められることは言うまでもありません。

早くから電解鉄に目をつけた人もいます。成分から見るとほとんど純粋で、浸炭すれば使えないことはありません。しかし、それだけで作った刀が鑑賞に耐えるかどうかは疑問です。

一時、「新玉鋼」⑮と称する製品が出ました。砂鉄を原料とし、高周波の電気炉で作ったものですが、品質が安定せず、使うには大部苦労が要ったようです。

昭和三十九年に、たたら研究会⑯の大会が島根県安来市の日立金属で開かれた

⑮新玉鋼
形状が一見、和鋼を思わせる塊状をなしているところから、この名称がある。

⑯たたら研究会
わが国製鉄業の歴史を総合的に研究するとともに、資料の収集・保存を図ることなどを目的に、昭和三十二年に設立された。毎年、大会を開催し、会誌『たたら研究』を発行する。入会は任意。東広島市鏡山一—二—三、広島大学文学部考古学研究室内。

とき、同社冶金研究所の中村信夫博士から衝撃的な発表がありました。新たに開発した海綿鉄は、古刀に共通する素材であるというのです。米子市皆生《かいけ》の浜砂鉄を鳥上木炭銑工場でペレットに焼結し、安来《やすぎ》工場でスウェーデンのウェベルという機械にかけると、プロセスを経て球状の半製品がポロッポロッとできてきます。それを加工して、高速度鋼[17]や特殊鋼[18]に製品化するらしいのです。研究者が自信を持って「古刀の素材」と言うからには、根拠もありました。

　半製品の市販はしないので、長谷川熊彦[19]先生を介してお願いし、二〇〇キロほど分けてもらいました。そのまま赤めただけでは駄目ですが、火床で簡単に浸炭します。純度が高く、初めからノロ（鉱滓）が外れています。玉鋼よりも処理は容易です。刀の地鉄に適するかどうかの重要な条件の一つに感度がありますが、その点、丁子《ちょうじ》なども足が入ってきれいに焼けます。残念ながら古刀にはなりませんが、労せずしていいものができるのは間違いありません。

　もし、刀鍛冶が自由にあれを手に入れることができていたら、材料問題は解決し、レベルも一挙に上がったと思います。評判を知って、代わりにスウェーデンのスポンジ・アイアン[20]を船で買い付けた刀鍛冶もいたそうです。材料問題がそれほど切実だったということでしょう。

*

「日刀保たたら」への期待

　五十一年九月、財団法人日本美術刀剣保存協会は島根県横田町の旧靖國鑪遺構の修復に着工、「日刀保たたら」として蘇らせ、五十二年十一月八日、火入

⑰高速度鋼
タングステン・クロム・バナジウム・コバルトなどの特殊元素を多量に含む工具鋼。熱処理を施されたものは、刃先が赤熱されても軟化することなく、高速度で鋼材を切削できる特徴があるために、この名がある。

⑱特殊鋼
特定の元素を特殊の目的で含有し、燐・硫黄がそれぞれ〇・〇三五パーセント以下の鋼。合金鋼とも言う。ニッケル鋼やクロム鋼、マンガン鋼などがある。

⑲長谷川熊彦（明治十七年～昭和五十四年）
二七三ページ参照

⑳スポンジ・アイアン
鉱石または砂鉄を溶融温度以下で加熱して（一〇〇〇～一一〇〇℃）、木炭、酸化炭素または水素などの還元によって得られた多孔質海綿状の鉄。海綿鉄とも言う。粒鉄よりも還元温度が低く、品質はさらに優秀であるとされる。

れ式を行いました。鑪の復興に最も力を尽くされた佐藤先生は、著書『日本刀は語る』（五十二年十二月、青雲書院刊）の最後に次のような言葉を残されました。

いま一つし残した大事な仕事がある。それは刀の原料である玉鋼の欠乏の問題である。（中略）名刀を造ろうにも、その主たる原料である玉鋼が払底しつつあることは数年前から聞き知っていた。聞き知ってはいてもどうすることもできなかった。ところが日本漆が欠乏し、漆工芸ができなくなったことから、伝統工芸で保存しなければならぬ工芸、すなわち選択工芸[21]は、その材料たるものは確保に努力を払うという法令が出て、日本刀の主材料たる玉鋼も国家が援助して製産するようになり、ようやく私どもの努力も日の目を見るようになった。

この仕事の完成には大変な費用がかかることで、国庫補助や補助団体の協力を得て、鑪の復元ができるようになり、立派な玉鋼の製産も間もないことであろう。しかしこの仕事は半ば永久的に続けてゆかねばならず、今後が大変である。みなさんの協力をお願いする次第である。

わたしはこうして刀とともに生きてゆくであろう。

鑪の火入れから間もない五十三年二月、佐藤先生は永眠されました。まさに鑪復興を最後の仕事として手がけ、思いを半ばにした死でした。しかし、鑪は軌道に乗り、あれから二五年を経た今も、操業は続いています[22]。

当初の玉鋼は、試作の結果、必ずしも期待した品質ではありませんでした。全国の刀鍛冶の意向を受けて、隅谷さんと私は刀剣協会にしばしば要望の申し

㉑選択工芸
正しくは「選定保存技術」である。昭和五十年の文化財保護法改正で、文化財の保存のために欠くことのできない技術または技能で、保存の措置を講ずる必要のあるものを選定し、これを正しく体得し、かつ精通している者を保持者に、また保存することを主たる目的とする団体で、保存上適当な事業を行うものを保持団体として認定することになった。これにより五十二年五月、「玉鋼製造（たたら吹き）」が選定保存技術に指定され、財団法人日本美術刀剣保存協会がその保持団体として認定された。なお、保持者には現在までに安部由蔵・久村歓治（以上故人、解除）・木原明・渡部勝彦の四人が認定されている。

㉒近年は冬季に三代（回）ずつ操業されている。開始から平成十六年二月までの通算は一一七代を数える。

入れもしました。二人とも別の材料を用いていましたから、いかにも日刀保たたらに反対であるかのように誤解されたこともありましたが、そうではありません。あの時期に刀剣協会が下した決断は、間違っていなかったと思います。日刀保たたらの意義は次のような点にあると考えます。

①　材料問題の不安から解放されたこと。

刀鍛冶にとって、日本刀の材料に事欠くことがどんなに切実であるかは、述べた通りです。基本となる材料が確保されたことにより、それぞれが安心して作刀に取り組めることになりました。

②　作刀の水準を引き上げたこと。

材料に起因する出来のバラツキを大きく減らし、全体のレベルアップに貢献しました。特に備前伝[㉓]が格段に向上したのは、この玉鋼があればこそだと思います。

③　自由な研究を可能にしたこと。

豊富な材料の下で、自由な研究が可能になり、新作刀の作風の幅が広がりました。仮にほかの材料を探究するにしても、玉鋼が保障されていれば安心です。

④　玉鋼の品質向上に伴って、さらに作刀のレベルアップが望めること。

文献によれば、大形鑪の出現は古刀末期にさかのぼるとされ、新刀の登場との関連がうかがえます。古刀は別として、この製鉄法で新刀上作まで到達する可能性があります。少なくとも、玉鋼の品質向上が作刀全体の一

㉓備前伝
備前国に誕生し、各地に波及していった典型的な作風を、鑑定と鑑賞の見地から命名したものであるが、ここでは備前の作風を表現する鍛法の意である。その場合、主な狙いは杢目肌を鍛え、匂本位の丁子乱れを焼き、映りを表現するところにある。

層のレベルアップに直結しているのは、間違いありません。

⑤ 困難な鑪製鉄技術の伝承が保障されたこと。

鑪製鉄の要諦は「一土、二風、三村下《むらげ》」㉔と言われますが、根本は技師長である村下の経験と勘に負っています。操業が絶えて三〇年が経過した時点での復元は、最後の機会でした。現在は次の世代が村下を継承し、また養成員制度㉕の採用で途絶の心配はなくなっています。

⑥ 技術の応用が期待できること。

再開以来二五年に及ぶ蓄積は、鉧押しに関して安定した操業を可能にし

日刀保たたらの操業。砂鉄を装入するのは木原明村下(左)と渡部勝彦村下。下は引き出される鉧塊。

㉔一土、二風、三村下
炉材となる釜土の選定、送風の加減、村下の経験と勘が重要であるということ。村下を最下位に置くところに、操業の困難さが現れている。

㉕養成員制度
日刀保たたらは現在、国庫補助事業「選定保存技術玉鋼製造・村下養成」として実施している。また、村下養成のための各種講習会も行っている。養成員は上級・中級・下級合わせて九人である。

ています。その技術を小規模の鑪に応用し、社会教育活動の一環として公開操業も行われました。今後は、各地の砂鉄を用いた試みや、赤目《あこめ》砂鉄を原料とする銑押しなど、古刀再現を念頭に置いた実験も期待されます。作刀界全体の永年の課題を実現するには、自家製鉄（鋼）ではいかにしても限界があり、組織的な取り組みによる以外には方法がないと考えます。

出雲に「鉄」を探る

『古来の砂鉄製錬法』に導かれて

初めて出雲に行ったのは昭和三十四（一九五九）、五年だったと思います。出雲は昔から「鉄のメッカ」ですから、一度はぜひ訪ねてみたいと思っていました。もう一つ、どうしても行く必要を感じたのは、俵國一博士の『古来の砂鉄製錬法』①に出合ったことでした。

三十一年に、日本刀鍛錬伝習所の先輩だった今野昭宗さんが亡くなりました。『古来の砂鉄製錬法』は、訃報を聞いて東京・葛飾のお宅に駆けつけたとき、奥さんの高子さんから「よかったら読んでください」と、遺品の中からいただいたものです。ビッシリ書き込みがあって、鉄を深く研究していたことが知れました。本の中身もさることながら、今野さんの姿勢に感銘を受けました。

岡山に所用があった機会に、北へ足を伸ばしました。出雲へはその後も幾度か行ったので、お会いした方や見学した場所が前後しがちなのですが、その折は工藤治人博士にお願いして日立金属安来工場の山本真之助工場長と、工藤博士の下で靖國鑪を立ち上げた小塚寿吉さん、それに鳥上《とりかみ》木炭銑工場の並河《なびか》孝義工場長あての紹介状を書いてもらいました。山本工場長の口利きで、守谷《もりや》刃物

①『古来の砂鉄製錬法』 昭和八年、丸善刊。内容は二部に分かれ、前半は「明治時代に於ける古来の砂鉄製錬法」、後半には下原重仲の「鉄山秘書」を収録している。前半は明治三十一～三十二年に俵博士が中国山地一帯と東北地方を実地調査して記したもので、貴重な記録となっている。

研究所の守谷宗光さんにも会いました。

守谷さんの会社はそのころ安来工場のグループだったらしく、旧海岸工場の一角でマグネットを製造していました。戦前は刀鍛冶で、戦後も本業のかたわら、作刀技術発表会に数度出品しています。突然の訪問にもかかわらず、歓待してくれました。人物的にも立派な方でした。

飯石郡吉田村の菅谷鑪②を訪ね、後に日本鉄鋼協会の復元鑪で村下を務める堀江要四郎さんにも会いました。

＊

最後の大鍛冶屋大工

小田川兼三郎《かねさぶろう》さんのことはどうして知ったか、はっきりしません。大鍛冶屋の大工《だいく》③がいると聞いて、すぐに会いに行きました。小田川さんの住まいは、仁《に》多《た》郡仁多町の鉄師桜井家の近くでした。奥出雲は山深いところですから、移動するのにずいぶん時間を要しました。

大鍛冶屋というのは、銑《ずく》や歩鉧《ぶげら》から錬鉄（包丁鉄）を作る工房です。そこの職長を大工と呼びます。ご承知のように銑は硬くて脆いので、玉鋼のようにそのままで鍛えることはできません。鋳物師《いもじ》が溶かして製品を鋳造するか、大鍛冶屋に委ねて精錬しなくてはなりません。

日本の刃物類には、ヨーロッパの製品のような全鋼《まるはがね》はほとんどなく、錬鉄と鋼（刃金）を組み合わせています。切る目的なら刃先だけが硬ければいいわけで、棟側が軟らかければ折れにくく、研ぐのも容易です。これが付け鋼です。

②菅谷鑪
吉田村菅谷にある唯一の高殿遺構。重要民俗資料。屈指の鉄師・田部長右衛門家によって操業された永代鑪である。

③大工
大鍛冶屋の職長。主に本場を担当する。

日本刀も基本の原理は刃物と同じです。ということは、日本刀は別としても、全体として必要な鋼の割合はわずかで、圧倒的に錬鉄が求められたのです。

大鍛冶の工程は左下場《さげば》と本場《ほんば》の二つに分かれます。まず左下場の火床《ほど》で銑を半溶融状態にして脱炭し、左下鉄《さげがね》を作ります。一日に一回、約二時間をかけ、一〇〇貫目ほどの銑を羽口先端上にアーチ状に積みながら、連続して処理していきます。この時点ではまだ炭素量が高く、不均一で、鉄滓《てっさい》も十分に除かれていません。そこで本場の火床で卸しを行い、鍛錬によって鉄滓を絞り出し、炭素量〇・一～〇・二パーセントの均質な錬鉄とします。本場では左下鉄を一〇回に分けて処理し、製品にします。作業を開始するのは大気の乾いている未明で、昼前には終業とするのが普通だったといいます。

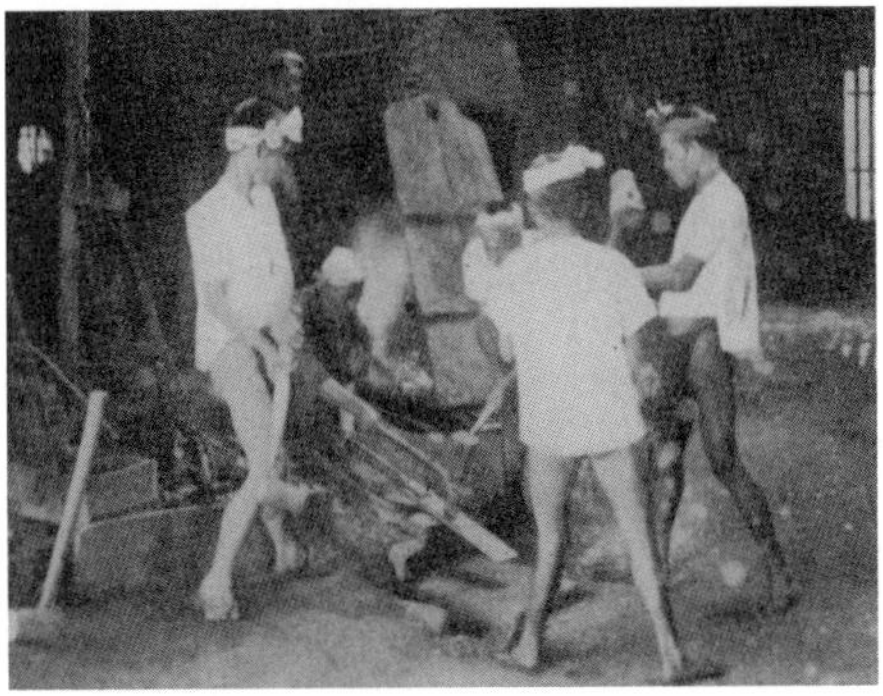

大鍛冶屋の本場作業。中央は小田川兼三郎さん
という（『古来の砂鉄製錬法』より）。

従事者は、本場を仕切る大工のほか、左下場を担当する次長格の左下《さげ》、手子《てこ》と呼ばれ、本場で鍛錬に当たる四人の先手、④それに雑用係の小回りの計七人です。四人の先手は、刀の場合の三人に比べると多すぎるかに思えますが、作業の中身を聞くと納得がいきます。沸いた鉄を中心にほとんど取り囲むように位置すると、間髪を入れず鍛打していきます。必要な

④先手
鍛錬の際の向こう鎚。作刀の場合、刀匠は横座と呼ぶ。

労力とスピードは、刀の比ではありません。

鉄塊の積み方は、左下場と同じです。十分に沸いた卸し鉄を炉底から引き出すと、直ちに鍛錬にかかり、胴切りと言って二分します。これをさらに沸かして、同様に二番切りにします。こうして、一回の卸し鉄から四枚の錬鉄ができるので、左下鉄の全量は四〇枚の板鉄になるわけです。出来上がりは、長さ六〇センチ、幅一〇センチ、厚さ一センチほどの帯状の製品です。取引の際に品質を判別できるように、中央に長く切り込みを入れておきますが、これに沿って折半した形状が包丁に似ているところから、俗に「包丁鉄」の名があります。

大鍛冶の仕事に強い関心を抱いたのは、工藤博士の影響が大きかったと思います。工藤博士は「中世は銑である」と明言され、古名刀に迫るには銑の研究が不可欠であることを示唆されていました。当時、そこまで銑を重視する方はいませんでした。

刀鍛冶が銑を扱うとなると、すぐに思い浮かぶのは卸し鉄ですが、銑はほかにも処理法があります。中国では炒鋼法《しょうこうほう》や灌鋼法《かんこうほう》⑤が知られ、ヨーロッパでも銑を処理して鋼や鉄にしています。これに対して、包丁鉄はわが国独特の銑鉄処理法が生んだ製品です。どんなやり方をするのか知りたい、特に左下法の前工程を体得して、鋼作りに応用したいと願っていました。

小田川さんは既に七十歳を超し、仕事は全くしていませんでした。突然の訪問に怪訝《けげん》な風で、「あなた、こんなところまで何しに来たんだ」と聞くので、「小田川さんは包丁鉄を作る名人だと伺った。私は包丁鉄には関心がない。途

⑤灌鋼法
銑鉄と錬鉄を組み合わせて鋼を作る方法。まず低炭素の錬鉄を鍛打して小薄片を作る。この鉄片を数枚束ねて強く締め、銑鉄をその上に置く。これを炉に入れて送風・加熱する。火が回ると銑鉄が溶けて、錬鉄の中に染み込み、両者は混ざり合う。取り出して打ち鍛え、再び加熱する。これを繰り返し、鍛造可能な鋼にするというものである。

中の鋼の段階で止めるような方法を教えてもらいたい」とお願いしました。すると「わしらは、そんなことはやったことがない。銑をナマにするのが仕事で、硬い混じりっけのあるカネでは話にならん。しかし、途中でやめろと言うなら、やれないこともないだろう」と言います。

ひとしきり、大鍛冶屋の中身を伺いました。やっぱり、すごい仕事です。数百年続いてきた技術を実際にやっていた人から聞くと、本で読んだのとは全く違う迫力が伝わってきます。息子さんや弟子筋も後継する時世ではなくなっていましたから、この方が最後の大鍛冶屋大工と言えるでしょう。

＊

左下法を伝授される

ぜひ実地に見てみたいと思い、「うちに来てやってください」とお願いしました。「この年になって遠くへ出仕事に行くのを、子供たちがいいと言うかどうか……」と躊躇《ちゅうちょ》していましたが、息子さんは「じいちゃんが行きたかったら、行けばいいよ」と、簡単に承知してくれました。

来てくれるに当たっては、小田川さんから二つ、条件が付きました。一つは靖國神社⑥に連れていくこと、一つは自由に酒を飲ませることでした。もう一人の息子さんが戦死しているので、靖國神社への参拝はかねてからの念願のようでした。約束は二つとも果たしました。酒の方はさすがに剛毅な職人らしく、一升ずつが日課でした。

作業は火床作りから始まりました。湿気の影響を極力排除するために、地下

⑥靖國神社
明治二年、東京・九段坂上に創建された招魂社に始まり、十二年に至って改称された。幕末の国事殉難者と戊辰戦争の官軍、および明治以降の戦没者を護国の英霊として合祀している。太平洋戦争終結までの祭神は二四〇万余柱に上る。戦前は陸海軍省所管の特殊神社であったが、現在は東京都知事認証の単立宗教法人である。

の工事も本格的でした。外見上、鍛冶炉と一番違うのは、その向きが吹子と平行ではなく直角に据えられる点です。大量の銑を連続して処理するには、確かに合理的な設計です。

驚いたことに、小田川さんは物差しの類《たぐい》を一切使いません。自分の腕を基準にして寸法を割り出し、位置や大きさを決めます。羽口の角度は、本場に比べて左下場の方が急勾配とされますが、水を入れてみて、その流れ具合で決めます。全く経験と勘の世界です。本場の羽口などは消耗が激しく、毎日付け替えるといいますから、ここが一番の要所だと思います。もちろん、羽口は大工自らが作ります。しかも、吹子から風を取り込む木呂竹《きろだけ》とのつなぎ方などは、誠に微妙なものです。ミカン彫りとか、皿彫りとか、削ぎ落とし⑦という言葉を聞きましたが、教わったからといって一朝一夕にできるものではありません。毎日の厳しい仕事を通して体得するのが、この世界の技なのです。

そう考えると、包丁鉄を作る伝統の仕事は小田川さんが最後で、忠実な復元も不可能になってしまったことを痛感します。

完成後、早速試みてみました。左下法に使う小炭《こずみ》は、近くの集落で野焼きを専門にする人に分けてもらってきたら、「これでいい」と小田川さんも喜んでいました。銑を鋼にする仕事はしたことがないと言っていましたが、こちらの要望はピシャリかなえられました。

小田川さんには昭和四十年代になってから、もう一度来てもらいました。そのときも約一カ月間滞在してもらい、炉の築き方や操業法をあらためて伝授さ

⑦ミカン彫り・皿彫り・削ぎ落とし　『古来の砂鉄製錬法』によれば、吹子に差し込む羽口の端内側の削り具合が、浅いものを皿彫り、深いものをミカン彫り、直線に切り取るものを削ぎ落としとしている。

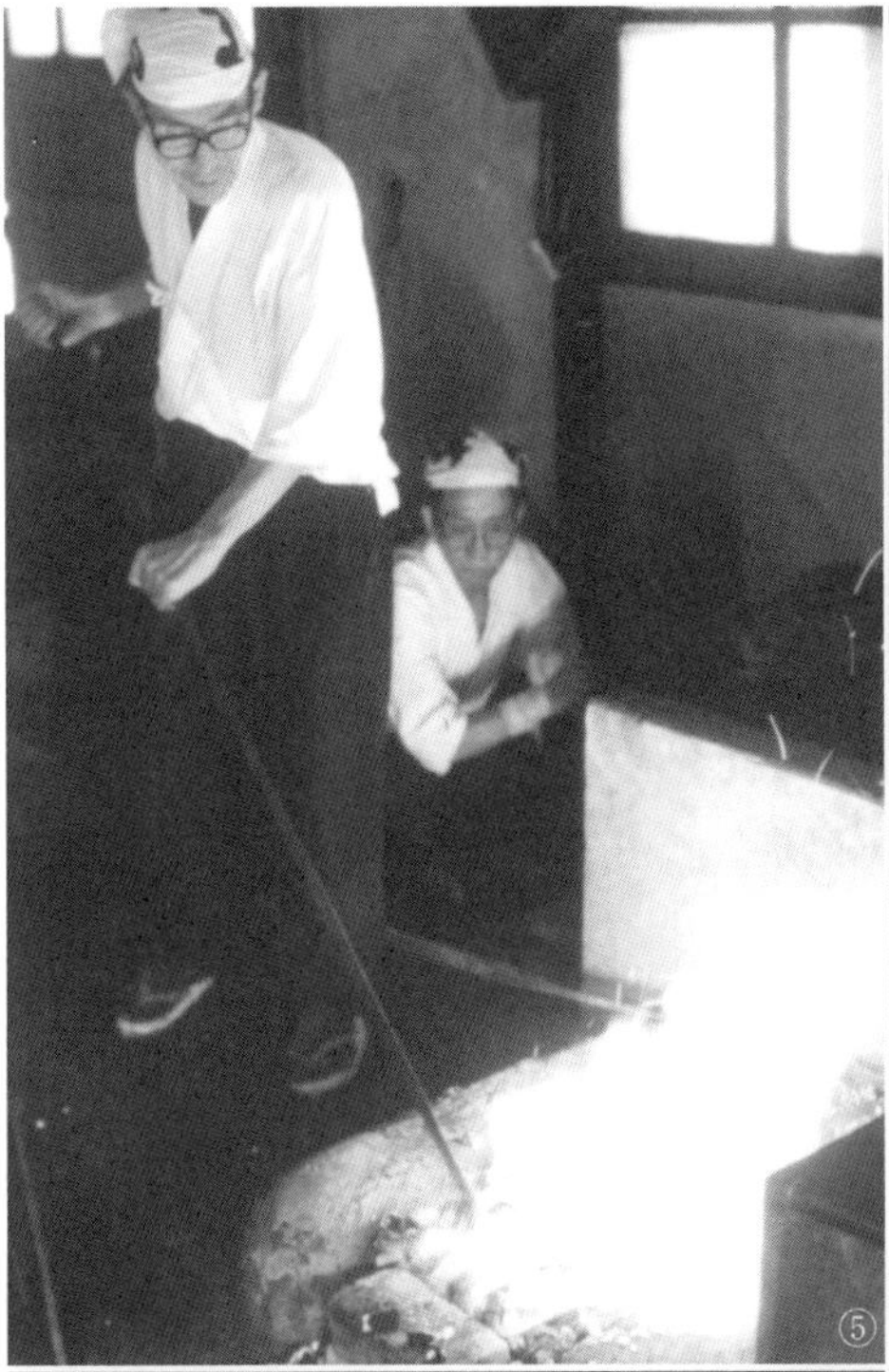

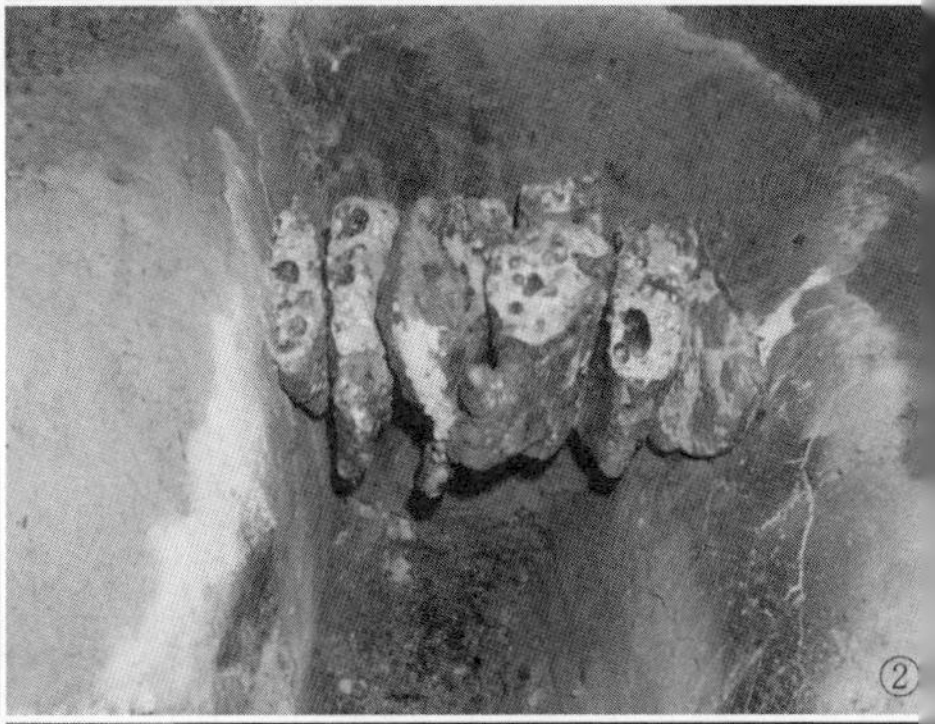

〈左下法を応用して銑を鋼にする〉①火床全景。吹子に対して直角方向に設けられているのが特徴。中央に立つのは羽口②蜂目銑をアーチ状に積む。③木炭で覆い、火を入れる。④吹子を操作して沸かす。⑤左下鉄で羽口が詰まらないように、また全体に風が回ってよく沸くように、鉄鉤でときどき内部を掻く。⑥完全に下りた状態。鉱滓が分離し、一塊の鋼になっている。

れました。道具類はすべて私に譲ってくれました。左下法を自家製鋼研究会で公開したことは、先に記しました。今、自分で銑を作り、左下法をもって材料を賄っている刀鍛冶もいます。それで、かなりの水準まで行っています。

左下法と卸し鉄とは同じではないかと言う人がいます。決定的な違いは、ノロ（鉱滓）の外れ方にあります。卸し鉄が鉄片の状態でバラバラ落ちていくために空間ができるのに対して、左下法では火が通ったとき、アーチに組んだ銑が、半溶解の固まりで一気に落ちていきます。卸し鉄は脱炭・浸炭いずれも可能ですが、幾度も試みないとノロの外れが悪く、介在物を多く噛み込んだ自家製鉄だと、どうしても地鉄が濁ります。その点、脱炭させながら同時にノロの抜けがいい左下法は、銑を中心とする自家製鉄に適した処理だと思います。

しかし、それで古刀ができるかとなると、問題は別です。工藤博士の言うように、古刀の材料が仮に銑だとしても、処理の仕方にはいろいろあります。俵博士の『古来の砂鉄製錬法』にも、岩手県に伯耆や出雲の錬鉄製造法と異なるやり方があることを紹介しています。[8]

左下法を体得した後も、これだけで満足できず、別の方法を追い求めることになります。

⑧気仙郡世田米村大字金成の鍛工・佐藤半兵衛に取材し、水火床で鼠銑から錬鉄に加工する手法を詳述している。

木炭銑から学んだこと

鳥上木炭銑工場を訪ねる

最初の出雲行きのときだったか、それとも別の機会だったか、記憶が定かでありませんが、工藤博士の紹介状を携えて鳥上木炭銑工場を訪ねました。八岐《やまた》大蛇《のおろち》伝説で知られる鳥上の里（仁多郡鳥上村大呂）にあり、かつては靖国鑪《たたら》が、現在は「日刀保たたら」がここで操業されています。

大正七年（一九一八）に角炉①を築き、木炭銑の生産を始めたといい、操業の当初は鑪製鉄の衰微で仕事を失っていた村下《むらげ》や炭坂《すみさか》が活躍したそうです。木炭銑というのは、砂鉄と炭を使うのは鑪と同じですが、規模が違います。いわば工業的に銑押しの連続操業をするようなものです。ですから、村下や炭坂の経験と勘が生きたのでしょう。

鳥上工場の木炭銑は、有名な「ヤスキハガネ」の原料鉄として一時は大いに振るいましたが、昭和四十年（一九六五）が最後になりました。

私が訪ねたときは、まだ盛んに操業していました。ちょうど出銑するところで、真っかな湯が型に流し込まれ、インゴット（鋳塊《ちゅうかい》）になっていきます。その際に火花と一緒に小さな球が飛びます。冷えると豆粒程度の大きさで、これ

①角炉
煉瓦製の角形炉。砂鉄を原料として日産三トンの白銑を吹き、特殊鋼製造に供された。

を俗に「耳」と呼びます。案内してくださった並河社長に「あれはどうするんですか」と聞くと、「製品にならない」とおっしゃるので、「譲っていただけませんか」とお願いしました。どうして急に欲しくなったのか不思議ですが、木炭銑と聞いて、どんな銑なのか試したかったものでしょう。並河社長は快く分けてくれました。

小田川さんは後で、「木炭銑は絶対に使わない」と言っていました。硬すぎて手に負えないというのです。木炭銑は、炭素量約四パーセントといわれます。蜂目銑《はちめずく》②でなければ、いかに小田川さんでも二時間で一〇〇貫目を下げるような芸当は不可能だったのでしょう。

確かに左下法や卸し鉄では無理がありました。塊状でないことも左下法で扱うには面倒でしたし、鋼の状態に持っていくには何度も卸さなくてはなりません。また、炭素量が適当になっても、地鉄として面白みがなくては意味がありません。さて、いかにして下げていったら持ち味を生かせるのか、結構な量の木炭銑を前にして思案が続きました。

*

東西の銑鉄処理法

前にも記したように、中国では既に春秋時代（前八〜前五世紀）に銑鉄が作られていたといい、漢代製鉄遺跡からは高炉を想定させる遺構が発見されています。そこでは、銑鉄から鋼や錬鉄を作る「炒鋼法《しょうこうほう》」が行われていたと説かれます。錬鉄は直接作ることはできません。比較的低炭素で鉱滓分離不十分な塊

②蜂目銑
破面に蜂の巣状の穴が無数に見られるもので、流し銑の別称である。これに対して、炉内で生成する銑は堅固で白色を呈し、氷目と呼ばれる。蜂目銑の方が品質は優れる。

錬鉄（低温還元生成鉄）を鍛打脱炭するよりも、高炉で銑鉄を作り、脱炭する方が生産性が高いため、炒鋼法が広く採られるようになったことは理解できます。製鉄技術としては、格段の進歩です。

明《みん》代末期の一六三七年に宋応星が著した技術百科とも言うべき『天工開物《てんこうかいぶつ》』③に、生熟煉鉄炉が取り上げられています。これは生鉄（銑鉄）と熟鉄（錬鉄）を一連の工程で作る製精錬一貫作業を示すものであり、後工程は炒鋼法の発展形態と考えられます。

鳥上木炭銑工場の遠景（昭和51年当時）。

まず人力による送風で円筒状の製銑炉を操業し、銑を流し取ります。溶銑は溜まり場から一部を分流させ、「堕子鋼《だしこう》」とか「板生鉄《いたなまてつ》」と呼ぶインゴットにします。溶銑の多くは方形の錬鉄炉に入ると、作業者によって柳の木の棒で攪拌《かくはん》され、同時に「潮泥灰《ちょうでいばい》」が散布されます。潮泥灰は本書では「汚い海浜の泥をさらして乾かし、細かいふるいにかけ、小麦粉のようにしたもの」と記されますが、貝殻を焼いて混ぜた造滓剤とも、硫黄の除去や溶滓の凝固阻止のための含塩溶解剤とも言われます。こうして鉱滓が分離し、

③『天工開物』
中国の生産技術の解説書で、米穀・紡績・製塩・製糖・製陶・造船・製紙・醸造など、各種の製造法を解説している。わが国にも伝来して複製され、活用された。

脱炭が進んで、冷却が始まったころ、炉の中で四角に切り取ったり、取り出して一定の形に鍛打するというものです。

中国で銑鉄から錬鉄を作る方法が行われていたことはわかりますが、実際には、この図と解説のように簡単にいくものではありません。そもそも湯になって流れ出た銑は、あっという間に冷えて固まります。炉の上部を開放した状態で、攪拌できる状態は長く続くわけはありません。

後に、古代式の炒鋼炉の復元図を見ましたが、上部を覆い、送風を行っています。すなわち、地下に半球形の穴を掘り、耐火粘土で炉壁を作り、炉口の大部分を蓋《ふた》で覆って、開口部から銑鉄の装入と攪拌を行います。炉蓋には炉内に向かって垂直に送風管が取り付けられます。せいぜいこの程度は備わらないと、銑の脱炭はできません。『天工開物』は全く参考になりませんでした。

直接のヒントが得られたのは、L・ベックの『鉄の歴史』④でした。ヨーロッパに高炉が出現するのは十四世紀です。このころの燃料は木炭でしたから、製品は木炭銑でした。それまでの直接法から、間接法に進んだわけです。十八世紀になって、イギリスでコークスを使う高炉が開発されました。さらにこの世紀の終わりごろ、鋳造用の反射炉⑤を用い、銑鉄を攪拌脱炭して錬鉄を作るパドル法（paddle の元の意味は「櫂《かい》でこぐ」）が発明されました。この反射炉の原理を研究することにしました。

鉋《かんな》を作るときの地鉄を探していると、時に「並鉄《なみてつ》」がスクラップの中から出てくることがあります。これは昔の鉄道の橋脚などに使われていたもので、

④『鉄の歴史』
原題は「技術的および文化史的に見た鉄の歴史」。文明の黎明期から一九世紀末までの鉄の歴史が壮大に描かれている。全五巻一七分冊の訳書は中澤護人訳で、昭和四十三年から五十六年にわたり、たたら書房から刊行された。なお、六十一年には詳細な索引が別巻として制作されている。

⑤反射炉
火床で燃料を燃やすと、高温の排ガスが一方の丈の高い煙突を通って外界に排出される間に、炉内中央部の天井に当たって反射する熱で、炉底に積まれた金属素材が溶解する。精錬用と溶解用の二種があるが、構造は類似している。

品質としては決して上等ではありません。包丁鉄の化学成分に比べると、桁違いに品位が劣っています。ところが、鉋に限ってはこの並鉄がいいとされます。鉋の地鉄は絶対にこれでなくては駄目だという時代もあったほどです。

なぜかと言うと、大工が喜びます。地にゴマがいっぱい出る並鉄は、研ぎやすいと言います。削るとか突くとかの用途に応じた機能を大工道具の必要条件とすれば、研ぎやすさは十分条件です。無論、刀などには使えない粗悪な材料ですが、鉋に限っては使う人がいいと言うんですから、いいんです。

並鉄は一体何かというと、明治の早い時期にヨーロッパから入ってきたパドル鉄です。銑鉄塊を反射炉の一種であるパドル炉に入れ、鉄滓または鉄肌《かなはだ》⑥を加えて熱すると、銑鉄は溶融し、炭素・珪素・マンガン・燐などが燃焼して除去されます。このとき作業者は小孔から長い棒を差し入れ、前後左右に攪拌します。酸化が進むと、溶融状態から次第に固まり始め、半流動の錬鉄塊になります。そこで鉄棒をこね、塊を炉外に持ち出して鉄滓の絞り出しを行います。

パドル炉は三〇〇キロぐらいの銑鉄を扱えますが、作業者が一度に処理できる量としては、せいぜい五〇キロです。これを大量に輸入して国内で圧延加工し、鉄橋などに使ったわけです。

この並鉄の存在も、一つのヒントになりました。

＊

わが国に炒鋼法はあったか

反射炉式精錬炉は、二、三年かかって基本の仕組みを作り上げました。その

⑥鉄肌
加熱することによって鉄の表面に生じる酸化被膜。スケールとも言う。鍛錬の際に水打ちをすると、鉄肌は容易に剥げ落ちる。研師はこれを加工して拭いの材料に用いる。

後、炉の構造、燃料、酸化剤などに創意を加え、病が癒えた後の四十二、三年ごろ、完成を見ました。並河社長に提供していただいた木炭銑を処理して試作してみました。「明るくて冴えた地鉄だ」と、評価してくださる方もいました。不思議なのは、この方式で得られた鋼を鍛えると、きれいな小板目肌になることです。折り返し鍛錬をして伸ばせば、鍛え肌は必ず縦方向に流れるはずです。ところが、これは柾っ気がなく、地鉄本来の肌が現れます。

操業を一度だけ、鉄の研究者の方々にご覧に入れました。驚かれたらしく、「こりゃあ特許ものだ」と言っておられましたが、もちろん私にそのつもりはありません。ただ、銑の処理法の一つを独力で開発できたという満足感はありました。

近年、古代から中世にかけての製鉄をめぐって、論争が続いています。それは、わが国でも炒鋼法のような間接製鉄法が行われていたとする仮説がきっかけでした。すると、遺跡の解釈が製錬炉か精錬炉か分かれるケースも生じました。遺跡全体が精錬をもっぱらとしていたとなると、一次製品である銑鉄は別の製錬所で作られたものを持ち込まなくてはなりません。大陸から船で運んだとの主張まで登場しました。

私は、中世の製鉄は銑が主体であったとみていますが、その処理を炒鋼法でやったとは到底思えません。技法の痕跡さえ伝わっておらず、体験的に納得できる精錬遺構も出ていないからです。銑を処理するのは、やはり左下法や卸し鉄に類する方法だったと思います。それも、今われわれが知るだけに限らなかったでしょう。

再出になりますが、水心子正秀の『剣工秘伝志』の一節に「応永の比迄《ころ》の鍛冶は自ら銑を吹をろして鋼とし、能くをりたる時は其儘《そのまま》打延て刀剣に造る、是所謂《いわゆる》鋳刀なり」とあり、古刀期の刀鍛冶が自ら銑を処理していたこと、卸しがうまくいったときは折り返し鍛錬をしなかったことを挙げています。後段には、その後も卸し鉄と言うことはあるが、そのまま打ち延ばす造刀法は失われ、今日出羽《いずわ》鋼・千草《ちぐさ》鋼を用いる際のように折り返し鍛錬をするのが当たり前になり、古伝は絶えた、これにより慶長以降の作を新刀と言う、とあります。

鋳刀の実体がいかなるものか不明ですが、刀鍛冶自らが銑を卸し、その方法にもいろいろあったことは推察できます。出羽鋼・千草鋼などの既製の材料や、大鍛冶による二次加工製品が提供される以前、あるいはそれらと並行して、刀工などの小鍛冶が自らの製品（作品）に合わせて地鉄を作り出していたものでしょう。そう考えると、古刀期の地域・流派・刀工ごとの個性は、材料や鍛法、技量のそれぞれに依存するとともに、材料と鍛法をつなぐ「卸し方」に大きく左右されたのかもしれません。

いずれにしても、木炭銑の耳に出合えた意味は小さくありませんでした。

砂鉄か、鉄鉱石か

砂鉄にこだわる

昭和三十六年（一九六一）ごろからは病との闘いになりました。鉄も刀も作れず、日がな一日天井板を眺めていました。焦る気持ちや絶望感がなかったと言うとうそになりますが、焦ってどうなるものでもありません。必ず快復すると信じ、治ったら再び古刀に挑戦するのだと心に誓いました。

病床にあっても、できることはあります。この数年試みてきたことを振り返り、なぜ失敗だったのか、どうすれば可能性が開けるか、思索を重ねました。あらためて本を読んで、ああ、そうだったのかと、初めて気づくこともしばしばでした。あれは天が与えてくれた「考える大学」だったんだなと、後で思い至りました。

過去に科学的研究を経験していたことも、思索を深めるのに役立ちました。新発田市にあった日曹製鋼（後の太平洋金属新潟工場）には、鉋《かんな》の製品検査以来、ずいぶんお世話になりました。そこの研究者・技術者の皆さんが、私の鉄への取り組みを知って、専門的なアドバイスをしてくれました。さらには、研究室を自由に使うことまで許してくれました。

自家製鉄で得た製品は、きわめて不安定なものです。同じように操業しているつもりでも、条件の微妙な差が出来上がりのバラツキになって現れます。砂鉄を換えたりすると、鉄にならないことさえあります。拙い経験と勘でコントロールできるものではないのです。それを補うのが、科学的データに基づく管理です。日曹製鋼の研究所では、分析と実験をずいぶんやらせてもらいました。週末に会社の終業を目がけて出かけ、研究室で煮炊きをしながら夜を徹して作業したこともありました。

　原料の砂鉄は、初めのうちは出雲の真砂《まさ》ばかりでした。当時は木炭銑の原料としての需要が少なからずあり、鳥上工場でも採鉱しており、斐伊《ひい》川などでも砂鉄をすくう光景が見られたものです。入手は難しくありませんでした。日曹製鋼から青森県三沢市産の砂鉄を分けてもらったこともありました。

　そのうち、古刀期に名流・名工を生んだ土地の砂鉄も試みました。備前（岡山県）の吉井川付近や相州（神奈川県）鎌倉の海岸で、大きな磁石を引っ張ったこともありました。そのほか、千葉県の九十九里浜、大分県の国東《くにさき》半島①、鹿児島県の種子島《たねがしま》②などにも原料を求めました。自家製鋼研究会が盛んだったころは、全国の刀鍛冶がそれこそ至る所の砂鉄を実験したはずですが、私の場合も可能な限り試しました。

　砂鉄の産地にこだわる理由の一つは、古刀期の作品が地域ごとの特徴を共通して持っている点にあります。特に地鉄の色合い、肌模様、沸《にえ》の付き方、地刃の働きに鍛法以前の要因がうかがえます。それは鉄であり、さかのぼると原料

①国東半島
周囲の海岸には砂鉄が豊富に堆積し、製鉄遺跡も多い。地元で「赤禿《あかはげ》」と呼ぶ土地からは、焼けた粘土、鉱滓、木炭が発見されている。

②種子島
薩南諸島の一つで、九世紀初頭から大隅国に属し、鎌倉時代以来、種子島氏の所領となった。天文十二年（一五四三）にこの地でポルトガル人から火縄銃が伝えられたことで知られる。随所に豊富な浜砂鉄と製鉄遺跡が見られる。ただし、総じてチタンの含有がすこぶる多い。

なのではないか、と。もちろん、正宗が鎌倉の鉄を使ったという確証はありません。幕府の所在地には、いかなる遠隔地からであっても必要な物資は集まってきたでしょうし、山陰・山陽や奥州の鉄が使われていたのかもしれません。今のところ、正宗の時代まで下る製鉄遺跡は付近に発見されていませんから、むしろ地元で材料が調達できた可能性は少ないと言えます。

しかし、この数年間、あらためて鎌倉の砂鉄でやってみて、正宗はいまだしとしても、成果は見えつつあります。砂鉄の違いによって取れる鉄の性質、その鉄を使ったときの刀の出来も次第に明らかになってきました。

もう一つ、砂鉄によって鉄になりやすいかどうかの差があります。砂鉄に含まれるチタン③は酸素との結合力がきわめて強く、製錬を阻害すると言われますが、その含有量は出雲二パーセント、鎌倉九パーセント、種子島に至っては三〇パーセントです。中にはきわめて還元率の低い、つまり鉄になりにくい砂鉄もあります。

チタンが必ずしも悪玉の面ばかりでないことは後に述べるとして、鉄の原料として出雲の真砂が優れているのは、この数字からもわかります。種子島の砂鉄は、チタンの含有量からすると、鉄になる歩留まりはかなり劣ります。では、それが失格かというと、地鉄の面白みの点で捨て難いものがあります。そこで、複数の産地の砂鉄を組み合わせて原料とする、あるいは単体で作った鉄を組み合わせて地鉄を作るという選択もあり得ます。

＊

③チタン
白色の金属。チタンの発見は一七九〇年にさかのぼるが、工業的生産が始まったのは第二次大戦後である。酸化物からチタンを取り出すには、まず炭素と塩素で処理し四塩化チタンを得て、これを金属マグネシウムで還元する(クロール法)。金属チタンは、表面に強固な酸化物の被膜が生じるので不働態となり、空気中でも安定である。用途は多いが、特に軽量で強度の大きな合金は航空機や船舶をはじめ、広範囲に及ぶ。最近では、寺社や博物館の屋根に目立って採用されている。

鉄鉱石の種類と性質

砂鉄は、わが国のように火山が多い地方に産出します。噴火の際に火山灰とともに吹き飛ばされたり、火成岩が風化・分解したりして残留する磁鉄鉱粒子です。これらは自然淘汰を受けて堆積し、土中・川岸・海岸などに砂鉄層を作ります。砂鉄は国内のどこにでも豊富にあるので、古代から和鉄の主要な原料になってきました。古くは外国でも木炭を燃料にする例が珍しくありませんが、原料はほとんどが鉄鉱石（岩鉄鉱）です。従って、一貫して砂鉄と木炭で生産された和鉄は、特異な例と言えます。

砂鉄のうち、粒子の表面が自然に風化・変質して赤褐色を呈するものを赤目《あこめ》

砂鉄各種

と呼び、粒子が粗く、磁鉄鉱そのままの漆黒色で光沢あるものを真砂と呼びます。前者は還元されやすく、溶解も容易なので、銑《ずく》押《お》しに多く用いられました。ただし、真砂に比べて燐や硫黄のような有害元素を多く含んでいます。出雲の真砂は有名ですが、全国的に見ると真砂の分布は少なく、圧倒的に赤目です。鉄鉱石の埋蔵は国内でも相当量に及ぶそうですが、世界の資源国に比べるとごくわずかで、現在ではほとんどを輸入に依存しています。わが国で実用に供されたのは、磁鉄鉱・赤鉄鉱・褐鉄鉱の三種だと思います。

磁鉄鉱は磁性が強く、黒色で、含鉄分六〇パーセント以上にも上る良質のものです。真砂砂鉄や餅鉄《もちてつ》④も一種の磁鉄鉱です。最大の産地は岩手県釜石地方で、同県一関市舞川の白山岳周辺（舞草《もくさ》刀⑤の製作地と推定される）や滋賀県のマキノ町⑥では磁鉄鉱を原料とする古代製鉄が行われています。

赤鉄鉱はその名のように美しい赤色を呈するもので、還元されやすく、最も良質であると言われます。ただし、新潟県赤谷（北蒲原郡赤谷村。現在は新発田市）や岩手県和賀郡和賀町仙人などにわずかに埋蔵されるにすぎません。

褐鉄鉱は褐色・赤褐色・黄褐色を呈し、磁鉄鉱や赤鉄鉱が風化・変質して化合水を含むものです。含鉄品位五〇パーセント以下、燐の含有多く、品質は劣るとされます。埋蔵量はごく少ないようです。

砂鉄と鉄鉱石ではどちらが鉄になりやすいか、また、どちらで作った鉄が刀の材料として優れているかという質問があります。

前者については、日刀保たたらの木原村下《むらげ》によれば、砂鉄は初めから粒状に

④餅鉄
主に釜石地方に見られる独特の原鉱石で、「べいてつ」とも「べんてつ」とも呼ばれる。大小見られるが、いずれも表面は平滑で、黒光りしている。粉状もある。分析によれば、燐や硫黄などの有害成分が少なく、鉄分含有量の多い優れた磁鉄鉱である。

⑤舞草刀
一関と、北上川を挟む対岸の平泉の一帯で作られた古刀期の刀。「舞草」と銘を切るほかに、個銘としては少ないが、「世安《としやす》」などがある。宝寿《ほうじゅ》には数代にわたる作品が現存する。

⑥マキノ町
琵琶湖北西部に位置し、ここを中心に東西一三キロ、南北一〇キロにわたって多数の製鉄遺跡の存在が知られている。時代は八世紀とされ、原料は磁鉄鉱である。『日本書紀』の七世紀後半の記述に「水碓《みずうす》を造りて冶鉄《かねわか》す」とあるが、鉱石の破砕処理と推定される。なお『続日本紀』に記される近江国の鉄穴《かんな》は、この地のものであろう。

細かくそろっているから手間がかからないといいます。鉄鉱石はいったん焼いて、冷えたところを叩いて砕きます。さらに砕いて、砂鉄のように粉末状にすることもあります。一方、砂鉄の含鉄量が五〇パーセント止まりなのに対して、餅鉄などは六十数パーセントにも上ります。木原さんのような専門家からすれば、砂鉄の成分分析を見て操業を加減することも容易にできるでしょうが、一般的には、鉄鉱石より砂鉄の方が難しいと思います。

次に、どちらから得た製品が良い地鉄かは、砂鉄の場合に、種類によっても持ち味が異なると言ったように、一概に決められません。われわれ刀鍛冶の勝負は作品ですから、可能性があると思えば難易にかかわらず試みます。原料が違えば鉄も違う、鉄が違えば刀も違うというところに価値を見いだし、粘っているわけです。

昭和四十三、四年ごろのことです。三条に行く途中、加茂駅で列車がしばらく停車していたときに、鉱石を積んだ貨車が構内に止まっているのを見ました。どう鉄鉱石だと直感しました。加茂が始発で、行き先は神奈川県の川崎です。やはりしてこんなところに、と半信半疑で市役所に電話で問い合わせました。やはり鉄鉱石でした。一〇キロほど入ったところに標高約一三〇〇メートルの粟ケ岳があり、採掘をしているといいます。それは鉱山の最後のときでした。

翌日、弟と二人でリュックを背負い、訪ねていきました。バスは市営水道の水源近くまでで、あとは徒歩です。事務所の人に頼むと、いくらでも持っていっていいとのこと。欲張ってリュックにいっぱい詰めたら、重くて担げません。

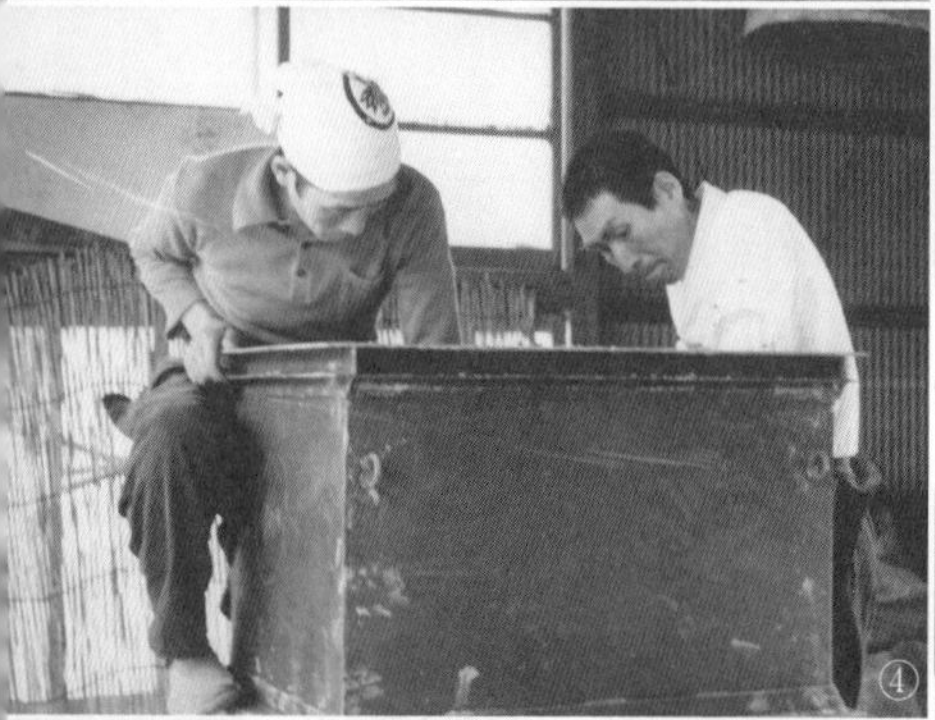

〈鉄を吹く(一)〉

かつての操業の一部である。

①シャフト炉の低層部。送風の予熱に配慮した。②高さは約二メートルとした。③砂鉄の装入。高い足場を設けての作業である。④掲示の角炉でも操業した。内部の炉壁を構築しているところ。⑤角炉で得られた鉧。鉧の大きさは炉の容量と操業時間で決まる。⑥燃料に使用した松のチップ。木炭でなくても鉄はできる。

⑩

⑦

⑪

⑧

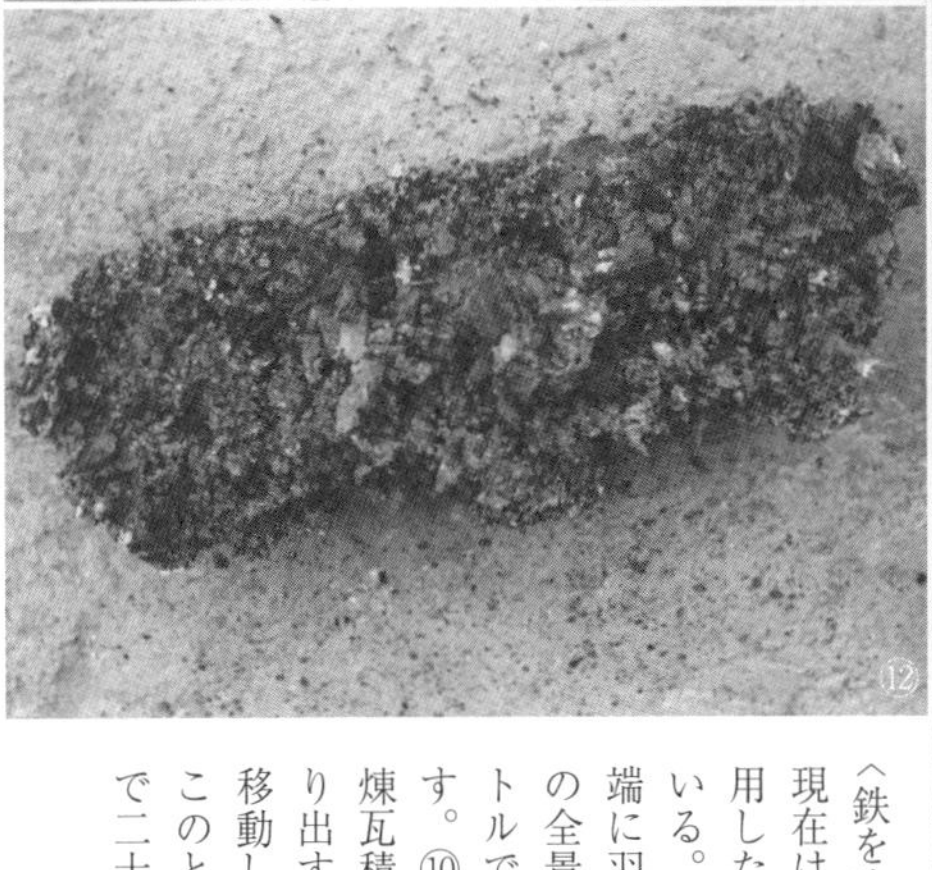
⑫

⑨

〈鉄を吹く(二)〉
現在は外側に煉瓦と鉄枠を併用したこの種の炉を多用している。⑦炉の内部。下部の両端に羽口を設けている。⑧炉の全景。高さは約一・五メートルである。⑨鉱滓を流し出す。⑩砂鉄の装入。⑪下部は煉瓦積みとしている。鉧を取り出す際は上部をウインチで移動し、煉瓦を取り崩す。⑫このときは約一〇時間の操業で二十数キロの鉧を得た。

荷を背負うと、上りよりもかえって下りの方がつらいものです。苦労して持ち帰った甲斐あって、試してみると良質の磁鉄鉱でした。

　そのころ、木炭の代わりに赤松のチップを燃料にして低温還元を試みていたので、同じにやってみました。非常にうまくいき、三〇キロほどの盤状の鉧《けら》が取れました。直刃《すぐは》の短刀を作って「以栗ケ岳磁鉄鉱作之」と添え銘し、宮入一門展の出品用に長野へ持っていきました。宮入さんは「青々としていい地鉄だ」と褒めてくれ、会場に来られた佐藤寒山先生は「三原⑦ぐらいに見える出来だ」と言ってくださいました。

　ちなみに薪《まき》を使う製鉄ですが、木炭とはまた違った結果になります。木炭が一酸化炭素を発生して酸化鉄を還元するのに対して、薪の燃焼では一酸化炭素は出ません。いや、薪でも一酸化炭素が発生して同じように還元するのだ、と言う学者もいます。私は、薪の場合、どんなに乾燥していてもジクジクと汁が出る、そこから炉内の還元雰囲気がもたらされるのではないかと考えます。いわゆる「水素還元」です。

　戦前の秋田の刀鍛冶で、桁違いのコレクターでもあった柴田果《か》⑧さんが、やはり水素還元という言葉を使っています。内容は明らかにしていません。正宗に見まがう刀と新藤五国光⑨写しの短刀の傑作を経眼しており、惜しみなく財を投じて古名刀の収集とその研究をした柴田さんですから、何らかの確信があったものでしょう。もはや知り得ないのは残念です。

*

⑦三原
備後国（広島県）御調《みつぎ》郡三原などで作刀した鍛冶の流派およびその作品。正家を祖とする。南北朝期の刀工を古三原、室町時代を末三原と言う。直刃を焼くことが多い。

⑧柴田果（明治十七年〜昭和二十八年）
本名政太郎。刀好きが高じて、独学で作刀を研究。昭和九年、帝展入選。翌年、新作日本刀展覧会で総理大臣賞を受賞。篆刻も巧みで、ほかにも謡曲・俳句・書などをよくし、発明も多い。秋田県雄勝郡西馬音内《にしもない》町に住んだ。

⑨新藤五国光
鎌倉時代後期の名工。相州鍛冶の始祖的存在で、粟田口風の作風を発展させて、独自の作域を築いた。太刀は少なく、短刀が多い。

特異な鉄鉱石・餅鉄

餅鉄でも実験を繰り返しました。餅鉄には塊状のものと粒状があり、一個が一〇キロに達する大きさもあります。黒褐色と赤褐色のものがあり、いずれも強い磁性を帯びています。どういうわけか、通常の磁鉄鉱のように鉱床をなさず、少量ずつ点在しているようです。

新潟県内にもありますが、量はわずかで、岩手県産には質量ともに及びません。そこで、弟子を連れて餅鉄拾いに出かけました。盛岡からバスで入り、山道を探したり、渓流をさかのぼった

餅鉄は新潟県下でも山中の清流でわずかに発見できる。下は岩手県産の餅鉄。

りしながら、結局三日間も費やしました。そうそう見つかるものではないのです。露出した鉱石を見つけて、その辺りにまだあるだろうと掘ってみても、あるとは限りません。地元の人に聞いて不思議だったのは、一週間もすると同じところに湧《わ》いてくると言うのです。まるでキノコみたいです。

　持ち帰って早速試してみると、砂鉄などよりはるかに鉄にしやすいものでした。銑にするのも、鋼にするのも自由です。新々刀期の刀工運寿是一《うんじゅこれかず》⑩に「以奥州盛岡橋野山餅鉄」などと銘を切った作品がありますが、これは餅鉄をそのまま鍛えたのではなく、大島高任《たかとう》⑪が釜石市橋野町に築いた洋式高炉の製品を使ったものと思われます。これも一種の木炭銑です。

　餅鉄を最も熱心に研究したのは、新沼鉄夫さんです。新沼さんは刀鍛冶ではありません。釜石製鉄所の事務を三〇年余り勤め、その後の人生を鉄に捧げました。最初の関心は古代製鉄にあったと思います。初期の鉄器や製鉄技術は大陸からの輸入だけでなく、鉄鉱資源の豊富な土地では土着の技術もあったはずだという自説を持っていました。その裏付けが、餅鉄を使った実験でした。やがて関心は蕨手刀《わらびてとう》や舞草刀に向かいました。

　あそこまでのめり込んでいったのには、鉄の終点は日本刀だという意識が多分に働いたと思います。刀剣界に玉鋼の生産を復興する話はまだ出ていません。刀鍛冶の自家製鋼がうまくいかないという情報も入ります。それなら自分が提供してやろう、と思ったのでしょう。いつからか「刀剣材料研究所」を名乗っていました。

⑩運寿是一（？〜明治二十四年）米沢の刀工・加藤綱俊の子。江戸に出て六代石堂是一の没後、家を継いで七代となる。新々刀期の上手の一人。

⑪大島高任（文政九年〜明治二十四年）陸奥の人。江戸に出て箕作阮甫《みつくりげんぽ》・坪井信道に学んだ後、藩命により長崎で西洋砲術、採鉱・冶金技術を学ぶ。水戸藩に招かれて安政二年（一八五五）反射炉を建設し、同四年、南部大橋鉄山を開いて高炉による銑鉄生産の工業化に成功した。その後、明治新政府に出仕し、さまざまな仕事を手がけ、近代鉱山業の発展に貢献した。

研究を物語る残骸が、庭に山積みになっていました。実験操業は数百回に及んだと思います。自分には鉄山師の血が流れている、鉄のあるところは匂いでわかる、とも言っていました。事実、釜石周辺だけでも七〇カ所で餅鉄を発見しています。よくぞここまでやったと思いました。他人様のことは言えませんが、やはり鉄の魔力に引き込まれたのでしょう。

私にも協力の依頼があったので、四回ほど訪ねました。仕事場のすぐそばに清流があり、そこにも餅鉄が流れてくると言っていました。優秀な息子さんが助手をしていました。新沼さんの目指すのは銑ではなく、鋼でした。やり方は、直径三五～四〇センチの黒鉛坩堝《るつぼ》に粉砕した餅鉄と木炭の粉を入れ、外熱で熱して還元するというものです。すると、坩堝の形なりに一〇キロぐらいの半円球ができてきます。それをパンと割ると、いいものは破面がキラキラしています。しかし、製品がなかなか安定しません。

安定性を得るには、機器の助けを借りるなどして、条件のバラツキを抑えなくてはなりません。小規模でやる場合、ある程度のロスはやむを得ませんが、現状は市販に耐える水準ではありません。商品となれば良くて当たり前、技量も好みもやり方も一人ひとり違う刀鍛冶は、とかく文句を言ってくるでしょう、私がテストをしてあげるから、良しと言うところまで待ってはいかがですか、と忠告しました。しかし、販売に踏み切りました。その結果は、案の定、返品の山でした。あれだけ熱心に取り組まれたのに、新沼さんの最期は悲惨でした。没後に残されていたはずの一〇トンほどの餅鉄は、行方がわからなくなり、後に某カルト教団の施設から発見されたそうです。また、ある時期に教団の信者が大挙して訪れ、一帯の餅鉄を根こそぎ集めていったそうです。この石には霊験《れいげん》があるとか、これで清めた水を飲むと健康になるとか、人を惑わす目的に使おうとしたのでしょう。そんなことは、一切信じるに足りません。

鉄や日本刀には魔力があると言いましたが、誤解を避けるためにあえて言い添えれば、それは時に人を狂わせるほどの魅力があるという、やや誇張した意味です。否定的な表現で申し上げているのでないことは、おわかりいただきたいと思います。

陸中に「銑」を訪ねて

野鍛冶も使った和銑

岩手県では古代から現代に至るまで製鉄が行われてきました。特に幕藩時代は中国山地に次いで盛んで、南部①（盛岡）・仙台②両藩とも製鉄業の振興に努めています。

中部から南部にかけては、露天掘り可能な鉄鉱石の鉱脈が豊富で、鉄鉱石製錬遺跡も多く残っています。また、特異な餅鉄がよく知られることから、一帯の製鉄原料はすべて鉄鉱石であったかのようにも思いますが、そうではありません。砂鉄製錬と混在しており、北部に至ってはほとんどが砂鉄を使った鑪《たたら》です。鉄穴《かんな》流《なが》しで山砂鉄を選鉱し、操業するのを「備中流《びっちゅうりゅう》」と称したそうですから、山陽からの技術の伝播もあったものでしょう。行われているのは、やはり銑《ずく》押《お》しです。

銑を用いて、仙台藩では銭《ぜに》を作っています。今でもよく知られる南部鉄瓶《てつびん》③は、やはり銑です。銑を探る上でも、岩手は見ておきたいところでした。

新沼さんを訪ねた足で、宮古に住む堰代《せきしろ》宗次④さんの鍛錬所に伺いました。堰代さんは、私の兄弟子の今野昭宗さんと親しく、仙台の淀川重利さんから、と

①南部藩
盛岡藩とも言う。藩主の南部氏は鎌倉時代以来の陸奥の豪族。信直・利直が周辺を平定、豊臣・徳川に所領を安堵され、藩祖となった。岩手郡を中心に、陸奥一〇郡を支配した。戊辰戦争に際しては奥羽越列藩同盟に加わった。

②仙台藩
天正十九年（一五九一）藩祖・伊達政宗が陸奥玉造郡・岩出山城に入封し、慶長八年（一六〇三）仙台に移ると、徳川支配下の大名として藩領が確定した。外様ながら、表高六二万石、内高一〇〇万石と言われた。戊辰戦争には奥羽越列藩同盟の主軸となったが、敗れて二八万石に減封された。

③南部鉄瓶
岩手県の代表的工芸品の一つ。産業としての南部鋳物は、江戸時代になって

もに下駄道具作りを習ったそうです。戦後、仕事場を持たなかった今野さんは、堰代さんのところを借りて刀を作っています。

堰代さんが言うには、東北一円の野鍛冶は安価な銑を盛んに使ったそうです。玉鋼は高価なので、代わりに銑を自分で処理したといいます。誰でもやる、当たり前の技術でした。どうやるかというと、鋳掛《いか》けする個所に銑の小片を溶かし、流れ出さないようにしながら柳の棒でなでてやり、金鎚でパチンと叩きます。すると、鋼になってくっついています。農具などなら、多少のムラは気にしません。タイミングは少々難しいものの、まるで炒鋼法の即製版です。

初めて知る技術だったので東北に固有のものかと思っていたら、そうではないことがわかりました。近在の鍛冶屋の故老が言うには、「そんなのは当たり前」だそうです。昔は鍬《くわ》の先掛けをやるとき、銭を載せて溶かし、パッと叩いたといいます。左下《さげ》や卸しをしなくても、必要な量をその都度使う簡便な方法が広く行われていたと知り、感心しました。

＊

鋳物の里・軽米を訪ねる

後に盛岡へ行き、鉄瓶を作る人たちに会ったとき、「軽米《かるまい》⑤へ行ってみなさい」と言われました。軽米町は、鉄鍋などの鋳物製品で有名だったところです。北は青森県に接し、東は大野村・久慈《くじ》市に続きます。

軽米の役場に行き、「製鉄の痕跡でもあったら教えてください」と頼んだら、近くに住む長老を紹介されました。その方がとても親切にしてくださって、そ

釜が広く知られ、鉄瓶は江戸時代晩期に作られるようになった。

④堰代宗次（明治四十三年～平成九年）本名福哉。淀川重利・今野昭宗に師事。戦後は二十九年十月に製作承認を得る。宮古市黒田町で作刀。

⑤軽米
岩手県九戸郡軽米町。大野村で製錬された鉏鉄《あらてつ》（銑鉄）は上館村（現軽米町）で鋳物に加工された。上館村の鋳物業の創始年代は不明であるが、一八〇〇年代初頭には五〇軒ほどの銅屋（烔屋《とうや》）があったという。製品は鍋・釜・鉄瓶や農具で、ほかに釣り鐘や懸仏も鋳造している。

の上「せっかく来たんだから泊まっていきなさい」と言います。見ず知らずの私にです。それで、一晩厄介になりました。

九戸《くのへ》郡一帯は想像以上の産鉄地帯でした。豊富な山砂鉄と薪炭に恵まれ、農業生産力の低さを鉄産業が補っていたそうです。製錬そのものは隣の大野が中心で、軽米では加工技術が発達したようです。

北上山地北部を中心にした辺りでは鋳造技術をもって、仙台藩や南部藩の銭を密鋳《みっちゅう》までしていたそうですから、驚いたものです。厳しい取り締まりにもかかわらず、壊れた鍋釜を買い集めて山中に持ち込み、ひそかに鋳銭《いせん》（贋金《にせがね》）作りに励む連中が跡を絶たなかったといいます。

失敗することを「ベコ吹いた」と言っていたのも、この辺りならではと思いました。ベコとは牛のことで、鉄の運搬にも重要な役割を果たしましたが、牛の糞のような固まりを作ってしまっては駄目だということが転じて、一般的な意味になったのです。明らかに、流して取る銑が目的であったことから来ています。大野六カ鉄山⑥の一つ大谷鉄山では、一吹き三八俵（六〇八貫）という産鉄能力を誇ったそうです。

盛岡を立つときは久慈まで足を伸ばすつもりでしたが、何か事情が変わって引き返しました。当時はまだ川崎製鉄久慈工場が操業していたので、残念なことをしました。今野さんは宮古から北上し、久慈を訪ねています。

なぜ久慈に関心を持っていたかというと、砂鉄を原料に高級特殊鋼の素材を作っていると聞いていたからです。クルップ・レン法⑦と言い、回転炉を使って

⑥大野六カ鉄山
九戸郡大野村は砂鉄鉱と薪炭材に恵まれ、八戸藩（盛岡藩から分立）有数の産鉄地であった。近世を通じて大谷・金取・水沢・葛柄・滝山などの各鉄山が営まれ、これらは大野六ケ鉄山と呼ばれた。

⑦クルップ・レン法
回転炉による製銑法の一つ。最高温度を一三〇〇℃に抑え、鉱滓を半溶融状態として粒鉄を作り、これを鉱滓中に散在させて炉外に出すもの。

行う直接製鋼法の一種とみられ、半溶融状態の低温で還元し、ルッペ⑧（粒鉄）として取り出します。その粒度は数ミリです。

軽米の長老がお土産に持たせてくれたのが、久慈工場で作った鉄のサンプルでした。帰宅して早速試しました。既に鋼になっていて、そのまま使えました。伸ばして焼きを入れたら、敏感に反応します。窓開けしてみると、地の模様も出ています。工業的に作ったものとはいえ、きわめて和鉄に近い感触でした。

久慈工場は昭和四十二年（一九六七）に閉鎖になり、その後、日鉄釜石鉱業所が廃山、釜石製鉄所も閉鎖と、北の鉄文化の象徴が次々に消えていったのは寂しいことです。

⑧ルッペ
直接製鋼法によって得られる粒状の還元鉄。成分は原料の良否によって差があり、純良なものは高級鋼の原鉄となるが、不純物の多いものは製銑用原料として溶鉱炉に装入される。

古刀の地鉄とチタン

神秘のカギはチタンにあり

昭和三十四年（一九五九）の『刀剣美術』に注目すべき論文が登場しました。書かれたのは愛刀家で、シェル石油の役員をなさっていた久我春《くがはじめ》さんという方です。掲載は二回にわたり、それぞれのタイトルは「鍛刀用の砂鉄とチタニウム」と「刀剣の地肌について」というものでした。

久我さんは、刀の地鉄には何か未発見の物質が包蔵されているのではないかとの疑問を長い間抱いていましたが、近年チタニウムの研究が台頭して初めて、刀の神秘はここにあるなと合点したといいます。そこで科学的な研究に着手し、「日本刀は鉄とチタニウムの合金である」という結論に達したのだそうです。

ただ論文は難解で、特に第一回は専門的な内容が多く、長文でもありました。久我さんは「支持者はほとんどいなかった」と言っていましたが、支持するかどうかの以前に理解が及ばず、関心を持って読んだ者がほとんどいなかったのではないかと思います。私が久我さんとやりとりしていたと知って、隅谷正峯さんが後年「実は私も手紙で質問したことがある」と言っていましたが、刀鍛冶でも反応した者はごく少数だったでしょう。

今でこそチタニウム（チタン）はゴルフクラブや腕時計、ＯＡ機器などでおなじみですが、当時一般には知られていませんでした。そのチタンが古刀の地鉄のカギを握っていると聞いても、ピンとこなくて不思議はありません。たまたま私が飛びついたのは、鉄の世界では製錬を阻害する悪玉が、刀には善玉として作用する、その意外性だったのです。まして、古刀と新刀の差はチタンの含有のいかんにかかわると知って、すぐに大阪の久我さんを訪ねました。

久我さんは駆け出しの刀鍛冶を歓迎してくれ、丁寧に教えてくださいました。奥さんが新潟の生まれとのことで、親近感を持たれたのか、ここでもご馳走になり、「泊まって、ゆっくり見ていけ」と言われました。

久我さんは化学を専門とする上に刀の鑑識力も相当なもので、蔵刀のほかに、奈良の古社寺から放出された研究用の試料を豊富にお持ちでした。

＊

各期の作風とチタンの有無

久我さんの主張は次のようなものです。

① チタンを鋼に添加すれば、抗張力[①]を高め、靭性《じんせい》[②]を増し、良好な特殊鋼になることは早くから知られていたが、近年の研究により、チタンは炭素との親和力が強く、適当量のチタンは炭化鉄の形成を妨げ得るばかりでなく、フェライト中に固溶する炭素をも除去してしまい、かくして鉄とチタンは一種の強靭な鋼を形成していることがわかった。

② 科学の力をもってようやく解明できた事実を、一千年前の刀鍛冶は当然

①抗張力
「引っ張り強さ」とも言う。抗張加重（引っ張り試験の経過中、試験片の耐えた最大荷重kg）を平行部の元の断面積（平方ミリメートル）で割った値。

②靭性
粘り強く、衝撃に耐える性質。材料が破断するに要する仕事量が大で、弾性限界を超えても容易に破断しない性質を「靭性が高い」と表現する。通常は、「最大応力×最大変形量」の大小によって比較する。

のように取り入れ、無比の利刀を作り上げている。ただ驚嘆するばかりで、まさに神業というほかはない。

③ 平安時代中期以前の製鉄は火力が低いため、鉄もチタンも溶融点に達せず、チタンは鉄粒の間に鉄滓とともに介在している。鍛錬によって鉄滓とともにチタンも幾分除去されるが、鋼中にはいまだ相当のチタンを含有している。チタンのある量は炭素と融合してフェライト結晶中に固溶し、残りのチタンと炭素は炭化チタンとして鋼を形成する。この結果、肌は多少粗く、ところどころに鉄滓を含み、疲れのように見えるものもあるが、総じて光沢があり、高貴の感がある。

④ 鋼中の炭素が均一に分布することはまれである。これはチタン鋼にも共通するが、ただチタンとの融合によってある限度の炭素はフェライト中に固溶し、融合できなかったチタンが炭化チタンを形成して表面直下または中心部に凝固し、時には集団凝結を見ることがある。これが肌文（鍛え肌とは別物）で、鍛錬によって生じる化学現象の集積である。金筋や稲妻は、炭化チタンの濃度が高いところが焼入れに際してセメンタイト状になり、特に強い光沢を放ってあたかも異鉄のように見えるものである。初期の日本刀の地鉄が青い光を伴って、いかにも特殊金属と見えるのは、チタンを過剰に含んでいるためである。

⑤ 製鉄法が進歩し、錬鋼の手法が採用されると、鋼中の鉄滓や炭化チタンは著しく減少した。鎌倉・南北朝時代はチタン鋼としても最も理想的であ

って、適量のチタンはフェライト中に固溶し、若干過剰であったチタンは炭化チタンを形成して刀の強度と切れ味を保っている。炭化チタンの適量化により、肌文は部分的に現れることが多くなり、金筋・稲妻も多くの場合発色を見ない。ただチタンの微分子が刀身全体に散結し、錬れて美しい地鉄である。また、焼入れに際しフェライトが部分的に成長し、周辺の炭化チタンより一層細かな分子が集結して異なる光沢を発するため、影映りが見られるようになった。

⑥ 室町時代以降は製鉄法が著しく発達し、鉱石は溶融し、チタンも鉱滓とともに排除されるところとなった。わずかに残留するチタンはフェライト中に炭素と固溶し、炭化チタンも減少し、チタンの支配力は微弱である。一方、炭化鉄が台頭し、一般的な鋼材としては理想に近い製品になったが、鍛刀上からは大きな後退であった。

⑦ その結果として、折れや曲がりなどの欠点を補うためか、芯鉄を組み合わせるようになった。これは一見合理的に見えて、化学的には重大な難点がある。刀剣はチタン鋼なるがゆえに強靭であるのに、芯鉄を入れたためにチタンの支配力を減じ、ただの鋼に変質してしまうからである。皮鉄としてチタン鋼を用いても、芯鉄と接すればチタンは芯鉄に移行し、セメンタイトの跳梁《ちょうりょう》するところとなり、もはや特殊鋼の機能は失われてしまう。新刀以後、現在に至る日本刀にこの傾向が強い。

久我さんの理論は優れて独創的であり、それでいて机上の空論でもありませんでした。平安・鎌倉以来の古作を試料として分析し、最新の研究成果と結び付けたものです。実物を見せられ、お話を伺った際は、目から鱗が落ちるような気がしました。

私が久我さんのお宅を訪ねた折に見せていただいた試料は、多くが戦中から戦後にかけて、民間に放出された大和古社寺旧蔵の刀剣類でした。久我さんの手元にあったのは、それでもごく一部であったようで、全体とすれば膨大な数量に上ると思われました。ある神社から出た数は一〇〇〇にも及んだそうです。戦後の刀狩りの際の接収品もあったでしょう。

それほどの刀剣類がどうして古社寺に残存していたかというと、僧兵の遺品も多少はあったにしても、大部分は信徒からの献納であるとのことでした。元は古鏡も数多くあったそうですが、早くに流出し、刀剣類は持ち出しが困難なため外装だけがはぎ取られ、裸身で放置状態にあったようです。製作された時代で見ると、鎌倉時代が最も多く、平安・南北朝・室町の順で続き、新刀はほとんどなかったといいます。数百年間、手が着けられずにあったもののようでした。確かに、初めて目にするような、ごく初期の日本刀もありました。

試料はいかにしても蘇生の不可能なものを、ピクリン酸を満たした水槽に漬けた状態にしてありました。引き上げると、真っ黒に朽ちさびている平地《ひらじ》に、白銀色にのたうつ筋が浮いています。この筋こそ、チタンが炭素を吸収してできた炭化鉄のなせるものでした。そこだけは酸に侵されていないのです。

＊

刀とチタナイジング

それから間もなく、朽ち込みの激しい刀を数点預かり、切断してみました。すると、鎌倉時代の大和物③で、芯鉄を使っていない刀が出てきました。逆甲伏せ状に軟鉄をグルリと丸め、刃金をわずかに差し込んでいるだけなのです。

それまでに刃物を作り、鉈《なた》も鉞《まさかり》も作りましたが、基本はこの通りの割り刃金です。この刀が例外なのかと思っていると、やはり古い時代の刀に割り刃金が次々と出てきます。ある研師に言うと、「それは上手《じょうて》ではない」「下手《げて》ですか」「下手とは言い切れないが……」というやりとりになりました。古刀全般にわたって芯鉄を使わなかった、とは断言できませんが、少なくはなかったでしょう。加えて、折れや曲がりを防ぐために用いる芯鉄が、逆効果をもたらすとは……。同じ見解は後に、別の方からも聞くことになります。

久我さんのところから帰り、時間が経過するとともに、日本刀の神秘と、昔の刀鍛冶の神業がますます遠い存在に思えてきました。分析はよくわかりましたが、どう作ればいいのかは全く別問題です。下手に手が下せない気さえしました。チタンと古代製鉄の関連は、西岡棟梁の古代釘の話にも通じます。しかし、実際に日本刀の材料として使うとなると、未熟な鉄ではどうにもなりません。目指すのはやはり、日本刀の完成した鎌倉・南北朝です。

あれから四〇年余りが経過し、その間に久我さんは「名刀の神秘はついにヴェールを脱いだ。チタン利用の原理を利用すれば、名刀は自由にできる」と言い残して亡くなりました。

③大和物
大和国（奈良県）で作られた刀。大和には古くから鍛冶の伝統が伝えられ、伝説上最古の刀工・天国《あまくに》もこの地という。古刀期の千手院・当麻・手掻・尻懸・保昌を大和五流と言い、それぞれ特徴のある作品を残している。

チタン利用の原理とは、特許を取得し、一躍世界に知られるところとなった佐藤真三博士の研究「水溶液電解法による金属チタンの製造法」などを指しています。これを知った久我さんは、昭和三十七年の夏ごろから佐藤博士に教えを請うとともに、自説に対する意見を求めています。日本刀が鉄とチタンの合金であり、殊に名刀の諸条件にチタンが重大な役割を果たしているとの見解に対し、佐藤博士は「諸手《もろて》を挙げて支持する」と、久我さんへの手紙に書いています。また、往時の地鉄を得るべくもない以上、現代の鋼にチタンを添加する、あるいは厚薄のあるメッキをかけることはできないだろうかと、質問しました。

当時、チタンはきわめて高価な金属でした。佐藤博士はそれを単独あるいは合金で使うのではなく、メッキという方法で簡単に、しかも経済的に実用化したわけです。三十五年秋に特許取得後、企業化を進めていたところ、このほど成功にこぎ着けたのでした。

佐藤博士の意見は「大いに可能性あり」でした。意外にも、電解析出させた金属チタン（チタンメッキ）は、一五〇度の低温において地金の中に浸透、セメンテーションをもたらし、いわゆるチタナイジング（表面にチタン合金の層を作る）が行われるといいます。依頼によって炭素鋼製の出刃包丁をチタナイズしたところ、よく切れて、靭性も増したそうです。チタンメッキをし、約二五〇度で二時間ほど加熱してチタンを浸透させたといいますから、普通は焼き戻しになり、かえって切れ味が悪くなることが予想されます。しかし、結果は上々でした。この原理でいくと、軟鋼で刀身を作り、これをチタナイジングすれば、昔日の刀に似た性質は可能とのことでした。

私はこれを知って意を強くし、病が快復して仕事に復帰して間もなく、佐藤博士に連絡してみました。博士は気さくに「君のところに行くよ」と言ってくださいました。それからは七年ほどにわたり、月岡温泉に来て一週間から十日間ぐらいずつ滞在していただき、指導を願いました。その間に、私も博士の東京・吉祥寺《きちじょうじ》のお宅に三度ばかり伺っています。そのころの私は質問も稚拙だったと思いますが、何を聞いてもたちどころに答えてくださいます。誠に博識でした。専門から見た日本刀をはじめ、自家製鉄や、その後の精錬、熱処理などについても、側面からいろいろなアドバイスをいただきました。

博士の仕事で記憶に残るのは、自転車のリムのチタンメッキです。地金が薄くても硬く、かつ、さびにくいとなると、メーカーはこぞって採用したがったと思います。また、ここ新潟はプレス加工の盛んな土地ですが、プレスの型にチタンを浸透させると四、五倍は長持ちすると聞いて、関心を持った人は少なくないでしょう。チタナイジングは、間違いなく画期的な発明でした。

一度、短刀にチタナイズをやってもらいました。その硬さといったら、鋼の水準を超えています。切っても切っても、刃は欠けません。しかし、今はことさらに切れ味を追究する時代ではありません。第一の目的は、この方法で古刀の地鉄を得ることです。その後も佐藤博士の支援でさまざまに実験し、はっきりとわかりました。チタンを人為的に注入したのでは、古刀の地鉄は得られない、と。これは一に製鉄にかかわる問題であり、酸化チタン（TiO_2）という介在物をいかに残していくか、それ以外にないと、確信しました。

しばらく後になって、試みは成功しました。

砂鉄を集め、鉄を作り、刀にする――十年一日ながら、この過程の中でしか最終的な結論は得られません。「こうすれば名刀はできる」などとはとても言えませんが、このところで久我さんの理論を、実作をもって裏付けることができたのではないかと思っています。教えていただいた恩返しがこれから少しはできるかなというのが、近ごろの心境です。

未知の鑪に挑む

二つの特殊な遺構

『今昔物語』①に「能登国の鉄《くろがね》を掘る者、佐渡国に行きて金《こがね》を掘ること」という説話があります。能登で砂鉄を採って国守に納める仕事をしている工人の長《おさ》が、「佐渡には金の花が咲いている」と言うので、国守は長を呼んで金を採取してくるよう命じ、そのために何が必要か問います。長は、「小舟と少しばかり食料をいただければやってみましょう」と答えました。一月ほどすると、長は重たそうな黒い包みを持って帰ってきました。国守がそれを受け取り席を外したとき、長はなぜか姿を消してしまいます。そこで国守は、手を尽くして百方探させましたが、行方はわかりませんでした。包みの中身は金一〇〇〇両（約三七キロ）であったそうです。その後、国守は部下に命じて佐渡の金をもっと手に入れようと画策しましたが、ついに成功しなかったといいます――。

この工人の本業は砂鉄の採取ですが、砂金②を採る水洗法も近似した技術と考えられます。そこで、この説話を一つの根拠として、佐渡の砂鉄製錬は能登から伝わったとされます。

その佐渡で、製鉄遺跡と思われる特異な「穴釜」③（窖窯）がいくつも発見さ

①『今昔物語』
十二世紀前半の成立。インドや中国にも及ぶ仏教・世俗説話を収録している。文学書としてばかりでなく、歴史・民俗・社会史の資料としても重視される。

②砂金
金は、天然には漂砂鉱床や石英脈中に単体の形で産出する。河川の砂泥に交じって採取されるのが、いわゆる砂金である。金は化学的にきわめて不活性であり、酸素にも全く侵されない。

③穴釜
「窖窯」とも書く。古代から中世にかけて用いられた窯。斜面にトンネル状の地下式または半地下式に築かれ、傾斜を利用して炎の引きを強くし、高温が得られるような構造になっている。

れ、話題になったことがあります。④傾斜地に掘り込まれた横穴は全長四メートルに近く、幅一・二〜一・五メートル、高さ一・二〜二メートルにも及び、奥には煙道が設けられています。大人が入れる大きさです。最初に考えられたのは、炭焼き窯か須恵器の窯でした。しかし、数カ所の穴釜から多量の製錬滓が発見されるに及んで、製鉄炉である可能性が高くなりました。時代は場所によって、奈良時代末期から、中世を下らない時期とされました。

当時の解説によれば、操業は次のようなものであったろうといいます。

まず焚き口から薪を投入し、内部を乾燥させます。次に、窯の上の原料投入口から木炭と砂鉄を装入し、穴の奥部に充填《じゅうてん》します。最奥の煙道と原料投入口以外に二、三の立ち上がり孔があったようで、焚き口から次第に奥へと火を導いていき、使用済みになった手前の煙突は順次閉鎖します。前部で薪を燃焼させて火炎を奥部に送ると、自然通風が高温化を促し、砂鉄は還元され、鉱滓が作られます。生成物は、一作業ごとに窯の上部を破壊して取り出します。鉄は鉱滓と噛み合っているので、入念な選別が必要だったろうといいます。

私も研究者の方々と見学に出かけました。皆さんの見解はまちまちで、断じて製鉄遺跡ではないと言う方もいました。製錬滓は煙道や焚き口をふさぐのに使われたものであり、製鉄炉は別にあったはずで、これは炭窯だ、と。類似の形式の製鉄炉は佐渡の数カ所以外に、能登はおろか、全国的に全く例を見ないのも不思議でした。しかし、中に入ってみたとき、奥の煙道のカーブにビッシリとこびりついている砂鉄を発見しました。炭窯だとしたら、説明がつきませ

④『たたら研究』第一五号、昭和四十五年

ん。もしかすると、砂鉄の焙焼炉であったものかもしれません。

一方、昭和四十四年（一九六九）に福岡県太宰府町で発見された池田遺跡⑤も、類例のないものでした。長さ七メートル、幅〇・七メートルに緩やかな上り傾斜の溝状火床《ほど》二本が並行し、それらは八個の小孔で連結し、第二火床の上端は煙突に続きます。第一火床溝は一酸化炭素発生炉、第二火床溝は砂鉄還元床と推定されました。第一の方に木炭を詰め、第二に砂鉄を投入して燃焼させると、煙突吸気の加減によって高温還元ガスが発生し、海綿鉄が得られるというものです。近くに坩堝《るつぼ》の破片が散乱する場所があって、登り窯⑥で得た還元鉄を溶解したとみられました。操業年代は炭素測定法から、古墳時代初期とされました。

＊

壮大な古代製鉄実験

このころ私は自製の小形炉で銑も鋼もできており、それだけで刀をまとめる段階に到達してはいましたが、もう一つ物足りなさを感じていました。それは、鎌倉時代の最高の地鉄の再現を目指して、往時の鉄作りを追究しているつもりでも、しょせんは次元の異なる現代という高みから、過去を見下ろしているのではないかということでした。実は、刀の世界ではこの高低関係が逆転し、鎌倉時代以降、下降をたどってきたと言っても過言ではないのです。

中世以前にあっては、規模と形式の差はあろうとも、粘土で炉を作り、砂鉄か鉄鉱石を原料に、木炭か薪《まき》を燃やして鉄を取り出しているのは間違いありません。砂鉄の質が良かろうが悪かろうが、鉄は全国各地で作られています。そ

⑤池田遺跡
国道バイパスの建設工事中に、小高い畑地から発見された。当時、謎の遺跡と話題を呼んだ。

⑥登り窯
傾斜面に複数の燃焼室を連結して築いた窯。「連房式登り窯」とも呼ばれる。各室を下から順に焚き上げていく方式のため、炎を効率よく利用できるのが特徴である。一般には、やきものの窯。

の鉄で、すべてが名刀とは言えなくても、特色のある刀を作っています。

謎を解明するには、どうやら当時の素朴さに浸らないと不可能なのではないかと思えてきました。前記の二つの特異な製鉄炉には、大きなヒントがありそうでした。いずれも送風装置は使っていません。いわゆる自然通風です。あれで鉄ができるだろうかと疑問を抱きつつも、電動ファンや吹子《ふいご》から離れて、一度、古代製鉄の世界に身を置いてみようと決意しました。

いろいろ調べていくうちに、後者の製鉄炉に関連して、某大学の先生が「ここで得られたものは砂鉄の粒子が単結晶で鉄になっており、それ故に抗張力が通常の四〇倍である」と主張されているのを知りました。それほどの抗張力なら鉄として絶対に優れているはずだ、と飛びつきました。すぐに取りかかろうと思い、手紙を書いて登り窯の構造について教えを請いました。「あなたが本格的にやろうとするのは、誠に頼もしい」と励まされ、さらに意を強くしたものです。

七メートルの登り窯となると、作るだけでも大変です。大量の耐火煉瓦《れんが》を用意し、粘土で固めて乾かします。これに二カ月を要しました。砂鉄は木炭の粉と混ぜて澱粉糊《でんぷんのり》で固め、湯飲み大の団子にします。その数と量も半端ではありませんでした。燃料には薪を使うことにして、窯の中に団子とともに充填しました。火入れをして一日目、二日目は順調に見えましたが、三日目になって弟も私も睡魔に襲われ、ついウトウトしてしまいました。気がつくと、内部はすっかり燃えてしまっていて酸化状態でした。

操業は失敗でしたが、まだ諦めるまでの結論は得ていません。気を取り直して、三段式の窯を入念に築き直し、今度こそ成功させようと火入れする寸前に、芹沢《せりざわ》正雄さんから待ったがかかりました。芹沢さんは富士製鉄の元役員で、溶鉱炉の責任者を務められたこともあり、実務の経験に裏付けられた幅広い見識をお持ちでした。

「そんなやり方はもってのほかだ。鉄を作るということは、竪形炉であろうと箱形炉であろうと、上から鉱石と燃料を入れ、下から風を送るのが、古今東西、絶対的な原理原則だ。登り窯も穴釜もあり得ない。これ以上、無駄をしてはいけない」と言われました。私は納得できず、「原理原則とおっしゃるけれども、マンダラの製鉄法は上から風を送っているじゃないですか」と、反論を試みました。実は、マンダラ製鉄も早くに実験していたのです。

＊

秘法・マンダラ製鉄

マンダラとは、アフリカのカメルーン北端に位置する山岳地帯の名称です。この山地の北東の麓に住む黒人民族も、マンダラ人と呼ばれます。世界でも珍しい製鉄法は、モコロという町の北の山塊に住む一種族、マタカム人の間に伝わっていました。

急激な変化の下で、現在、彼らの風俗・習慣がどのようになっているか詳しくありませんが、かつて当地は「秘境」と言われ、マタカム人は「最後の裸族」と呼ばれていました。その中でも鍛冶師は特殊な地位にあり、魔術師であり、予言者であり、事実上の司祭でもあります。鍛冶師の妻は産婆であり、彼女だけが陶器を作ることを許されています。その製鉄法も、おそらくは大昔そのままのやり方で残ってきたと思えるものです。

原料は、干上がった川床でかき集める磁鉄鉱の粉末だそうですから、砂鉄に近いものでしょう。燃料は木炭です。炉の高さは二メートル以上もあり、外見は籠《かご》を伏せた形です。前に大きく炉口が設けられ、その上に砂鉄と木炭の投入口があります。背面は炉と同じぐらいの高さの岩に接し、その上に二基の鞴《ふいご》座《ざ》が据えられます。鞴（吹子）は、山羊《やぎ》の皮でできています。

注目すべきは、径約一〇センチの長い粘土製の送風管です。土管は開かれた炉口から注意深く中に入れられ、炉底から手の幅三つほど空けて、上から吊り下げるようにして炉頭に固定された後、二基の鞴に接続されます。木炭を投入して火をつけると、炉口は下から順次、粘土でふさいでいきます。ただし、下端に一カ所だけ、鉱滓を排出する拳大の孔を設けておきます。ふさいだ高さまで木炭が投入されます。炉口全体が閉じられると、送風が始まります。

「火が熱く燃えるようになしたまえ。良い鉄が生まれるように助

往時試みた登り窯の遺構。

〈鍛冶炭の野焼き〉

①杭を二本立て、間に松の枝を積み上げる。②火が回り出したら、青草や松葉で厚く覆う。③周りをつき固め、火が均一に回るようにする。④燃焼状態から判断し、水をかけて内部を蒸し焼きにする。⑤約三時間後に山を突き崩す。松材はほぼ炭化している。⑥灰の中から使える炭を選り分ける。⑦炭を切る。鍛錬用と焼入れ用では大きさが異なる。

野焼きは歩留まりは良くないが、軟らかく、鍛錬用に適した炭が得られる。

けたまえ。われらに力を貸したまえ」と酒を捧げて神に祈願したり、鶏の生き血を炉に注いだり、楽曲を演じたり、周囲を村人が踊ったりするのも、秘境マンダラで行われる製鉄が、古法である一面を物語っています。

点火から二時間が過ぎたころ、砂鉄の装入が始まります。その後、およそ六時間にわたって、砂鉄と木炭を交互に投入し続けます。鞴を操作する若者はときどき交代します。鉱滓の排出口が次第に上方に移動するのは、鉧《けら》とも海綿鉄ともつかない生成物が成長していることを物語っています。

鉧の取り出しは、炉口をふさいだ粘土を取り除き、羽口《はぐち》から水を注いだ上で行われます。五〇キロほどといいますから、結構な大きさです。

鉧は加熱しないまま、石製の台の上で、石槌で破砕されます。かなり細かく砕かれた後、粒鉄を集めてコーヒー茶碗大の坩堝《るつぼ》に入れ、上に泥をかけて鍛冶火床に入れます。以後は鍛造の工程になります。

マンダラ製鉄のポイントは、送風の仕方にあります。羽口は炉内で真っ赤に熱せられ、熱風となって底部にまで届きます。おのずと炉内温度が上昇します。そのうちに羽口の端が溶けていきます。メタルができる、羽口が溶ける、固まりが成長するという追いかけっこです。日本の製鉄の発想とは違う、面白い方法です。製品は介在物の多い未熟なものですが、バラツキのある粒鉄をまとめるところから、古代刀に見るような肌合いが現れると想像されます。

この方式も再現するとなると、なかなか技術を要しました。送風管がうまく溶けてくれればいいのですが、詰まってしまったり、途中で折れたりしがちです。製品も、期待したほどではありませんでした。

しかし、長谷川熊彦先生によれば、インドのコロマンデル地方で作られていた有名なウーツ鋼⑦が、マンダラ製鉄の操業法に類似しているといいます。西方からインドに伝わった製鉄は、アーリア人の侵入する以前の原住民族によって伝えられ、後にわが国に舶載された「南蛮鉄」のような製品を生むところとなります。旧デリーのイスラム寺院に現存する全長七・二五メートル、径四〇センチ、重量六トンという錬鉄製の円柱は、一六〇〇年を経ているにもかかわらず、完全な形状を保っています。錬鉄塊を鍛造して巨大な製品に仕立てた技術、自然の中にありながら朽ちない鉄――いずれも驚異的です。⑧

マンダラ製鉄も、壮大な鉄文化の流れに位置づけられるべきものでした。

芹沢さんの言われたことは、全くその通りです。自然通風では、砂鉄は還元にはあずかりますが、スラグと分離して完全なメタルになることは困難です。それで、ついに登り窯は断念しました。

⑦ウーツ鋼
製錬炉はシャフト炉で、丸剝ぎの山羊皮で作られた吹子が二つ付き、竹製の二本の送風管を経て一個の複式羽口につながる。この製錬炉で得られた粗鉄は、加熱・鍛錬を繰り返して棒鉄とした後、小さく切断して坩堝に入れる。そこに木材の削り屑と数枚の緑葉を載せ、次いで一握りの粘土で口をふさぐ。同様の坩堝が二〇個ほどできたら、これらを炉に入れて木炭で覆い、二時間半ばかり加熱する。坩堝を徐冷して壊してみると、底にケーキのような形をした鋼ができており、良い出来の場合だと、鋼塊表面の中心から条線が放射状に走っているのが認められるという。これがウーツ鋼で、普通、炭素量は一・二～一・八パーセントを示す。

⑧朽ちない鉄の神秘についてはさまざまな憶測がある。鉄質が優秀であること、腐食しにくい気象条件であること、信者が撫でることで防銹効果が生じること、などである。

自然通風による製鉄実験

高まる鑪製鉄への関心

近年、和鉄・和鋼に対する関心がひときわ高まっています。その中身はさまざまで、和鉄・和鋼の比類ない品質の高さ、「稲」と並んでわが国の黎明《れいめい》期に果たした意義、その後の文化・産業における役割、日本刀のような特異な工芸品の存在などが挙げられ、それにもかかわらず現代に至ってはほとんど生産されずに推移してきたことも、伝統に対する関心を促す要因になっていると思われます。平成九年（一九九七）にアニメ映画「もののけ姫」①がヒットし、タタラが小学生にまで広く知られるようになったことには驚かされました。

このような関心の高まりと同調するように、小形炉による鉄作りが全国各地で行われることになりました。穴澤義功さんの調査によれば、この四〇年間の実験的な鉄作りに関連する資料は三四〇件に上り、そのうち、実際に鉄作りが行われた事例は一八二件以上を数えるそうです。資料は整理・検討を経たもののみなので、実数は五〇〇に達するのではないかと推定しています。

穴澤さんはまた、実験的な鉄作りの内容を三つの系譜に分けています。

一つは、伝統的な鑪《たたら》の系譜です。これは昭和四十四年（一九六九）に日本鉄

①「もののけ姫」
宮崎駿《はやお》監督作品。室町時代を舞台に、荒ぶる神々と人間との闘い、自然とのかかわりなどを重層的に描いて話題となり、空前のヒットを記録した。踏み鞴を用いた大形鑪も登場する。

鋼協会が島根県吉田村で近世鑪製鉄の復元実験を行ったことを端緒とし、記録映画「和鋼風土記」②が一般に公開されたことで、鉄作りに関する基礎的な理解につながってゆきました。最近では、日刀保たたらの蓄積に基づき、木原村下《むらげ》らによって各地で小・中形炉の公開操業が行われており、これを穴澤さんは「出前たたら」と称しています。吉田村に置かれる、財団法人鉄の歴史村③の諸活動も、関心と理解を深めることに貢献してきました。

もう一つは、刀鍛冶を中心にした鉄作りの系譜です。私たちのように個人での研究や、自家製鋼研究会としての活動は、日刀保たたらの操業開始によって一段落した感はありますが、少数ながら今でも自家製鋼を追究している鍛冶がおります。刀鍛冶の目的はあくまで刀の地鉄を得るところにありますが、その経験を生かして、地域や学校での公開操業にかかわった例も少なくありません。茨城県鹿嶋市では平成十三年、小中学生や市民が参加して鉄作りを行い、その鉄をもって国宝韴御霊《ふつのみたま》④（鹿島神宮所蔵）を模した大直刀を製作しました。

さらに、実験考古学⑤の系譜があります。この分野での先達は、何と言っても長谷川熊彦先生です。先生は昭和四十年ごろ、ドイツの古代製鉄復元実験の理念と詳しい内容を紹介されるとともに、このような研究の重要性を指摘、わが国でも発掘によって得られた諸事実に基づき、古代製鉄の実験を行うべきであると提唱されました。

穴澤さんによれば、当時の考古学の関心はようやく土器や瓦などの生産遺跡に向き始めた段階で、製鉄関連遺跡への関心は低く、確実に時代が特定できる

②「和鋼風土記」
昭和四十四年十月から十一月にかけての三回の操業と、鑪製鉄に関する歴史・民俗・技術などを、当時の条件下で最大限追求した記録映画。岩波映画製作所制作。脚本・監督を担当した山内登貴夫の同名の著書も、角川書店から刊行された。

③財団法人鉄の歴史村
正規の財団法人名は「鉄の歴史村地域振興事業団」。和鉄を主要な資源とする出雲の地域振興の拠点の一つ。昭和六十三年以来、「伝統技術と先端技術の融合」をテーマに掲げ、財団の施設で鑪の公開操業も行っている。

④韴御霊
刃長二二三・五センチという最長の切刃造り大刀。四カ所に鍛接の跡が認められる。黒漆地平文《ひょうもん》拵が付され、平安時代初期の作とされる。

⑤実験考古学
考古学の知見や仮説を、実験によって検証し、新たな事実に結びつけようとする学問の方法。すなわち、復元実験によって、データから事実を追求する帰納的側面と、想定した仮説を検証す

発掘例も少なかったようです。古代の製鉄炉が検出され、往時のわが国に製鉄が広く普及していることが最初に確認されたのは、群馬県太田市の菅ノ沢遺跡⑥であり、それは昭和四十五年以降といいます。

その後、ようやく全国的に発掘が行われ、古代の製鉄遺跡がまとまって発見されるようになります。長谷川先生は依然として実験研究への関心が深まらない状況に業を煮やし、提唱した方法による実験に自ら取り組む決意をされます。それが「自然通風炉による古代製鉄法復元実験」でした。まさに先駆けであり、後に発表された操業の記録は大きな反響を呼びました⑦。

＊

先駆けとなった自然通風実験

この実験には当初から私もかかわりましたので、あらましを紹介しておくことにしましょう。

当時、古代の製鉄遺跡の発見が相次いだといっても、形態が確認できるような炉遺構はほとんどなく、炉体の一部と思われる土塊や地下の焼土、凹所の形状から推測して火床《ほどろ》炉・穴窯炉・舟底形炉・竪形炉などの呼称が人それぞれに唱えられ、稼働年代の比定も推測の域を出ないことが多かったように思います。

古代製鉄に関する研究には、考古学と製鉄技術の相互の領域から関心と理解を寄せ、総合的かつ体系的に問題の究明に当たるべきである、というのが主唱者の長谷川先生や、共同研究に当たられた芹沢正雄さんらの考えでした。仮に自然通風法に製鉄炉操業の原点を求めるとするならば、その原始的様相と発達

る演繹的側面の二つがある。

⑥菅ノ沢遺跡
西日本の長方形箱形炉に対して、東国の半地下式竪形炉と称されることになる最初期の発掘例。操業は九世紀ごろとされる。

⑦『鉄と鋼』昭和五十三年第三号。

過程の探究は重要な課題であり、実験考古学としても、金属学的立場からの復元実験が不可欠であるとされました。

何故に自然通風の鑪を選んだかですが、前記のドイツの復元実験がラ・テーヌ時代[⑧]（紀元前五〇〇年代）の自然通風炉であったことを考慮しています。長谷川先生は、ほとんど経験のないわが国の現状で、この方法を一つの模範例と見られました。ただし、あくまでも冷静な目で評価しています。

さらに、大分県杵築《きつき》市のミカン畑から出土した奇妙な羽口に注目されました。直径一〇センチの円筒状で、肉厚は五ミリほどです。炉の遺構は発見できなかったものの、多量の鉱滓の存在や地勢などからみて明らかに製鉄遺跡であり、円筒状の羽口は鞴《ふいご》につながるものでなく、自然通風の取り入れ口と鑑定されました。また、菅ノ沢遺跡の羽口破片も、自然通風用とみるのが妥当とされました。なお、炉頂と炉底の作業プラットホームのほかに、炉の中間の高さにホームが設けられており、ここを鞴送風の作業場とするのは不自然で、自然通風の取り入れ口と考えられました。すなわち、ここから通風管を炉壁に沿って下ろし、通風を予熱して操業に供する、最も進歩した技術であろうとの想定です。この仮説は、実験操業を通して確信に近づいていきました。

炉を復元するということは、古代の製錬技術者が築造し、一度も使用していない状態を新たに作ることです。そのような発掘例は皆無であり、操業は必ず炉の破壊を伴います。遺構の状態が比較的良く見えても、一〇〇〇年以上の年月を経て確実に変形しており、築造時の原形を追認することは不可能です。

⑧ラ・テーヌ時代
前五〇〇年ごろから紀元前後にかけての時代。中央・西ヨーロッパで鉄器時代後期の文化が栄えた。スイスのラ・テーヌ遺跡によって名付けられたもの。前代のハルシュタット文化に比べると鉄の使用量は格段に増え、金工技術も進歩している。

長谷川先生は、ラ・テーヌ時代の復元炉の形状が、円形断面徳利状であるのにも否定的でした。これは原形の復元でなく、発掘調査時の形の再現であろうと推測されました。なぜなら、製鉄屋の常識として、そんな面倒なことはしない、原形は必ずや断面円筒形のシャフト炉⑨で、炉頂部と炉底部を絞り、炉腹の直径大となる現代溶鉱炉に近いプロフィル（溶鉱炉内部断面図）であったに相違ないと考えられました。もちろん、炉腹の位置が低ければ数回の操業で徳利状になるわけで、最初から徳利状の炉を考えるのは、築炉屋の常識を知らない学者の推理であると一蹴しています。

このような鋭い指摘はさすがです。

では、実際にどのような炉を築くかというと、自然通風を利用する製錬炉の形としては、断面に比して高さの大きい竪形炉が思い浮かびます。原形が竪形炉とされる遺構例には当時、菅ノ沢遺跡のほか、埼玉県上尾市・大山遺跡⑩、新潟県豊浦町・真木山遺跡などがありました。これらは丘陵地の斜面を掘り、三方を地山で囲んだ円形あるいは隅丸角形に準じた断面を持ち、斜面下方側に通風孔などを設けた、高さ一メートル以上の形態であろうと推定されました。

自然通風炉とは言うまでもなく、鞴による送風ではなく、自然の風を製錬に利用する方式です。自然通風説は、谷間に面した丘陵や海岸に近い台地に発見された遺構に対し、その地方特有の風向きに関連づけて、まま取り上げられます。茨城県南東部に伝わる「春のいなさは鉄《くろがね》も通す」などの口承⑪も、その地で自然通風製鉄が行われていた名残ではないかと言われます。

⑨シャフト炉
円筒形の製錬炉。わが国では古代に、関東を中心として東北・中部・北九州で見られる。

⑩大山遺跡
菅ノ沢遺跡と共通する特徴が多い。なお、この遺跡には製錬従事者のほかに、精錬鍛冶と製品鍛冶の両者がいたようである。

⑪「いなさ」は普通、南東の風を指すが、当地では急変する北東寄りの冷たい風としている。本来の意味が転用によって失われたものと思われる。

併せて、鞴を使わずに、意外な低温でも還元して鉄になると、一般に思い込まれている節もあります。しかし、具体的な記録や伝承は全くありません。実験では、それらを確認するのも大きな目的でした。

この実験では特定の炉の原形を復元するのはきわめて困難であり、また、そこに注力するのは徒労とも言え、前記の遺構などを参考にしながら平安期関東地方の溶鉱炉プロフィルを推定し、復元炉としました。

＊

自然通風でも鉄はできる

本実験と称するのは昭和五十一年五月の操業を指し、報告論文も主にこのときの内容ですが、実は四十八年六月に一回、四十九年六月に二回、五十年六月に一回と、三次にわたり計四回の予備実験を行っています。

遺構の発見されるような地勢を求めることは困難なので、いずれの場合も私の鍛錬所の付近に炉を設置せざるを得ませんでした。従って、自然風の吹き込みの影響は受けにくかったと言えます。

第一次実験では、炉を築き、薪《まき》を燃やして乾燥と予熱を行い、木炭を充填して炉底から点火し、自然通風によって炉内温度・通風圧力がどのように変化するかを確認しました。粘土製の竪形炉の築造一つを取っても、やってみて初めて理解することもあり、うまくいかずに作り直す場面もありました。

自然通風による製鉄実験。炉の右側に通風口が見える。

第二次実験は、前回同様に炉を築き、実際の操業を二回にわたって実施しました。燃焼部の最高温度は一三〇〇度近くまで上昇し、自然風の吹き込みもあって炉頂煙突部からの火炎は一メートル以上に達しました。

第三次も同様の操業になりました。このような作業は連続して何度も繰り返すより、ある期間を隔てて実施する方が有益であると、長谷川先生は述べておられます。ドイツやイギリスの先輩研究者の行き方に学ぶ点であったそうです。

このとき使用した原料は、鎌倉の海浜砂鉄と千葉県久留里《くるり》地区の山砂鉄で、いずれも赤目《あこめ》と称される性質のものです。これを事前に鉄板上で焙焼《ばいしょう》処理し、赤鉄鉱化して使用したのが前回との相違点です。わが国古代の製鉄でこのような作業があったかどうかは確認できませんが、十八世紀以降のヨーロッパでは磁鉄鉱の焙焼使用は常識だそうで、確かに著しく還元性を高めます。前回の操業で得られた鉄が板状ないし葉状の結晶であったのに対し、今回は結晶状でなく塊状の鉄でした。

第四次の本実験には、駒沢大学考古学研究室の倉田芳郎教授と穴澤義功さん、それに学生諸君の作業応援があり、太平洋金属新発田工場研究室からは計器の提供と測定の支援がありました。また、日本鉄鋼協会の協賛を得て、生成物の分析は新日本製鐵に委嘱されました。

操業状況の詳細と製品の化学分析などは報告に譲るとして、次のような見解が得られました。

通風孔先では炉温一三〇〇度に達しますが、風量が少ないためにその範囲は狭いものです。炉の熱容量が小さいので、炉底の隆起や通風孔の閉塞などの現象も起こりやすく、炉況は変動しがちです。鉄の生産性はきわめて低いと言えます。ただし、高温域が広がれば、鉄塊は肥大して盤状化すると思われます。さらに炉温が上昇すれば吸炭を促し、銑鉄が生成されますが、自然通風炉の場合、盤状肥大には限界があるようです。このときの操業で得られた鉄塊片を精選し、鍛錬を試みたところ、それなりの加工は可能と判断しました。

要するに、自然通風炉の解釈は、その時代の技術水準と鉄の需要度を勘案し、炉の原始性をどの程度許容するかによって、多様化するというものです。その後、私は個人的に高さ九メートルのシャフト炉を作り、実験操業してみましたが、驚くほど風を吸引します。当然、炉内の温度は上昇し、鉄塊の成長を促します。ただし、自然通風であるところから、炉内の状況の制御には限界がありました。

いずれにしても、鞴がかなり古くから使用されていたことは疑いがなく、製鉄遺構の考察に当たっては地勢のみにとらわれず、総合的に判断することが重要であると思い至りました。

私にとっては刀の地鉄作りとは趣を異にするものでしたが、長谷川先生ら第一級の研究者の方々と経験を共にできて、大いに得るところがありました。

「鉄」に聴く

鉄生成のメカニズム

鉄を作るということは、簡単に見えて、なかなか容易ではありません。古代の人々が鉄の有用性に気づき、できるだけ多くの鉄を得ようと試みても、意に任せるものではなかったと思います。巧みな技能者は、マンダラの鍛冶師のように特別な存在であったかもしれません。鉄は何よりも貴重な金属でした。

鉄の原料は言うまでもなく、鉄鉱石です。砂鉄は粉状ですが、やはり鉄鉱石の一種です。それは鉄の酸化物を主要な成分とし、岩石質鉱物を夾雑物《きょうざつぶつ》として含んでいます。鉄鉱石から鉄を取り出す（製鉄）とは、酸化鉄の酸素を炭素（木炭などの成分）と化合させ、炭酸ガスにして除去（還元）し、夾雑物を鉱滓化して分離するということです。

しかし、この化学反応のメカニズムは、小さな炉の中であっても想像以上に複雑です。

古い時代、一番の問題は炉内の各反応を支配する熱量でした。必要な熱量を得るために木炭を燃やすわけですが、それには燃焼用空気の供給法が関係します。前記の自然通風か、鞴《ふいご》送風かという問題であり、鞴であっても送風機能の差によって炉内の状況は大きく違ってきます。

酸化鉄の還元は七〇〇度ぐらいから行われるといいます。しかし、実際にはさまざまな条件に左右されながら、還元は起こります。

炉内の温度が低いと、鉄鉱石中の酸化鉄のすべては還元されず、還元されたとしても、鉄鉱石中の夾雑物と分離する状態にまでは至りません。炉温が上昇するにつれて還元鉄は半溶融状で凝集し、夾雑物は還元不十分な酸化鉄と結びついて鉱滓を形成し始めますが、両者はまだ分離していません。さらに炉熱が加わると、生成鉄は鉱滓を分離し、炭素を吸収していきます。海綿鉄から次第に鉧《けら》状へと成長していくわけですが、その時点の温度は約一三〇〇度といわれます。鉄は半溶融状で、生成温度の差によって破面にバラツキがあります。また、鉱滓化の過程で生じた非金属を介在物として内蔵します。

ここまでの反応が進むと、鉱滓は流動性を持っており、炉熱が高いと鉧の含有炭素が増加して銑鉄《せんてつ》が生成されます。銑鉄は流動性があり、鉱滓と同様に炉外に流出するようになります。なお、夾雑物中の元素は、以上の鉄の生成過程で、それぞれの特性に応じて鉄の中に入り、鉄の成分を形成します。

古代製鉄では、その時代の技術が達し得る炉熱に相応して、前記の各段階の生成鉄を得ていたものと考えられます。思い返すと、私の鉄をめぐる放浪も、しばらくの年月は古代の人々が経たであろうと思われる段階を、遅々としてなぞっていたことになります。

＊

切れ味も優れた玉鋼

戦前、私が修業を始めたころの作刀材料は、何と言っても玉鋼と包丁鉄でした。玉鋼は折り返し鍛錬をするだけで、明るく冴えた地鉄になったものです。後に岩崎航介①さんのところで、東京帝大の俵研究室にあったという大正九年(一九二〇)製造の玉鋼を叩かせてもらいましたが、当時でもピカピカ光っており、粘りの感触が戦時中のものとはまるで違いました。玉鋼が世界で最高の鋼だったという話は、決して誇張ではありません。

修業先の日本刀鍛錬伝習所では、玉鋼とともに合わせ鍛えをして皮鉄《かわがね》に使う卸し鉄の方法を学びました。卸し鉄をなぜやったかというと、古名刀を目指していたからです。玉鋼だけでは冴えても、深みに欠けます。そこで古鉄や砂味《じゃみ》を卸して皮鉄に混ぜ、古刀のような地鉄の変化を求めていたわけです。しかし、古刀はこんな方法は採らなかったでしょう。先に取り上げたように、幕末に水心子正秀が提唱して、普及した古刀再現の考え方だろうと思います。

切れ味を追求するなら、刃の質にバラツキのない均一な状態でないといけません。積み沸かしは鋼を錬り、炭素量を調節するにはいいやり方ですが、わざわざバラツキを求めるようなものですし、キズも出やすくなります。当然、切れ味は劣ります。切れ味が主たる狙いであれば、積み沸かしなどせず、玉鋼のみを数回鍛えて、刃鉄《はがね》に延ばしていくのが常道です。

現に、刃物では積み沸かしをしていません。かつての鋸《のこぎり》などは、玉鋼のうちでも特別上等なところを使って無垢《むく》で作るか、刃先に三～四寸(九～一二セ

①岩崎航介(明治三十六年～昭和四十二年)新潟県生まれ。逗子開成中学校講師を務めながら東京帝大文学部と工学部に学び、かたわら日本刀を研究する。昭和十五年、日本刀製法研究会を設立。戦後は郷里の三条で刃物の研究に従事し、後進の指導に当たる。

ンチ）ぐらい張り付けるかしたものです。数回鍛えて炭素量は落とさず、しかもウッスラと焼きを入れます。鋸鑢《のこやすり》がかかるぐらい軟らかいのに、炭素はかなり高めです。それは素材と焼入れに起因しています。大鋸《おが》などはヤットコ状の道具を赤めて刃の一枚一枚を挟み、焼入れする方法さえ行われていました。

＊

さまざまな鉄の探究

戦後、刀が作れるようになったとき、その玉鋼がなく、やむなく古鉄を手に入れ、卸して使っていましたが、やがて手探りで自家製鉄を始めました。古刀を再現するには、小形炉による古代式の製鉄が近道かもしれないという安易な発想でもありました。しかし、簡単に鉄はできません。

自家製鉄でしばしば失敗するのは、炉内の酸化雰囲気が還元雰囲気に勝っている場合です。しばらくは、それが全くわかりませんでした。それだと、仮に鉄が得られたとしても品質は悪く、いずれは錆の問題が生じてきます。冴えの点で、玉鋼などに及ぶべくもありません。刀の材料としては、落第です。

やきものの焼成には、酸化炎による場合と還元炎の場合があります。一般に、陶器は燃焼が完全に行われる酸化炎で、磁器は酸素の供給が不十分なために一酸化炭素や水素が発生する還元炎で焼かれるといいます。素地《きじ》や釉薬《ゆうやく》が酸化し、あるいは酸素が奪われることで、それぞれ特有の発色をするわけです。製鉄の場合は、炉内を還元雰囲気に保つことが絶対の条件です。

燃料に木炭ではなく薪《まき》を使ってみると、還元の過程の複雑さが理解されます。

薪には松でも、若木より脂《やに》の多い古木が適しています。薪は木炭のように全体が短時間で熾火《おきび》になることはなく、途中まではくすぶり、一部が炭化しながら燃焼するという経過をたどります。炭でなければ砂鉄は還元しないと言う方もいますが、事実は鉄の生成が木炭より容易です。薪と木炭では、おそらく相当異なるプロセスが想像されます。炉内に充満する煙が還元帯を形成し、そこをゆっくりと落下しながら還元にあずかった砂鉄は、底部で半溶融状になり、鉱滓を分離します。炭素を吸収する以上は木炭と同じ働きが薪にもあるとは思いますが、還元に関しては薪の場合、「水素還元」のような特別な現象をもたらしていると考えられます。

鉄は何とかできるようになっても、古刀の存在ははるか彼方《かなた》でした。例えば、正宗・貞宗に代表される鎌倉末期・南北朝初期の相州伝は、想像を絶する世界です。鉄が融点にまで達したかのように見えて、明らかに硬軟を残しています。サラリと溶かして、さまざまなものを混合したのではないかとさえ思える動きがあります。沸《にえ》と匂《におい》が見事に絡んでいます。鋼は通常、鍛え込んでいくと、沸から匂に変わります。相州上作には、現代の手法や、鉄の常識からは理解し難い不思議さがあります。

その時代の素材が銑《ずく》だったのか、鋼（鉧《けら》）だったのかも大きな関心事でした。鋼作りを追究する一方で、銑を取る操業法も試みました。

銑か鋼かは含有炭素量をもって線引きするのが普通ですが、伝統的な鑪《たたら》製鉄からすれば、流して取るのが本来の銑です。流して取ることで良質の白銑《はくせん》が得られ、蜂目《はちめ》と呼ばれる多孔質の銑になります。銑の裏部に張り付いた銑はタマリ銑とか裏銑《うらずく》と呼ばれ、氷目《こおりめ》を呈し、品質は落ちます。かつての大形鑪による銑押し操業でも銑は生成しましたが、銑をできるだけ多く取ることが狙いであり、炉壁が耐えられる限り流し続けたものです。

銑を取ることは、銑より容易であると言えます。銑にするには砂鉄の質も問われますし、熟成させる上ではるかに面倒を要します。銑を吹く一つの方法として、チェーンブロックで炉を傾斜させ、ときどき湯をあふれさせるようにして操業したこともあります。初めて見る人は「すごい」と驚いていましたが、あえてそこまでやらなくても銑は取れます。

工藤治人博士から「中世は銑である」と聞いたときは、目から鱗《うろこ》が落ちるような心持ちでした。鉄の需要から推しても、納得がいきます。銑さえできれば、鋼でも包丁鉄（錬鉄）でも作ることが可能です。古刀の素材が銑であるなら、それをどのようにして鋼に持っていったものでしょうか――。可能性は卸し鉄よりも左下法《さげほう》にあると思っていましたから、出雲で大鍛冶屋大工に巡り会えたときは、ためらいなく指導をお願いしました。

左下法は、自家製鉄の難点であるスラグを抜くのに有効でした。成果は見えましたが、古刀の地鉄にはまだ距離があります。

並行して進めていたのが、反射炉式精錬炉です。この方法は、おそらく銑処理では考え得る完成形だと思います。ただし、青みを帯びたいい地鉄にするには、どんな銑でもいいわけではありません。流し銑であることが条件です。いい銑がなければ、最高の鋼である玉鋼を銑に吹き直して使うぐらいの覚悟がないと、古刀への道は厳しいでしょう。完成形だとは思いますが、もう一つ「何か」が必要な気もします。

鉧を吹く過程では、各地のさまざまな砂鉄を試みてきました。今では数種に絞り込んでいますが、それらをもって昨年は四二回操業しました。

砂鉄には、それぞれの持ち味があります。特にチタンの含有量と地鉄との関係には関心を持って取り組みました。概してチタンの少ない砂鉄は鉧になりやすく、チタン含有量が多いと困難を伴います。しかし、地鉄にしたとき、面白みや特徴の点ではチタンの多い方が勝っています。

「名刀の神秘を解くカギはチタンにあり」という久我春《はじめ》さんの見解にも触発されて、地鉄の中にチタンをいかに残すか、ずいぶん実験を重ねました。太平洋金属の実験炉を使って試みたところ、チタン含有量〇・三四パーセントという数値が検出されました。硬貨を二枚重ねた厚さにペレット②を作り、ゆっくり還元させると、不思議な現象が起きてきます。使った砂鉄は、最もチタンが少ないとされる出雲の真砂《まさ》です。普通は考えられない数値です。製鉄の方法によっては、全く違った性質の鉄が生まれることを、あらためて確認しました。

その鉄をもって短刀を試作すると、チタンの働きがはっきり現れています。久我家の試料で見たものと同じ状態です。久我さんが健在でいて、これをご覧になったら、きっと喜んでくれたでしょう。後は実験炉でなく、通常の操業で成果を上げることですが、それも不可能ではないと思います。

②ペレット
弾丸のこと。現在の製錬でも、鉄鉱石を粉砕選考し、水または結合剤によりペレットを作って用いることがある。これをペレタイジングと言う。貧鉱や粉鉱の処理法として卓越した利点を持っている。

＊

低温製錬による生成物

古刀期の地鉄が、工藤博士の言うように銑だとすれば、反射炉式精錬炉による処理法の延長に展望はあるはずです。鋼だとすれば、小形炉操業の過程でチタンを残留させることで、それなりの結果が出るでしょう。

しかし、銑でも鋼でもないとしたら、どうでしょうか。種類は銑と鋼と鉄の三種しかありませんが、鉄は直接製造できるものではなく、銑などを脱炭加工して作ったものです。それをさらに浸炭させて刀の地鉄に使うことは、少なくとも鎌倉時代には考えられません。中世の半ば以降に、芯鉄《しんがね》や棟鉄《むねがね》として使われるようになったとみるのが妥当でしょう。

銑や鋼以外にあり得るとすれば、俵國一博士の言う「鋼とも錬鉄ともつかないもの」や、長谷川熊彦先生の「鉧に近い粗製鋼」がヒントになります。つまり、低温で製錬された、鋼と鉄の中間の生成物ということになります。

奈良・平安時代の製鉄法は鎌倉時代に継承されるはずですが、残念ながら鎌倉期の詳細はわかりません。そこで古代製鉄法を推定すると、総じて低温操業であり、従って低炭素の鉄を得ていたとみられます。

仮にわれわれがギリギリの低温で操業したとしたら、おそらくゴミのような鉄しか得られないでしょう。炭素量の調節は後で何とでもなりますが、地鉄が冴えてきません。しかし当時、今のように便利な道具や機器もないところで、どうしたかと想像すれば、知恵と経験を駆使し、自然に適応することを工夫したと思います。長谷川先生は自然通風実験のとき、前処理として砂鉄の焙焼を盛んにされていましたが、結果が良いとなればそんなことも当然やったでしょう。往時の鉄は、日本刀の地鉄として、想像する以上に優れた品質であったのかもしれません。

初期の日本刀の中には、それと見える作風が少なくありません。地鉄に硬軟のムラがあり、スラグの噛み込みも顕著です。炭素量はおそらく〇・三～〇・四パーセントと見え、すこぶる軟らかそうです。鉄滓は鍛造によって絞り出すというのが理屈ですが、やはりその方向で考えた方がよさそうです。

さらに、作刀工程における熱処理の問題があります。低炭素の地鉄に焼きを入れる方法は、今の製作理念とは相容れない点があります。この辺りの解明も必要です。初期の日本刀が、粟田口などの作風を経て相州上工に至る過程にも、大きな飛躍があります。素材と鍛法の両面から子細に見ていかないと、謎と神秘は永遠に続くことになってしまいます。

＊

昭和・平成を画す名作を

現代の刀鍛冶の行き方を「焼入れ派」「鍛錬派」「地鉄派」の三つに分けた人がいましたが、言い得て妙です。古刀期の技法あるいは名刀そのものの再現を目指して、それぞれが確信し、得意とする手段と方法で迫っている状況を示しています。焼入れ法を究めていくか、素材の処理と鍛錬技術をもって古作をしのぐのか、それとも地鉄作りから始めるか、というわけです。

一般的な傾向として、備前伝を志向する刀鍛冶に焼入れ派が多く、鍛錬派と地鉄派は相州伝などの沸物を狙う刀鍛冶に多いようです。私らのように地鉄作りまでする必要があるかどうかはさておいて、本来は鍛錬か焼入れかと選択する余地もないのが、古名刀を目指す作刀の世界でした。目標の圧倒的な大きさの前に「せめて何々ぐらいは」と、一部の工程にウエートを置く傾向が生まれてきたように思います。

現代において古名刀を再現するとなると、一部の技法を深めたぐらいでは、到底おぼつかない話です。極言すれば、総合力・組織力をもってしかなし得ないものかもしれません。総合力とは、鉄と鍛法の解明が相まった状態、組織力とは刀鍛冶が単に数としてまとまるのではなく、技術・技能・情報が相互に、また世代を超えて伝達・伝承可能な状態を意味します。それぐらい、日本刀は奥深いということです。

日本刀は、その時代の武器文化や鉄文化を母胎として生まれてきました。鉄文化はその時代の文化の一つであり、文化はまた時代と切り離してはあり得ません。すなわち、日本刀はその時代のいろいろな要素に取り囲まれて、自然に生まれてきたものとみられます。日本刀には、そのものの永い歴史もあります。

われわれが今、古名刀を目指して鉄と語らい、鉄のつぶやきを聴いているのは、時代の様相を異にするとはいえ、先輩鍛冶たちが孜々《しし》として努めたのと同じく、日本刀の歴史を刻む一齣《ひとこま》なのでしょう。そう考えると、昭和・平成という時代を他と画する作品がそろそろなくてはいけないのですが……。

太刀　銘　天田昭次作
平成八年皐月吉日

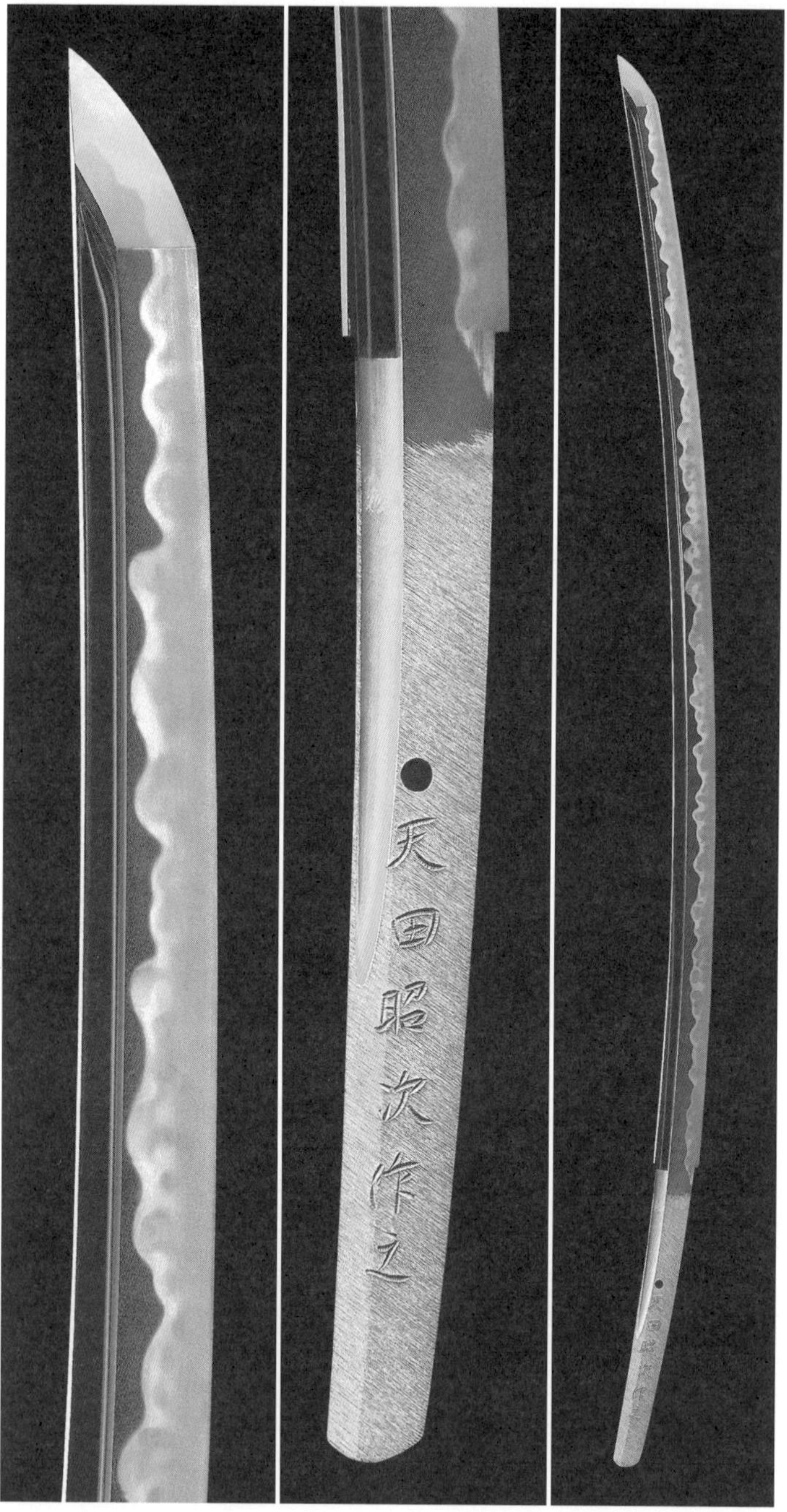

長さ七六・二センチ、反り二・六センチ。いわゆる備前伝を狙った作である。匂本位で変化に富む丁子刃を焼くには、山城伝や相州伝とはまた異なる地鉄の組成が必要になる。本作はこの年の正宗賞を受賞した。

Ⅲ

「鉄」から日本刀へ

新発田城址にて。

①

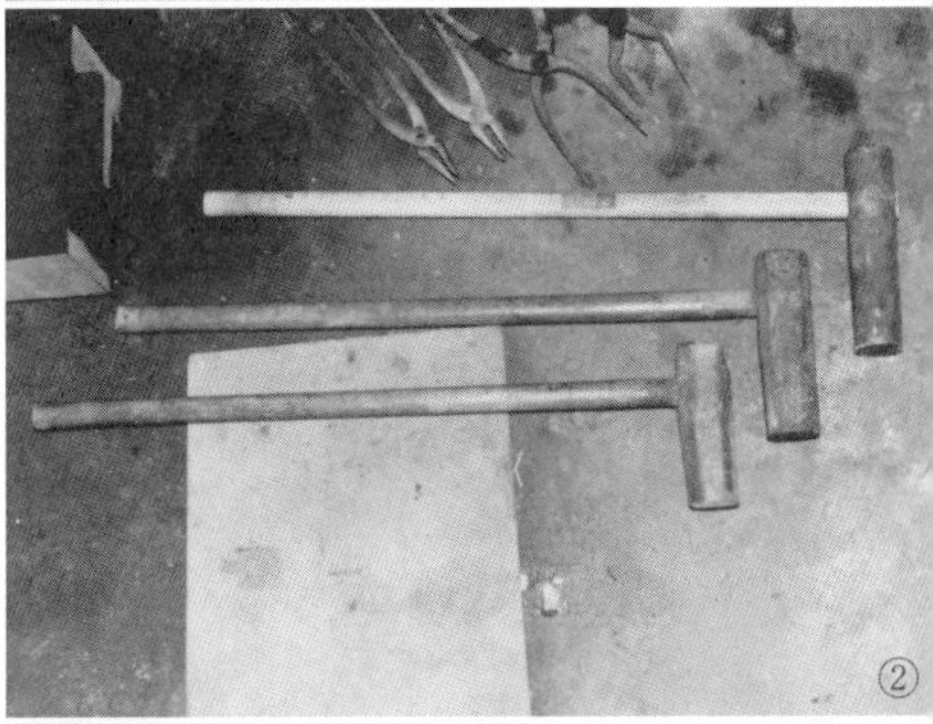
②

③

④

⑤

⑥

⑦

※一般的な製作工程を示す。

①横座(刀匠)を中心に配された吹子や火床・鉄床など。②先手の振るう大鎚。刀匠は小鎚を用いて鍛錬を指揮する。③吹子の内部。押し引きのいずれでも自在な送風が可能。④玉鋼。⑤蜂目銑。⑥つぶした素材の断面から、用途とその後の処理法を判断する。⑦皮鉄の下鍛えに当たって、まず素材を水ベシして小割りし、テコ鉄に積む。

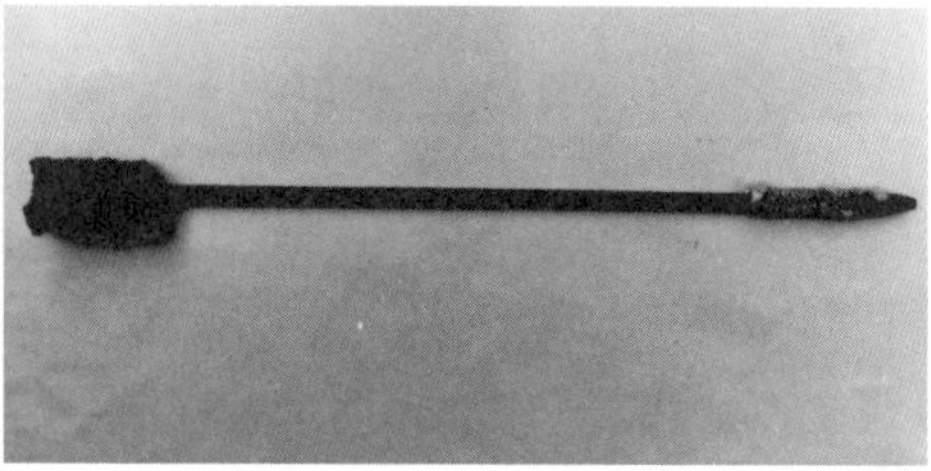
⑧

⑨

⑩

⑪

⑫

⑬

⑭

⑧ヘシ鉄を積んだテコ鉄。⑨沸かし作業の際に崩れてしまうことがないよう和紙で包む。⑩さらに和紙の上から水を打って固める。⑪沸かしに用いる藁灰（黒く炭化したもの）を作る。⑫鋼が脱炭するのを防ぐため、濡らした和紙の上から藁灰を全体にまぶす。⑬その上に粘土を溶いた泥水をかけ、全体を覆う。⑭火床に入れて炭を盛り、内部からムラなく沸くのを待つ。

⑮

⑯

⑰

⑱

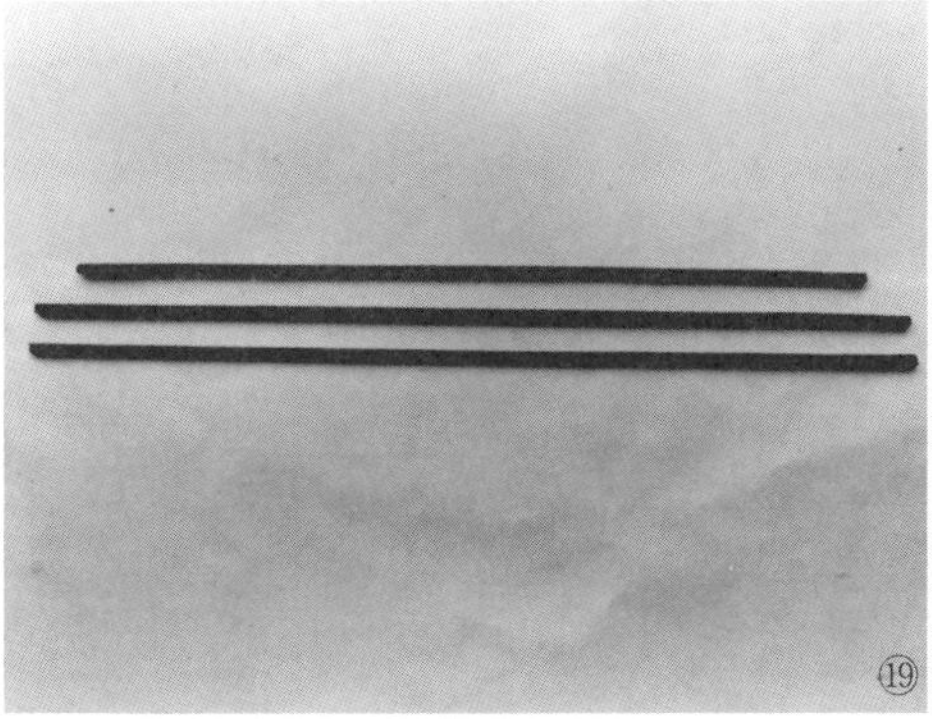
⑲

⑳

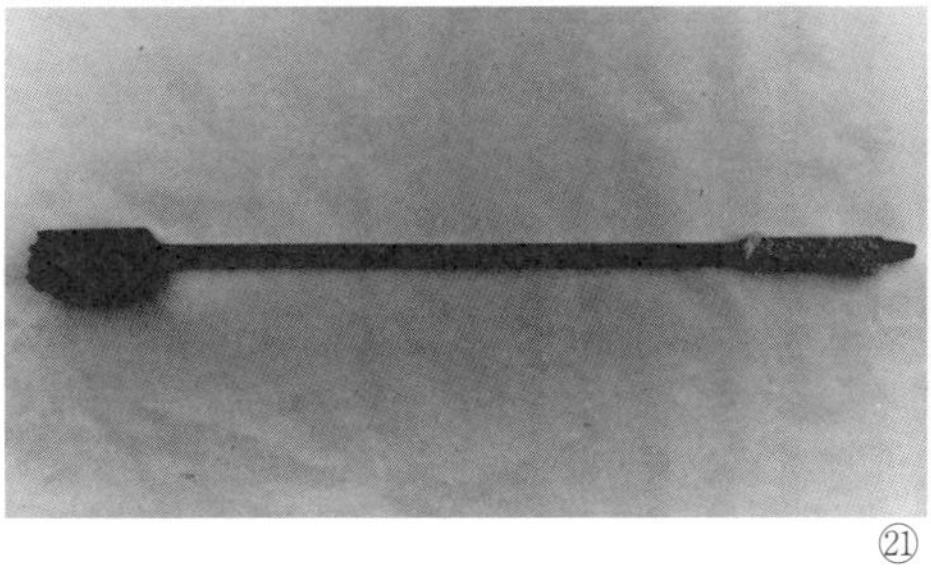
㉑

⑮十分に沸いたら取り出して折り返し鍛錬にかかる。⑯大鎚の鍛打で延びてきたら、鏨を入れて折り返す。⑰表面の酸化鉄を払い去り、鏨を入れた反対側に折り返す。⑱一方向だけでなく、縦横に交互に折り返す方法を十文字鍛えという。⑲下鍛えを終えた鋼。上げ鍛え用に棒状に延ばしてある。⑳拍子木に積んだ上げ鍛え用の鋼。㉑地鉄の出来を想定して積み方も工夫される。

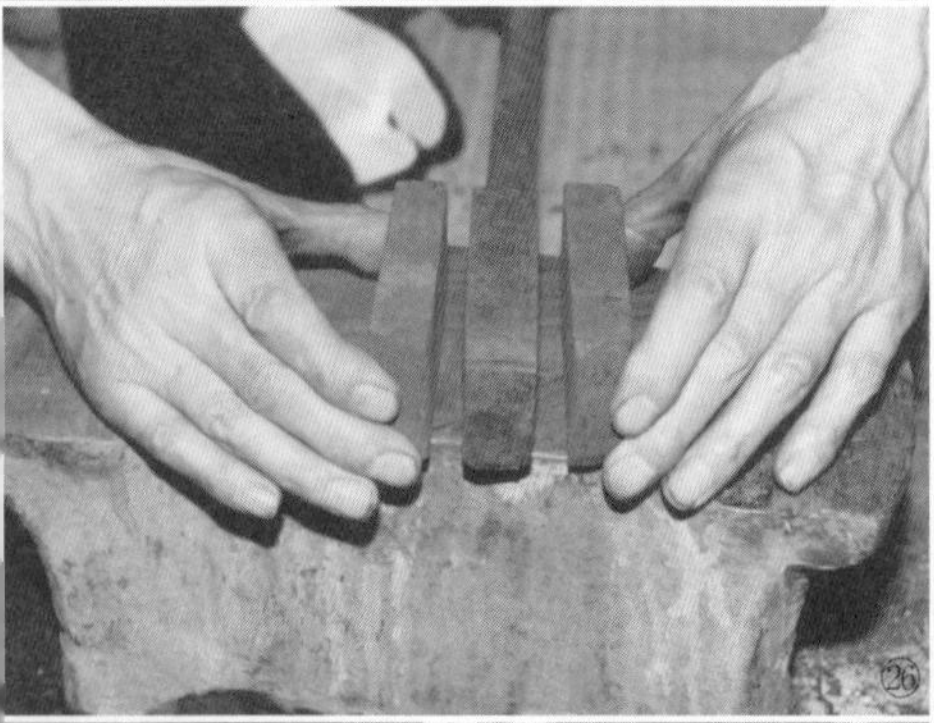

㉒再び沸かしにかけ、下鍛えのときと同様に折り返し鍛錬を繰り返す。㉓上げ鍛えを経た皮鉄と、別に用意したテコ鉄付きの芯鉄を組み合わせる。㉔これは甲伏せと称する。㉕隙間のないよう叩いて締める。㉖三枚の場合は芯鉄の両側に皮鉄を鍛着させる。㉗次いで成形に移り、赤めながら素延べを行い、テコ鉄から切り離す。㉘火作りではより精緻な形状に作り込んでいく。

㉙

㉝

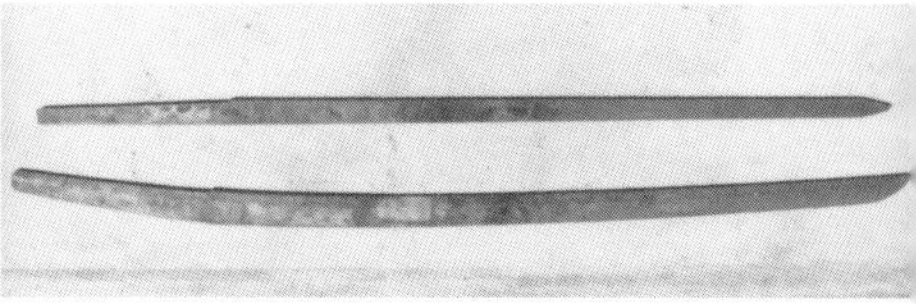

㉚

㉞

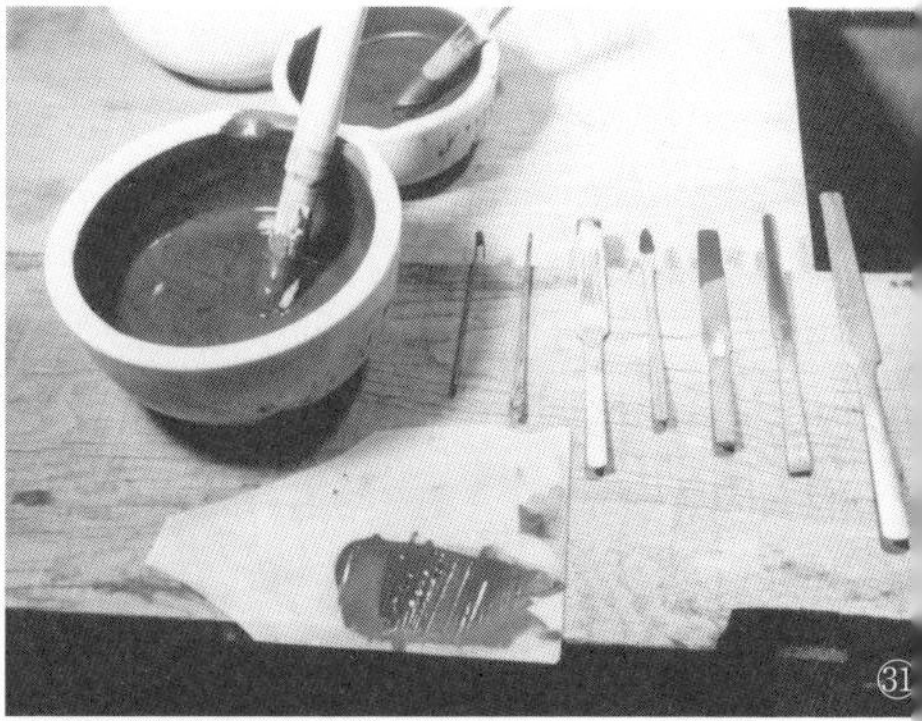

㉛

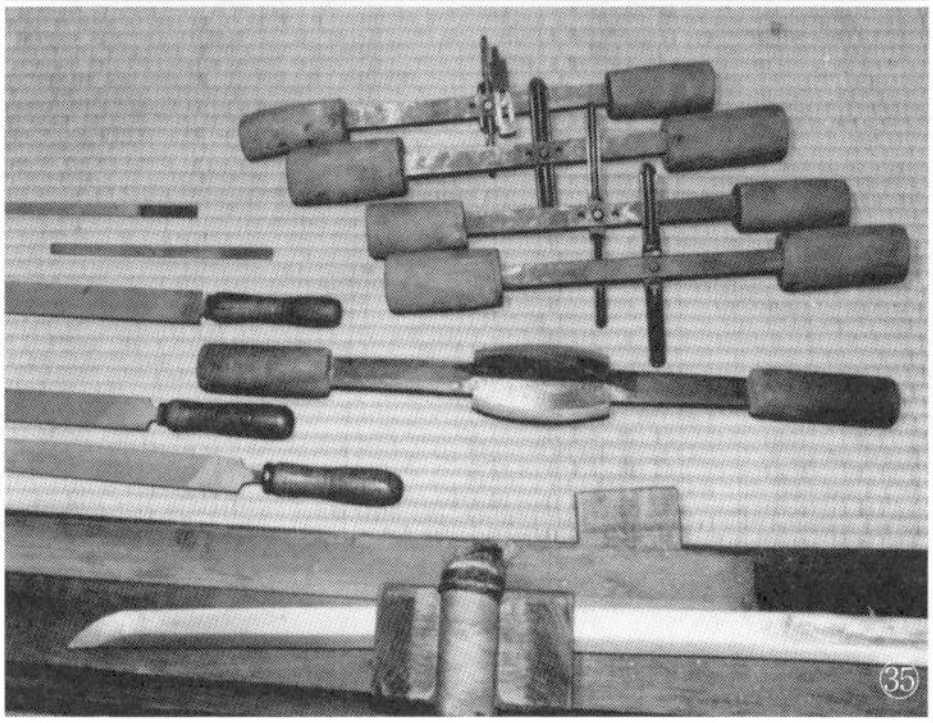

㉟

㉜

㉙鎬や切先の形を打ち出しながら、反りも持たせていく。㉚素延べ(上)と火作り後の刀身。㉛焼入れに必要な焼刃土と土置きのヘラ。焼刃土の成分は狙いによって異なる。㉜焼刃土には引き土と置き土がある。刃文の仕上がりを想定して土を置く。㉝切先付近の慎重な土置き作業。㉞元から先まで均一に赤熱した刀身は刃を下にして一気に水冷させる。㉟整形と仕上げの道具類。

㊱

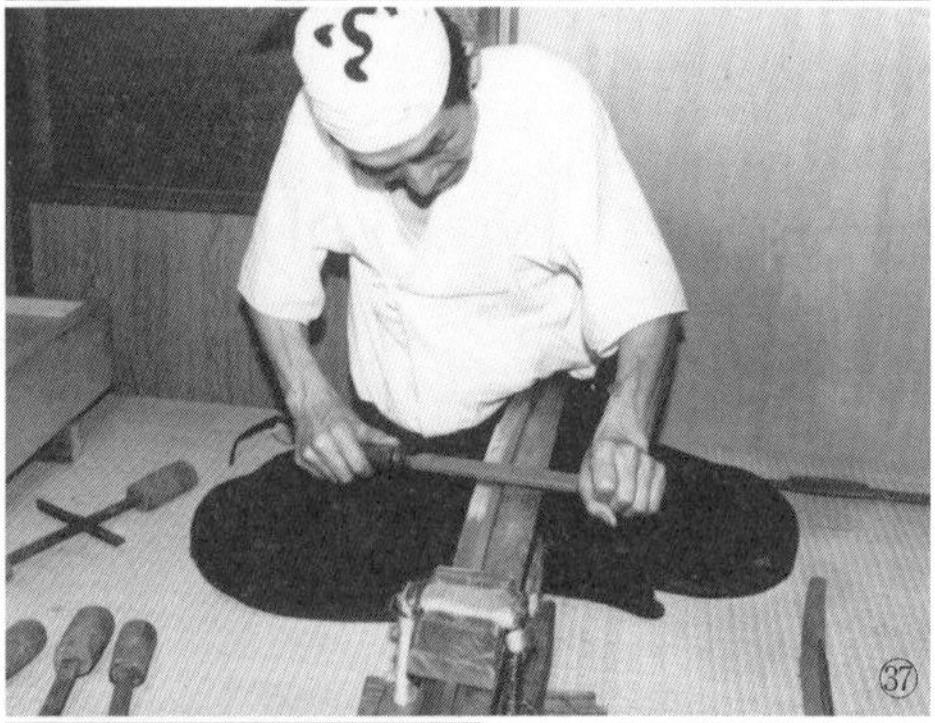
㊲

㊳

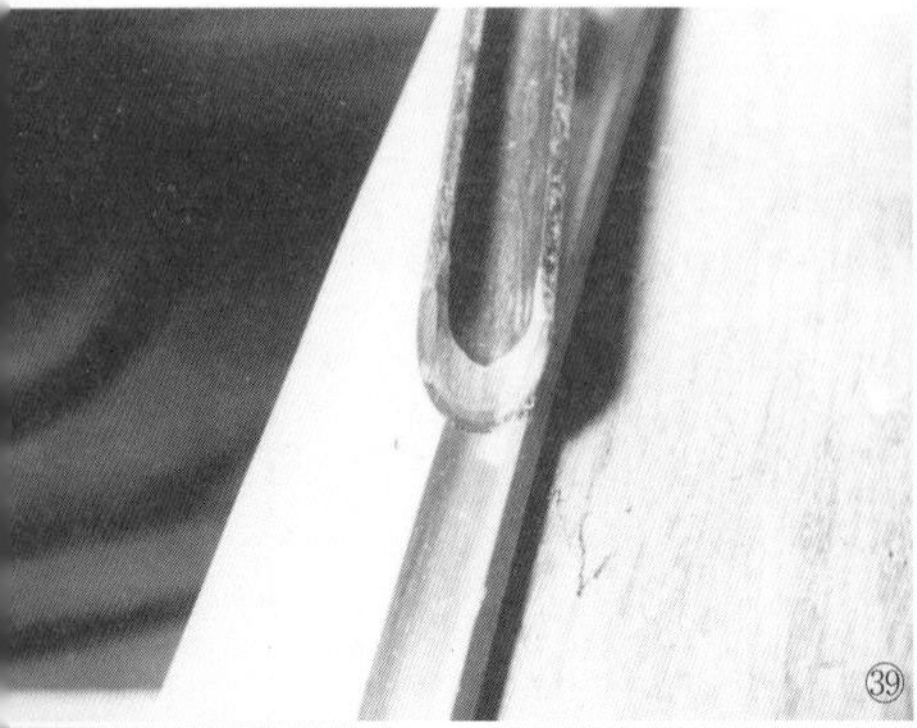
㊴

㊵

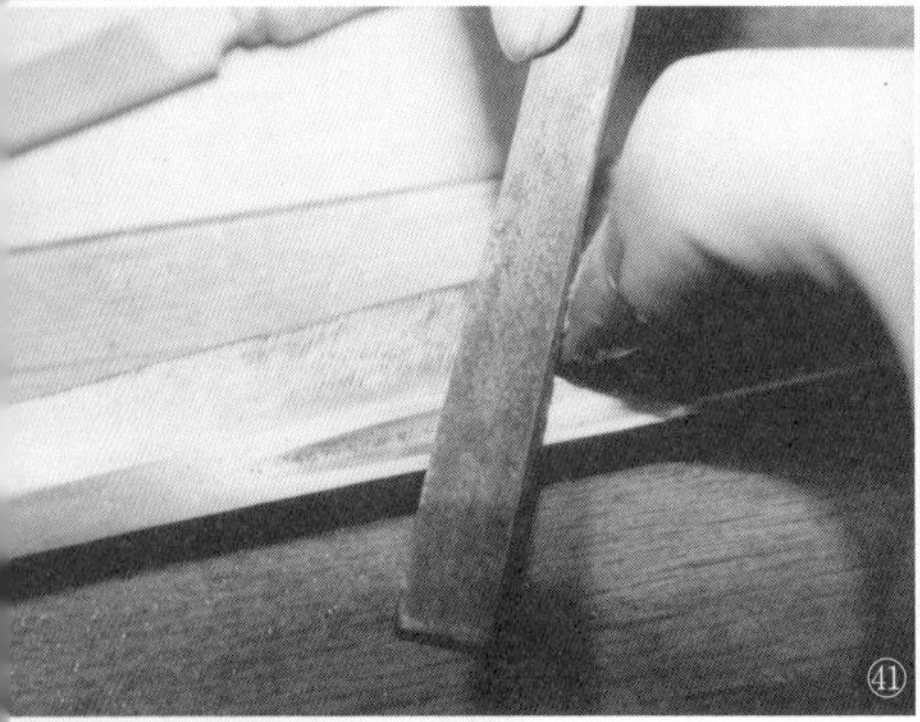
㊶

㊷

㊱鏟床《せんどこ》に刀身を固定し、整形にかかる。鏟は鉄を削る道具。㊲鑢で全体のムラを取る。㊳丸鏟を使って鎬地に樋を掻く。㊴深浅や止めに留意する。樋を掻いた後はサンドペーパーなどでならす。㊵刀匠が自らの作品を研ぐことを「鍛冶押し」と言う。㊶中心の鑢はそのまま仕上げとなる。㊷銘切りは刀匠の最後の仕事である。銘を刻むことで作者としての責任を明らかにする。

Ⅳ

「鉄」と日本刀をめぐる人々

第4回自家製鋼研究会は昭和49年9月25日、約140人の関係者を集めて豊浦町で開かれた。写真は筆者の鍛錬所前。前列中央は佐藤寒山先生、右へ住田勇和鋼記念館館長、隅谷正峯さん、川島忠善さん、左へ宮入行平さん、筆者、森脇正孝さん。皆、懐かしい顔ぶれである。

栗原彦三郎先生

日本刀復興の最大の功労者

栗原先生との出会い

私の師匠は栗原彦三郎《くりはらひこさぶろう》先生です。父も刀鍛冶でしたから、後を継ぐ結果にはなりましたが、仕事は全く教えてもらっていません。父が死んだのは昭和十二年（一九三七）四月、三十六歳でした。そのとき、私は九歳で小学三年生、二人の弟を間にして一番下の妹はまだ一歳でした。

母の話では、父は私に鍛冶屋を継がせる意思はなかったようです。母は母で、家族がこれ以上鍛冶屋で苦労はしたくないと思っていたそうです。もし父が健在でいたら、私は刀の道に進まなかったかもしれません。栗原先生との出会いが刀と私を結んだ、いわば運命だったのでしょう。

先生は十四年五月、父の三回忌を期し、新発田《しばた》にあるわが家の菩提寺・三光寺に墓参に来てくださいました。その折、母と私を前に置いて、頭をなでてくれながら「学校が終わったら来いよ」と言われました。先生は口髭《ひげ》をたくわえた、いかめしいご老人という印象でしたが、その優しい一言がとてもうれしかったことを今もよく覚えています。

先生のところで何をすることになるのか、思いも及びません。その日からは、ただ東京に行けると想像するだけで、胸がワクワクしたものです。

ところが、母は東京行きにどうも乗り気ではない様子です。師範学校か商業学校に進学させたかったらしく、六年生になってからは放課後の補習授業を受けさせられました。

夏が過ぎ、秋も深まってきたころ、思い切って栗原先生に「ぜひお世話になりたいので、呼んでください」と手紙を書きました。私は先生のお誘いに応じたつもりでいましたから、東京に行かなかったら約束を破ることになってしまいます。間もなく返事が来て、卒業したらすぐに上京するように、とありました。これを見て、さすがに母も仕方がないと思ったようです。

地元に長谷川泰蔵《たいぞう》さんという刀好きのお医者さんがいて、「これで貞吉《さだよし》の二代目ができる」と大変喜んでくれました。この方が私を東京まで連れていってくれました。

十五年の三月二十五日に小学校を卒業すると、二十七日

栗原彦三郎（くりはら・ひこさぶろう）
明治十二年三月　栃木県安蘇郡閑馬村に生まれる。
二十五年　東京英和学校に入学。
二十九年　田中正造に従い足尾銅山被害地救済運動に従事。
四十年　多摩郡落合村に日本刀伝習所を開設。
大正九年　中外新論社長に就任。
十一年　普通選挙法審議中の衆議院で蛇投げ事件を起こし、逮捕される。
十四年『義人全集』全五巻を刊行。
赤坂区会議員に当選。
十五年　東京市会議員に当選。
昭和三年　栃木第二区から立候補し、衆議院議員に当選（昭和十一年まで）。
八年　赤坂の自邸に日本刀鍛錬伝習所を開設。
帝展第四部に刀剣を追加する建議案を提出（翌年実現）。
九年「昭秀」銘の太刀が第十五回帝展に入選。
十年　大日本刀匠協会を設立し、理事長に就任。
文部省の後援を得て新作日本刀展覧会を開催（昭和十八年まで）。
十二年　軍刀修理現地奉仕団を組織し、中国・満州に派遣。
二十七年　講和記念刀奉賛会を設立し、全国の刀匠に製作を呼びかける。
二十九年五月　死去。

には出発です。同級生や遊び仲間が新発田駅まで見送りに来てくれましたが、母は来ませんでした。

当時のこととて、東京まで一〇時間近くかかりました。その晩は長谷川先生の娘さんのいる横浜に泊まり、翌日、栗原先生を訪ねました。この年は皇紀二六〇〇年に当たり、街を花電車が走り、さまざまな祝賀行事が催されるなど、お祭り騒ぎが続きました。翌年十二月には太平洋戦争に突入するのですが、東京はまだ長閑《のどか》でした。

師匠のお宅は、当時の表示で言うと赤坂区氷川町（現在の港区赤坂六丁目）にありました。勝海舟邸跡と言えば、旧氷川小学校を含む一角がよく知られていますが、徳川慶《よし》喜《のぶ》公に従って駿府《すんぷ》（現在の静岡市）に下るまでの華々しい一〇年間を送ったのはこの地です。ここに坂本龍馬が、海舟を暗殺する目的で乗り込んできたという史実も知られています。二階建ての洋館の奥は、古い木造の家屋につながっていましたが、あるいは当時のものであったかもしれません。

　長谷川先生は私を送り届け、栗原先生に挨拶を済ますと、「父の名を辱めぬよう、つらいことがあっても辛抱するんだぞ」と言い残し、新潟に帰ってゆかれました。このときばかりは心細く、できることならこのまま一緒に帰ってしまいたいと思ったものでした。

　間もなく先生に呼ばれて寝室に行くと、「足をもめ」と言います。慣れるまでのしばらくはお客さん扱いで、東京見物でもさせてもらえるかもしれないと期待していたら、とんでもありません。早速の仕事でした。前任の飯沼昭俊さんが鍛錬所に回ることになり、代わりに私が飛び込んだというわけです。

　翌日からは五時に起きて、屋敷の掃除、盆栽の水やり、お嬢さんの靴磨き、お使いと続き、合間に先生のマッサージです。息継ぐ間もありません。そのうちに、夜学にも通うようになりました。邸内には日本刀鍛錬伝習所が設けられており、常にトンテンカーンと鎚音が響いていましたが、そちらの仕事を手伝うようになるのはずっと先のことです。

＊

日本刀復興の決意

　栗原先生は、本職の刀鍛冶ではありません。さまざまな活動を行っているので一言では表し難いのですが、一貫した生き方を見ると、「日本刀復興運動の主唱者」と言うのがふさわしいでしょう。

　先生は明治十二年（一八七九）、栃木県安蘇《あそ》郡閑馬《かんま》村（現在の田沼町）に生まれました。足尾銅山鉱毒問題に半生を捧げた田中正造翁とは同郷であり、その縁を頼って上京、大隈重信さんの書生をしながら東京英和学校（後の青山学院）に学びました。このころから、田中翁が衆議院議員を辞し、廃村谷中《やなか》（現在の藤岡町）に入るころにかけては、翁に従って渡良瀬《わたらせ》川被害地救済運動に邁進《まいしん》しています。特に中央で文化人を組織し、鉱毒事件演説会を開くなどの目覚ましい対外活動は、世論を大きく喚起しました。一連の活動を通して松村介石《かいせき》・津田仙《せん》・谷干城《たてき》・榎本武揚《たけあき》・勝海舟らの面識を得たことも、十代の少年の人間形成に少なからぬ影響を及ぼしているとみられます。

　先生が生きたのは、わが国が近代化の過程で多くの困難に遭遇した時代でした。お父さんの喜蔵さんは先生に、立身出世や実業の成功は望まず、「いつでも国難に赴き、国に殉じることができるようにしておけ」と言っていたそうですが、鉱毒問題に続いて社会運動・政治運動に取り組むようになったのは、自然の成り行きであったと思います。

大正九年（一九二〇）、政論誌『中外新論』の主幹に就くと、自ら健筆を振るいます。同十二年には、普選運動の過程で「国会蛇投げ事件」を起こし、投獄の憂き目も見ます。その後、十四年赤坂区会議員、十五年東京市会議員を経て、昭和三年には栃木二区から衆議院議員に当選、三期を務めました。政壇を目指したのは大隈重信さんの助言によるといい、大きな目的は、田中正造翁の遺志を継いで鉱毒問題を解決することと、廃滅に瀕《ひん》している日本刀の伝統を復興することにあったと自ら記しています。

日本刀については明治二十六年、喜蔵さんが自宅に鍛錬所を設け、三代稲垣将応《まさのり》を招いて鍛刀に当たらせたことが、直接のきっかけでした。先生は将応に鍛錬の手ほどきを受け、「昭秀《あきひで》」と銘して相当数の作品を残していますが、自分の役割は刀鍛冶で名を上げることではなく、伝統の担い手である刀鍛冶を育てることにあると任じていました。また、無類の愛刀家でもありました。日本刀を作る人が絶えれば、日本精神も途絶える、日本精神が途絶えれば、日本がなくなったも同然だ、大いにやれと激励する方もいたようですが、当時、それはごく少数だったと思います。

明治初年の廃刀令以降、日本刀は誠に悲惨な状態にありました。「武士の魂」も「重代の家宝」もさびるに任せ、まず金目の刀装具からはぎ取られて処分されました。刀身にはほとんど値が付かず、至るところの道具屋に山積みになっていたそうです。竹割りや鉈《なた》代わりにされるほか、荷車の車輪の枠に作り替えられたり、釘の地金に潰されたりしたとさえいいます。

当然のことに、旧幕時代におそらく数百を数えた刀鍛冶は一挙に零落し、研師・鞘師・柄巻師《つかまきし》・塗師《ぬし》・白銀師《しろがねし》・金工などの刀職も転業を余儀なくされました。大正七年に月《がっ》山貞一《さんさだかず》が八十四歳で、同九年羽山円真《はやまえんしん》が七十五歳で、そして同十五年宮本包則《かねのり》が九十七歳で亡くなると、新々刀期の刀工は絶えました。昭和四年、伊勢神宮第五十八回式年遷宮に際して、神宝大刀《たち》類の製作依頼が独り月山貞勝《さだかつ》になされたのは、ほかに名だたる刀鍛冶がいなかったことを物語っています。栗原先生が目にした現実はこのようなものでした。

明治四十年、先生がいよいよ日本刀の復興事業に着手するに当たっては、意見を求めて羽山円真・宮本包則の二人を訪ねています。

円真には刀を求めに来たと誤解され、「日本刀復興のために鍛錬所を作り、刀鍛冶を養成したいが、ついてはご高説を承りたい」と言うと、色をなして反対されたそうです。

昭和８年７月５日、日本刀鍛錬伝習所開所式。中央の白い上衣姿が栗原先生。斎藤実総理や奈良武次陸軍大将・有馬良橘海軍大将・内田良平黒竜会総裁ら錚々たる来賓の顔ぶれである。

包則は見るからに実直そうで、親切に応対してくれたので期待していると、「計画は国家のために大切なことではあるが、成功は難しい。私らも刀鍛冶として暮らしてはいるが、注文はわずかで、かろうじて湯なり粥《かゆ》なりをすすっているにすぎない。一生難儀することをせず、立身出世の道を選びなさい」と、懇々と諭されたそうです。二人の刀匠だけは賛成してくれると確信していただけに、先生の落胆は大きかったようです。

めげずに鍛錬所は開きましたが、入門者はまれで、一人ものにならず、また注文もほとんどなく維持困難となり、二年弱で閉鎖のやむなきに至りました。その後も再三試みましたが、ことごとく失敗でした。そこで大隈重信さんに相談したところ、言論機関を持ち、議席を獲得して、日本刀復興の必要性を主張せよと説かれたのです。

＊

命を賭した事業

計画が軌道に乗るのは、衆議院議員在職中の昭和八年七月、日本刀鍛錬伝習所を開設してからです。伝習所の顧問・評議員を見ると、政治家・実業家・軍人など錚々《そうそう》たる顔ぶれです。乾坤一擲《けんこんいってき》の覚悟と、周到な用意があったのでしょう。ほとんど同時期に、財団法人日本刀鍛錬会の鍛錬所が靖國神社境内に完成しています。日本刀鍛錬会は陸軍の後押しで生まれ、目的も「将校、同相当官の軍刀整備に資する」ことでしたから、両者の性格は異なります。しかし、後々それぞれが果たした役割を見ると、現代刀の事実上の出発点はこの年にあるように思えます。

翌九年三月、栗原先生の提出した「帝展第四部ニ刀剣追加ニ関スル建議案」が可決され、この秋の第十五回展に日本刀が初めて出品を許されることになりました。絵画や彫刻、工芸と同等に扱われることは、日本刀にとってきわめて意義深いものがあります。しかし、問題は伝統が途絶する寸前にあるとき、どれほどの出品があるかでした。後援する斎藤実《まこと》総理大臣らの心配も、ここにありました。そこで、栗原先生は出品奨励会（会長・内田良平黒竜会総裁）を設け、全国の刀鍛冶を調査し出品を勧誘、原料鋼の提供、研ぎ・白鞘などの工作、出品手続きを無償で行いました。この結果、一一八点もの作品が寄せられ、一四点が入選になりました。

しかし、入選数のあまりの少なさや審査の不透明さが不満を呼び、帝展の中にも刀に対する反発があり、帝展改組問題の混乱も相まって、官展への参加はこのときのみに終わりました。その後は独自の展覧会開催へと乗り出します。

翌十年六月、大日本刀匠協会が発足、丸ビルを会場に、発会式と併せて新作日本刀大共進会が開かれました。さらに秋には東京都美術館において、大日本刀匠協会主催、文部省後援で新作日本刀展覧会が開催になりました。同展は恒例化して、十八年の第八回まで続きます。新作日本刀展覧会の意義はきわめて大きなものがありました。出品数は年々増え、作品の向上も顕著でした。賞を乱発しすぎるとの批判もありましたが、多数の刀鍛冶を養成する上で最良の方法であると、先生は考えを曲げませんでした。

ここでの評価の基準は軍刀としての日本刀ではなく、戦後ほど明確ではないにしても、あくまで名刀か否かでした。それゆえ、伝統の復興が促され、戦後の美術刀剣にも対応し得る素地が築かれていったのだと思います。

栗原先生は昭和十一年の総選挙に惜敗《せきはい》すると、政界をあっさり引退し、日本刀に全力を傾けました。これはかねがね、斎藤総理から「仮に大臣になったとて、数年もすれば世間から忘れられてしまう。政治より日本刀の復興に生きるのが君の使命ではないか」との助言があったからといわれます。同じ意向の方は、先生の周囲に少なくなかったようです。頭山満《とうやまみつる》翁は後に、次のように述懐しています。

困ったことは栗原が議員仲間にも認められ、世間からも議会人として扱われ、議員として成功しそうになってきたことだ。それでは折角《せっかく》の日本刀復興が中途半端になってしまう恐れがあるので、これは議員をやめ

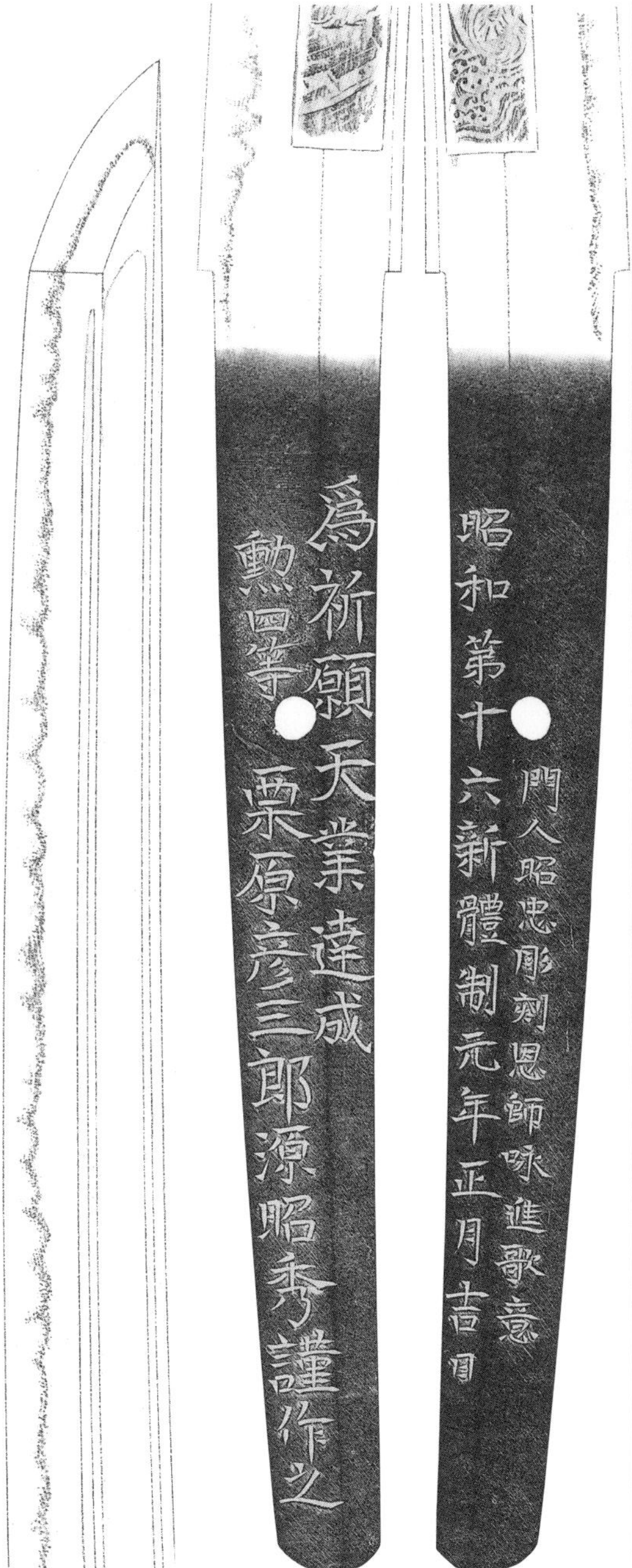

刀

銘　為祈願天業達成　勲四等栗原彦三郎源昭秀謹作之
昭和第十六新體制元年正月吉日　門人昭忠彫刻恩師咏進歌意

刃長七〇・〇センチ、反り一・八センチ。栗原先生の代表作の一振。前年に作られた同趣の刀と双璧をなすものであろう。阿部昭忠さんの彫りも見事である。本刀には兵庫鎖太刀拵が添えられている。

させるに限ると思うて、立候補を断念させた。地方では地方のために尽くす議員を失うたと言うて俺に苦情を持ち込んだ者もあった。一度は栗原の友人が彼を援助するつもりで満州綿工という脱脂綿の満州独占会社を作ってくれ、大変景気が良かったが、俺は刀一方で行けと、これもやめさした。

私が栗原家に行って間もなく、多磨霊園で「軍刀報国碑」の除幕式がありました。これは日本刀復興の功労者と併せ、昭和十二年、蘆溝橋《ろこうきょう》事件をきっかけとする日中全面戦争に際し、大日本刀匠協会として大陸に派遣した軍刀修理現地奉仕団を顕彰するものでした。団長の任に当たった先生の心には、お父さんの「国難に赴き、国に殉じよ」という言葉が深く刻まれていたに相違ありません。全国に賛同者・参加者が相次ぎ、奉仕団は当初の計画を超えて一四次に及びました。

建碑は当初、栗原先生の功績を顕彰しようと、刀鍛冶の間から発意されたものでした。先生は病状から自らの死を覚悟していたらしく、二・二六事件で横死された斎藤さんの墓地の隣に用地を確保していました。ここに、前記の趣意に変えて、大日本刀匠協会有志と門人一同の連名で建てたわけです。

刀匠協会が発足した直後、視察に訪れたソ満国境で、先生はアメーバ赤痢に感染しました。当時は有効な治療法がなく、幾度も危篤状態に陥りました。壮年まで二三貫あったという体重は半減し、容貌も一変しています。私がマッサージをしていたころも、骨と皮の体でした。それでも、軍刀修理団を率いて最前線を一〇回ほども訪れています。当時の写真を見ると、まさに「憂国の鬼神」を思わせるものがあります。

＊

先生の多彩な人脈

意外に思われるかもしれませんが、先生は趣味として、詩作と東洋蘭《らん》の栽培をたしなまれました。七言絶句や短歌は即興で詠むことが巧みで、『あらきのま、』や『従軍雑詠』などの作品集もあります。後者は軍刀修理団の途上でまとめたもので、「辞世の書」と記しています。蘭の方は、喜蔵さんから素養を培われたらしく、刀と同じくらいの経験だと言っておられました。数百鉢もある蘭の手入れは私が係で、その葉を一枚一枚、脱脂綿で拭ったものです。中には、並の家作が買えるぐらいの名品もあったそうです。

先生のお付き合いはこのように刀の関係者あり、政治家もあり、実業家・軍人もあって大変幅広く、年少の玄関番には判断に迷う方もいらっしゃいました。立派に見えても、株や保険の営業で訪れる方もいます。玄関番の仕事はただ取り次ぐだけですが、とっさに先生との関係をみなくてはいけません。時には居留守も必要です。あるときなどは「栗原はいるか」と訪ねてきた方に「出かけています」と答え、「そんなはずはない！」と怒鳴られてしまいました。それが国民同盟総裁の安達謙蔵さんだったので、先生からも重ねて叱られました。

松岡洋右《ようすけ》さんや鮎川義介《あゆかわよしすけ》さんなどもお見えでした。高位高官の方は、さすがに温厚な紳士ばかりでした。

お届け物をしたり、書き物をいただきに、高名な方のお宅を訪ねることもしばしばでした。鈴木貫太郎さんの小石川のご自宅に伺うと、年端の行かない小僧でも「お上がりなさい」と通してくれました。「これですよ」と書いてくれたものを見せられるのですが、とても上手に見えました。新作日本刀展に貢献された竹下勇大将は泉岳寺のそばにお住まいで、やはり優しい方でした。奈良武次大将は栗原先生とは同郷の方ですが、侍従武官長を務めた方だったせいか、気安いとは言えませんでした。青山にお住まいの大隈信常侯爵や、同じ赤坂の南條金雄さん、四谷の松本新太《あらた》さん、本郷の中山博道《はくどう》さん宅へも伺いました。

渋谷・常磐松《ときわまつ》町の頭山満邸には、ある時期、毎日通いました。頭山翁が昭和十七年に米寿を迎えられた折、大日本刀匠協会はお祝いに八寸八分の短刀八八振を贈ることを決めています。製作はあくまでも任意でしたが、頭山翁の永年の恩顧に報いようと、一二〇振以上が寄せられました。研ぎ上がった短刀を持参し、手入れをしてご覧に入れるのが私の役目でした。翁は日課のように、朝の一時間ほどをかけて必ず五振ずつ鑑賞されたものです。一度だけ「大事な客だから」と中断されたことがありましたが、後で知ると元総理の広田弘毅《こうき》さんでした。

すべてをお届けし、ご覧に入れた後、頭山翁から「これを栗原に」と茶封筒を託され、私には「ご苦労であった」と蝦蟇口《がまぐち》を手渡されました。小遣いを下さったのだとは思いましたが、帰って中を見て驚きました。一〇〇円札が入っているのです。翌朝、「お間違いでは」と伺ったら、「ばかもん！」と一喝されておしまいになりました。

病気の先生に代わって、お祝いや葬儀に出かけることもありました。奥さまに「ちゃんとして行きなさい」と言われ、先生のダブダブの礼服を着せられるのには閉口したものです。

＊

清々たる最期

私の後から入門する弟子も相次ぎましたが、書生役は結局最後まで私が務めました。しばらくは合間に鍛錬所に入る程度であったのが、入門三年目の十七年ごろからは本格的に時間が割けるようになり、赤坂と座間の日本刀学院を往復します。十九年ごろになると、赤坂の伝習所は事実上閉鎖状態でした。先輩は召集され、後輩はそれぞれ郷里に帰り、残った弟子は私だけになりました。

東京が空襲にさらされるようになると、栗原家でも疎開の準備を始めました。ひとまずは栃木県佐野町の田中正造翁の生家に落ち着くこととし、家財のあらかたを移しました。蔵刀は革製の大きなトランクに入れ、私が一人で運びました。着いた電車が遅かったので、預かってもらうお宅は寝静まってしまい、やむなく近くの城山で刀を抱えながら、一夜を明かしたこともあります。

二十年三月十日の東京大空襲のときは、赤坂にいました。下町方面が燃え上がり、その煌々《こうこう》たる火炎で新聞が読めるほどでした。やがてこちらにも爆撃が及ぶだろう、戦争は負けるかもしれないと思いました。五月二十五日、ついに赤坂の家も鍛錬所も焼けました。そのときは学院にいましたが、小田急電車が不通で、すぐには帰れませんでした。

終戦の詔勅の放送は郷里で聴きました。すぐに栗原先生を栃木に訪ねて指示を仰ぎ、残務整理のために上京しました。高台にある氷川神社の杜《もり》からは、焼け野原になった赤坂の一帯が見渡せました。昼は焼け跡を片付け、夜は防空壕に入って寝ました。座間の日本刀学院の方もあるので、一人ではなかなかはかどりません。作業は冬を越し、新潟に帰ったのは二十一年の三月ごろでした。

栗原先生の戦後は、それまでの活躍に比べると、はなはだ不本意なものだったと思います。著書の『出流山《いずるさん》尊王義軍』は、GHQの没収図書に指定されましたから、刀剣界から戦犯が出るという当時の噂《うわさ》が本当だったとしたら、先生が真っ先だったかもしれません。しかし、先生はめげることもなく、また東京で活動する意思を持っておられたようです。それは、祖国の再建のために働くことと、日本刀を通して業界に知己の多かった刃物を、わが国の優れた産業に育てるためでした。

日本刀再復興の可能性を確信すると、講和記念刀を提唱されたことは、前に記しました。続いて、日本刀の製作と所持などに関する請願を国会に提出し、二十九年一月には、大日本刀匠協会の機関誌『日本刀及日本趣味』の趣旨を継承する『日本及日本趣味』を発行しています。

この年の五月、先生は七十五歳で永眠されました。見舞いに訪れた弟子の一人に「これで往生できそうだ」と語り、三日前には「きれいな体になっておきたい」と家族を促して風呂に浸《つ》かり、往時の田中正造翁ばりの大紋が付いた羽織に腕を通したそうです。

誠に清々たる最期でありました。

日本刀鍛錬伝習所の人々

古式鍛法へのこだわり

伝習所運営をめぐって

私が入門したとき、日本刀鍛錬伝習所にいた先輩は今野《こんの》昭宗・宮入昭平《あきひら》・若林昭寿《あきとし》・近藤昭国・飯沼昭俊といった面々でした。秋元昭友・石井昭房の両先輩は既に独立していました。私の入門後一年以上して宮城昭守・瓜生《うりゅう》昭恒・金子昭成・橋本昭嘉・浦塚白男らが入ってきました。同い年の橋本さんと私は、最後まで最年少でした。以上の方たちは内弟子ですが、ほかに短期間入門された方も多く、一門は把握し難いほど多数に上っています。

日本刀鍛錬伝習所は昭和八年（一九三三）七月、赤坂区氷川町の栗原邸内に設けられました。栗原先生にとっては、明治四十年（一九〇七）に豊多摩郡落合村（現在の新宿区落合）に最初の「日本刀伝習所」を開いて以来、四度目の試みであったそうです。

伝習生の募集は、新聞・雑誌で行われました。一年後の第一期修了者として、秋元・山上昭久・今野・吉原昭広（国家）・馬場昭継・田中昭盛・岩崎昭国・佐藤昭則の名が記録に残っています。

当初は栗原先生と別府清行さんが指導し、稲垣将応《まさのり》の孫数人が助手を務めました。固山宗次《こやまむねつぐ》の弟子友野義国さんは老年のため授業顧問であったようです。間もなく笠間一貫斎繁継さんが師範に就き、笠間さん一人が実質的な指導をした時期がしばらく続きます。石井昭房さんが入門したのは昭和十年一月一日だそうですが、このころまでの方が、師匠として栗原先生と笠間さんの二人の名を挙げるのは、その辺の事情を物語っています。

十年四月、頭山満翁が邸内に常磐松《ときわまつ》刀剣研究所を設けると、笠間さんは主任刀匠として迎えられます。その後の伝習所は、第一期生のうち内弟子としてとどまった秋元・今野両氏らが指導に当たります。石井さんが腕を上げてこれに加わると、伝習所生え抜きの三羽烏の時代になりました。秋元さんは十二年に、石井さんは十四年に独立し、同年九月、今野さんが先生の後を継いで伝習所所長になります。宮入さんの入門は十二年の正月だそうですが、続いて若林

昭和９年７月９日、伝習所第一期生修業式。前列右から２人目俵國一博士。後列に馬場昭継・岩崎航介・佐藤昭則・山上昭久・田中昭盛・今野昭宗・秋元昭友・吉原昭広の伝習生ら。

さん、近藤さんが入りました。

笠間さんが伝習所を去るについては、栗原先生との確執が伝えられています。その理由で最も真実に近いと思うのは、もっぱら笠間さんに指導を受けた山上昭久さんの証言です。伝習所の運営をめぐる対立であるというのです。

そのころはまだ、日本刀を求める人はまれでした。注文がなければ、授業料も食費も徴収しない伝習所の経営は行き詰まります。政治活動を支える栗原家の内情は決して楽ではありませんでしたし、先生もかなり無理をしていました。そこで笠間さんは師範の立場から、満州事変以後、需要が勃興しつつあった軍刀の製作を進言しました。軍刀の注文にこたえるなら、伝習所の維持にも、伝習生の訓練にも役立つ、と。

しかし、栗原先生はこの提案を断固として退けました。伝統の復興を掲げる先生の立場では、認められるものではありませんでした。

先生にとって日本刀は「日本精神の象徴」であり、「国家鎮護の霊器」でした。日本刀に切れ味を求めるのは当然としても、軍刀とは別物であると考えていました。軍刀で糊口《ここう》をしのぐうちに、技量は停滞し、「日本刀精神」が廃退するとの危惧を抱きました。後に国家の危急という大きなうねりの前に「軍刀報国」を選択することになりますが、それは刀鍛冶の利益のためではありませんでした。軍刀増産は呼号しても、いわゆる「昭和刀」は決して容認せず、古式鍛法にこだわりました。笠間さんの図抜けた力量と見識は認めつつも、妥協する余地はなかったようです。

頭山翁が笠間さんを迎えたのは、栗原先生が傷つくことを恐れた翁の配慮であったと、私は想像しています。翁は先生が若いころから、惜しみない援助を与えています。特に日本刀の復興に関しては、「栗原をおいてほかにいない」と信じ切っておられたようです。鍛錬所を作って刀鍛冶を抱えておくぐらい、翁には何でもないことでした。

＊

兄弟子たちのこと

私がいたころ、伝習所で卸《おろ》し鉄《がね》や本三枚《ほんさんまい》のような丁寧な鍛法を当然のようにやっていたことは、前に記しました。流派としては幕末の水心子正秀や固山宗次に連なるので、新々刀のやり方を踏襲していたものと思います。さらに、大正のころ、俵國一博士の科学的研究に協力した笠間さんが指導者になると、合理的な考えも加味されたでしょう。また栗原先生は、伝習生の中に「昭国」と名前のあった岩崎航介さんに全国の鍛冶を巡ってもらい、秘伝書を集めています。『日本刀及日本趣味』の創刊号に発表された「土《つち》取《どり》の秘奥《ひおう》」などは、その一部です。栗原先生はすべてに開放的でしたから、秘伝とされているものでも躊躇《ちゅうちょ》せず公開しました。

大日本刀匠協会ができると、赤坂には全国の鍛冶が出入りします。技術の交流も不断にありました。幕末までは画然としていた流派の垣根が簡単に取り払われ、それによって全体のレベルアップも図られました。覚えたければ赤坂へ行け、という時代が間違いなくあったと思います。その結果、今日に至る現代刀の基本の鍛法が日本刀鍛錬伝習所で確立し、ここから広まったと言って過言ではないでしょう。

今野さんについては、遺品の書籍を奥さんから頂戴した話と併せて、少し紹介しました。私が入門した当時は伝習所の所長として、鍛錬所の一切を仕切っていました。ほかの弟子たちは別棟で寝起きしましたが、今野さんだけは洋館に一室をあてがわれていました。栗原家の長女の義子さんは他家に嫁いでおり、次女の道子さんが家を継ぐことになっていたので、今野さんは有力な婿《むこ》さん候補だったと思います。ところが、今野さんは怪我《けが》をして入院した病室で、お父さんの看病に来ていた高子さんと知り合い、結婚します。所帯を持った後は、四谷から赤坂に通ってきました。

そのころ、今野さんの名は全国にとどろいて、大したものでした。栗原先生の代理で各地の鍛錬所を訪れる機会も多く、指導を請われることもしばしばでした。末次繁光さんらがいた海軍指定の筑紫《ちくし》軍刀鍛錬所では、部長という処遇であったそうです。有力者とのお付き合いもありました。私が今野さんの真価を理解したのは戦後、それも亡くなられてからです。

第一回作刀技術発表会で一門の宮入さんが特賞を受賞、日本刀学院の講習会出身の川瀬昭兼（光兼）さんや二唐昭弘（国俊）さん、それに最年少の私の三人が優秀賞を受賞したとき、兄弟子の今野さんと石井さんは入選、秋元さんは出品しなかったのか、名前もありません。今野さんに授賞式で久しぶりに会い、挨拶をした後、何となくバツの悪い思いをしたものです。普段から愛想のいい方ではありませんが、私の作品を見て「卸し鉄か」と聞いたきりでした。

今野さんの出品刀は切先が延びてすすどしく、一見して清麿《きよまろ》を意識して作ったとわかりました。全体のバランスに難はあるものの、地鉄に苦心の跡は見えました。優秀賞を受賞した塚本起正さんが「ぜひ教えてほしい」と言ってきたとは、後に高子さんから聞いたことです。ただ、私にはそれほどの強い印象はありませんでした。

訃報を聞いて葛飾のお住まいを訪ねた折、いかに深い研究を重ねていたかがわかりました。書棚に並んでいるのは、冶金学者が読むような最先端の鉄鋼の本です。俵博士に私淑していたことは、後に知りました。その後、「窓開け」と言って一部分だけ研いである最晩年の作を見る機会がありました。この刀は、今野さんを最もよく知る仙台の研師、大平《おおだいら》武夫さんが中心になってまとめた『仙台藩刀工図譜』に掲載されています。まさしく古刀の地鉄です。一緒に見た同門の宮城昭守さんと「すごいな」と感嘆しました。

自分の仕事場を持っていなかったのは、今野さんの弱みでした。ですから、確信を得て郷里の宮城県に帰り、本格的な作刀に入ろうと準備をしていたそうです。その矢先に、突然亡くなったのです。思いを残して、さぞ悔しかったでしょう。高子さんの話の端々にも、それが感じられました。元気で研究を進めておられたら、おそらくトップレベルの作家であったと思います。

秋元さんは、実業家の太田敬三郎さんが作った日本刀鍛錬道場の主任刀匠に就き、伝習所にも日本刀学院にもたまに顔を出す程度だったので、仕事の印象はあまりありません。石井さんは昭和十六年七月に応召し、復員したのは二十一年五月であったそうです。刀職者は徒弟であっても特別扱いされましたから、石井さんほどの方が永いこと大陸を転戦していたのは不思議です。

私は、昭和十四、五年ごろの石井さんの作品は素晴らしく、先輩たちの中でも随一だと思っています。石井さんは、兄弟子の秋元・今野両氏とも鍛冶屋出身なので、一年余りで良い刀が作れるようになった、と書いています。これは、ご自身のことでもあったでしょう。石井さんは鑿《のみ》や鉋《かんな》を作る鍛冶の下で永く修業したと聞きましたが、その素地が大きな意味を持っていたと思います。特に刃物の土置きの

昭和10年2月。前列左から沖本国忠・栗原先生・笠間繁継・小山秀研(研師)、後列石井昭房・今野昭宗・秋元昭友の3人はいずれも内弟子。

技術を応用して、重花丁子のような華やかな焼きを表現していたはずです。宮入さんがもらって所蔵していた短刀には、映りがありました。偶然に出たものではなく、会得したやり方があったのだと思います。

もう一つ、石井さんがほかの方と違う点は、想像の域を出ませんが、刀を見る姿勢です。栗原先生のところには名品が数多くあり、勉強する機会にも恵まれました。その中から、一文字を選んだのでしょう。何を選び、どのように受け止め、いかなる方向を目指すかは、人それぞれです。誰もが一生懸命なわけですが、どれだけ深く突き詰められるかで、結果は違ってきます。石井さんの深さが、ほかの刀鍛冶を上回っていたと言えます。短期間ではあっても、笠間さんの仕事を見て一番刺激を受けた方かもしれません。

ところが、戦後の作品は、残念ながら比べるべくもないのです。作刀を学んだ六年余に対して、その後の十数年の空白があまりに永かったということかもしれません。

＊

日本刀学院の実践教育

前出の日本刀学院についても、あらためて触れておきましょう。

神奈川県高座郡相模原町座間に日本刀学院が開校したのは昭和十六年の、太平洋戦争が始まる前月です。時期が時

期だけに、ややもすると軍刀鍛冶の速成が目的であったかのごとく思われますが、当初の計画ではそうでなく、栗原先生念願の本格的刀匠養成機関でした。結果として軍刀の需要にこたえる刀鍛冶を生むことになったのは、時代のしからしめるところでした。ここでも、教えるのはもっぱら古式鍛錬でした。

第一回師範講習会は、学院開校前に日本刀鍛錬伝習所で開かれています。師範というのは、鍛刀を指導する能力を持った人のことで、その方が弟子を養成し、その弟子たちが学院で再訓練を受けるという循環を通して、全国各地に人材を輩出することを企図していました。学院での師範講習会は四回ほど開かれ、後の方では初等科も併設しています。講習会への参加以外にも、間断なく講習生の出入りがあったように記憶しています。

参加者は所定の授業料を支払い、数週間あるいは数カ月間の講習を受けます。宿舎や食堂も完備していました。短期ではあっても、指導の中身は相当高度であったと思います。蒔田《まきた》宗次博士による冶金学の講義もありました。剣道・居合・杖術の範士中山博道さんの試斬《しざん》や、刃味と姿形に関する講義などは、参加者の興味をそそるものでした。実技講習のときは、私も先輩と組んで模範鍛錬を見せたりもしました。そのほか、授業の段取りをしたり、講習生の面倒を見るのも私たちの仕事でした。学院には赤坂から通ったり、時には宿舎に泊まったりしながら、月の半分ぐらいは詰めたものです。

講習生は初め刀鍛冶が多く、次第に刃物鍛冶や野鍛冶が増えていきました。参加者が引きも切らない理由には、いくつか考えられます。一つは、栗原先生の名声です。その弟子ということで、刀匠銘に「昭」の一字をもらうことができればハクが付き、特に地方では大変な扱いを受けます。さらに、軍刀の需要が拍車をかけました。受命刀匠になれれば仕事は保障されますし、そうでなくても刀剣商が高額で買い上げてくれます。事実、軍刀工場を経営し、わずか数年で財をなした例も少なくありませんでした。一方で、刃物鍛冶などは資材の入手難から、仕事が成り立ちにくくなっていました。

最大の理由は、何と言ってもすべてを教えてもらえるということです。通常は永い年月、徒弟修業をしなくては一通りの技術を知ることはできません。日本刀鍛錬伝習所に、まるで本山詣でのように多くの方が来られたのも、そのことが大きかったと思います。まして、わずかな授業料で勉強できるとなれば、参加希望者は多くて当然でした。

では、短期間で作刀技術の全般が体得できるものか、という疑問がわきます。学院では、師範講習と初等科講習に分け、内容とレベルを異にし、あるいは個々の状況に合わせて指導を行いました。初等科といっても、全くの初心者ではありません。むしろ、刃物や道具にかけては、その地で一流の鍛冶屋ばかりです。基本はできており、意欲十分ですから、刀が作れる段階に到達するのはさほど難しくありませんでした。

また、鍛冶屋一人ひとりに特徴があり、得意な技を持っていました。卸し鉄の巧みな人、火作りの上手な人もいました。宮入さんも驚いていましたが、神奈川県の小泉長善さんという年輩者の吹子さばきは絶品でした。子供がいたずらでもしているように見えて、沸き具合が何とも言えずいいのです。こういう職人ばかりが集まってきましたから、切磋琢磨も技術交流も盛んでした。

ほとんどの方の知りたいのが、焼刃土と焼入れでした。私たち内弟子は修業中でも一通りわかっていますが、わからない人にはどうしようもない工程です。栗原先生の発表した「土置の秘奥」を見ても、それだけで実践できる方はかなりのレベルです。たいていは焼刃土の調合や、土を塗る手法の本当のところが知りたかったと言っていました。昔から最大の秘伝がここにありましたから、講習生は皆喜んで帰っていきました。

講習生の出身で、名を上げた方も少なくありません。青森の二唐国俊・義弘のご兄弟は、二回の陸軍軍刀展でそれぞれ最高賞の陸軍大臣賞を受賞しています。山口県岩国の藤村国俊さんは昭和三十七年、第八回作刀技術発表会に短刀の「包丁正宗」写しを出品し、最初の正宗賞を受賞しています。

それを聞いて、大変失礼ながら「あの藤村さんが」と、耳を疑いました。それで、たたら研究会の大会が広島県三次《みよし》市で開催された際に、岩国まで訪ねたことがあります。藤村さんは、「もう玉鋼は要らない。玉鋼を使う時代ではない。欲しかったらやるぞ」と言っていました。私も既に玉鋼を欲しいとは思わなかったし、玉鋼に頼らないとなれば、それ以上聞かずとも卸し鉄であることはわかりました。後に、藤村さんの卸し鉄材料が良質の古鉄であったことは、ふとしたことで知りました。

藤村さんは講習会に参加した後、無論、さまざまな研究をされたでしょう。一時期、宮入さんを訪ね、教えを請うた話も聞きました。殊に、玉鋼から脱却して正宗賞を受賞する技量に到達されたことには、頭が下がります。

日本刀学院では当時、師範の持てる最高の技術を惜しみなく公開し、本格的な古式鍛錬を指導していました。あのときの体験は、刀作りの何たるかを知る上で少なからず皆さんのお役に立ったのではないかと思います。

宮入行平さん

戦後作刀界の牽引者

野鍛冶から念願の刀修業へ

宮入行平《みやいりゆきひら》さんは大正二年（一九一三）の生まれですから、私の一回り以上年長です。尊敬する兄弟子であり、実の兄のような存在でもありました。

宮入さんのおじいさんはもともと刀鍛冶で、明治の廃刀令で刀が作れなくなると、鎌《かま》や鍬《くわ》などの農具を作る鍛冶屋に転じたそうです。お父さんも鍛冶屋だったので、長男の宮入さんは小学校を出るとすぐに家業を手伝うことになりました。四、五年もすると、すっかり仕事を覚え、近隣では「親爺より、せがれの堅一の方がうまい」と評されました。そのころ、なぜか刀を作りたいという気持ちがわいてきました。江戸で刀の修業をしたものの、不遇な時代のせいで志を遂げられなかったおじいさんの思いが伝わったのかもしれません。

修業先に決めたのが、栗原先生の日本刀鍛錬伝習所でした。もちろん面識はありません。新聞で見て、手紙を書いたそうです。「徴兵検査で不合格になったら、入門させてください」という依頼には、栗原先生も驚いたことでしょう。先生からは「しっかり腹をくくって来い」という返事だったそうですから、覚悟の程に半信半疑だったのかもしれません。

宮入さんの方はすっかりその気になり、徴兵検査までの二年間、先生からの手紙を肌身離さず、守り本尊のように大切にしていたそうです。

徴兵検査の結果は第一乙種合格で、当時はすぐに兵役に服す必要がなかったので、いわば不合格も同然です。世間体は良くないものの、これで東京に行って刀の修業ができると、内心では喜んでいました。ところが、お父さんもお母さんも大反対です。長男が家業ではない刀に進むのも困るが、物騒な東京に息子が行ってしまうこと自体が反対だったようです。そこで出てきた妥協案が、群馬県の鉈鍛冶のところに修業に行く話でした。

沼田から六里ほど奥に入ったところの星野銀光さんという方で、星野さんの作った鉈は切れると評判が高く、宮入

宮入行平（みやいり・ゆきひら）
大正二年三月　長野県埴科郡坂城町に生まれる。本名・堅一。
昭和十二年　日本刀鍛錬伝習所に入門。
十三年　第三回新作日本刀展覧会で総裁大名誉賞を受賞。
その後、海軍大臣賞・文部大臣賞などを受賞。
二十五年～　第五十九回伊勢神宮式年遷宮に当たり御神宝大刀を製作奉仕。
二十七年　講和記念刀を製作。
二十八年　文化財保護委員会より製作承認を受ける。
三十年　第一回作刀技術発表会で特賞を受賞。以後、連続四回特賞を受賞し、無鑑査となる。
三十八年　重要無形文化財保持者に認定される。
四十七年　紫綬褒章を受章。
四十八年　昭平の刀匠銘を行平に改める。
四十九年　全日本刀匠会幹事長に就任。
五十二年十一月　死去。勲四等旭日小綬章を受章。

さんの住む長野県坂城《さかき》界隈でも好んで使っている人が多かったそうです。宮入さんは以前から星野さんの仕事に興味を持っていたこともあり、やむなく承知をしました。

鉈を作るには刀と同じく玉鋼を使うと思い込んでいて、そのやり方を覚えたかったようです。しかし、既に洋鉄で鍛造するようになっており、焼入れも水ではなく油に代わっていました。二、三カ月で要領を知ってしまうと鉈作りの修業にも興味を失い、再び刀へと意欲を燃やすのです。

結局、一年ほどで星野さんの元を辞し、いったんは坂城に帰りますが、「二年たったら帰ってくる」という約束で両親の了解を取り付け、いよいよ伝習所に入門します。それが昭和十二年（一九三七）の正月で、宮入さんは二十三歳になっていました。この年齢は、修業を開始するには明らかに遅いものです。しかし、半年ほど炭切りや下仕事をした後、兄弟子の先手を務めるようになり、素延べや火作り、沸かしもやらせてもらえるようになりました。

宮入さんは鍛冶屋の基礎ができていましたから、進歩も相当早かったと思います。そのころ伝習所にいた兄弟子は、今野さんと石井さんです。今野さんの先手は若林さんが務めることが多く、宮入さんがついたのは石井さんでした。沸かしに失敗したときなど、兄弟子から幾度頭を殴られたかわからないと言っていましたが、その兄弟子の言葉に発憤したそうです。「なまじっか素人でないから駄目なんだ」「器用さだけでは本物の刀鍛冶にはなれないぞ」「道楽で刀を作るつもりでいるなら、田舎へ帰れ」――。自分の甘さに気づき、ずぶの素人になったつもりで、一からやり直そうと決意を新たにしたそうです。兄弟子が石井さんであったかどうかは、不明です。

＊

栗原先生の身辺にいて

昭和十三年十一月の第三回新作日本刀展覧会に宮入さんは短刀を初出品し、第三席総裁大名誉賞を受賞します。新人としては異例です。

これには逸話があって、古鉄を卸して玉鋼と合わせたところ、快心の地鉄ができた。ぜひともいい研ぎにかけてみたいと思い、新刀の研ぎでは第一人者と言われた平島七万三《しまぞう》さんに依頼した。その名人が、「形の悪いところを直していいなら、研いでやろう」と、引き受けてくれたそうです。伝習所の弟子の出品作は安研ぎが普通であり、師匠に断りなく研ぎに出すことは許されません。しかし、研いでくれたのが名人の平島さんとあっては、栗原先生も叱るに叱れなかったでしょう。

このとき、宮入さんは先生から「昭平」の銘をもらいました。「行平」と改銘するのは昭和四十八年のことです。還暦を迎えて心機一転を期す意味と、奥さんの病気快復を祈願しての決断でした。

このころまでは新作刀がなかなか売れず、伝習所の内情は苦しかったと、宮入さんが述べています。一俵九五銭の松炭を二、三十俵ずつ買うにも、気兼ねをしながら栗原先生の奥さんに代金をもらっていたそうです。そんなところへ、福島競馬の賞品にするので、三振一〇〇〇円で作ってほしいと先生に話が来たときには、奥さんをはじめ、みんなが大喜びしたそうです。

「栗原彦三郎昭秀作」などの銘のある刀でも、たいていは弟子たちが鍛錬に協力したものです。しかし、先生はどんなに多忙でも、格別に好きな焼入れだけは、ご自身でやることが多かったと思います。銘を切るのは、その時々に中心になって仕事をした弟子です。この代銘は、古いところでは稲垣一族が担当したでしょうし、伝習所設立後は笠間・秋元・今野・石井・若林・宮入・近藤らの各氏が切っています。ですから、銘字は幾通りもあります。ただ、勝手に切っているわけではなく、先生の指示に従って銘文の内容や書体、銘の位置を厳守しています。

「栗原昭秀謹作　昭平淬刃《さいじん》」と合作であることを銘した昭和十四年三月の刃長三尺（九〇・九センチ）の太刀があります。地沸《じにえ》がついた小板目肌に互の目《ぐめ》を焼き、素晴らしい出来です。宮入さんが銘を切っています。銘文からは宮入さんが焼入れのみを担当したように受け取れますが、これに関しては代作に近い仕事だったと思います。新作日本刀展に初出品してわずか数カ月、これほどの作品を作るとは、長足の進歩です。

　時期が前後しますが、宮入さんの著書『刀匠一代』に、栗原先生の面目を伝える出来事が紹介されています。昭和十三年一月、軍刀修理団第四班は上海《しゃんはい》の鍛造・修理所に中支方面軍司令官松井石根《いわね》大将を迎え、鍛え初《ぞ》め式を行っています。この鋼を赤坂に持ち帰り、松井大将と先生との合作の太刀として完成させると、明治神宮に奉納しました。

太刀　銘　栗原昭秀謹作　昭平淬刃　昭和十四年三月吉日
神前　後鳥羽天皇七百年祭奉賛新作刀奉納會

　このとき、宮入さんも自動車に同乗して、神宮に行ったそうです。下馬札のところで運転手が車を止めようとすると、先生は「かまわん、行けっ」と命じます。恐る恐る車を乗り入れると、たちまち門衛が飛んできて前に立ちはだかり、「止まれ。ここをどこと心得るか」と威嚇《いかく》しました。途端に栗原先生は「無礼者！」と一喝し、「わしは栗原彦三郎である。これから松井大将閣下の鍛えられた太刀を奉献つかまつるところである。とがめられるような筋合いはない」と雷鳴のような声をとどろかせました。門衛はハッと身を正し、「失礼いたしました」と下がったそうです。

＊

伝習所の精神を継承する

宮入さんは昭和十八年四月に召集になり、赤羽の第十五部隊に入隊します。ところが、七月には召集解除になり、伝習所に帰ってきました。部隊は北海道に出発し、一人だけ原隊に残されたので不審に思っていると、除隊の命令があったそうです。理由は、刀鍛冶であったことでした。入隊して間もなく、新作日本刀展の文部大臣賞の賞状が部隊に届き、宮入さんが入営していることを知った日本刀研究家の石井昌國さんが関係者に働きかけたようです。石井さんは兵器本部の軍刀係でした。

部隊を乗せた船は出発三日後に、千島列島の占守島《しゅむしゅ》付近で魚雷攻撃を受け、全員が戦死したそうです。

「兵隊にしておくよりも、刀を作らせた方が国のためになる」との配慮から、間一髪、救われた例はほかにもあったと聞いています。

宮入さんはその後、陸軍の受命刀匠に指定され、郷里の坂城で軍刀の製作に当たりました。しかし、ノルマを達成することはほとんどできませんでした。月に一五振から二〇振作るべきところを五、六振しか納められなかったといいます。よほど丁寧な鍛法を守っていたのだと思います。その分、軍刀の色に染まることが少なく、戦後の美術刀剣に最も早く対応し得たのです。

終戦後は、蓼科《たてしな》の山林の開墾をやったり、農具を作ったりしてしのいでいました。ひそかに刀を作ったこともあるようです。噂《うわさ》を聞いてやってきた刑事が、「進駐軍に知れると、沖縄に送られて重労働だぞ」と言って目こぼししてくれたそうです。作刀など一切禁止、しかし刀が作りたくて仕方がなかった宮入さんの気持ちはよくわかります。

その後の講和記念刀と伊勢神宮御遷宮神宝大刀については、既述しました。

作刀技術発表会では、最高賞を第一回から連続五回受賞、無鑑査に推されました。伝習所の兄弟子たちをはるかに引き離していました。どこが違ったかと言えば、刀に対するひたむきさと、いち早く地鉄の研究に取り組んだことだと思います。昭和三十年代は、刀だけでいくには相当無理がありましたが、宮入さんは意に介しませんでした。五人の子を抱え、がんばった奥さんも大した方でした。当時の様子を、木彫家の平櫛田中《ひらくしでんちゅう》さんが「宮入刀匠と私のめぐりあい」の一節に書いています。

喜んで通されたのが二階の六畳ばかりの一室で、天井からは目張りの古新聞紙がぶら下がり、少し風に破れ、障子がはづれて頭の上に倒れかゝるにも拘はらずほ、えましいばかりの君の平静さにいささかの不自然も見へなかった。

私は昔の宿場町の様子も見たいし、今も旧本陣が旅館をやって居るといふので、一泊を頼んで貰ふ事にし

て話しこんだ。(中略)
永い春の陽も沈みましたが、一向に宿に連れてくれずとうとう「こゝに泊ってくれ」と君はいひにくそうに。私は大に喜んでお世話になりました。百年の知己のやうに。
やがて二つの床が敷かれました。私の夜具は新しく洗濯された木綿地糊《のり》のきいたねまきです。まことにすがすがしい気持で横になりました。君は常用のものであらう相当古色のついた布団によれよれのねまきで私と枕をならべ終夜話は尽きませんでした。

宮入さんのひたむきで朴直な人柄は、平櫛さんのみならず多くの大家に愛されました。佐藤寒山先生は「宮入こそ美術刀剣の具現者」と見込まれたのでしょう。あらゆる指導を惜しみませんでした。宮入さんもよくこたえました。そして三十八年、五十歳で重要無形文化財保持者に認定されます。

宮入さんはさまざまな作風に挑戦しましたが、特に志津兼氏《かねうじ》や清麿に私淑し、沸物に傑作を残しています。また、鎌倉末期から南北朝期の太刀を大磨上《おおすりあ》げとした体配に範を取り、「宮入姿」とも称すべき形状を完成しています。

一時、宮入さんは体調の不良が続き、製作もままならない時期がありました。鑑識力の高い方であっただけに、目標と自作のギャップに苦しんでいました。その後、卸し鉄ときわめて緻密な上げ鍛えの手法をもって意にかなう境地を獲得しました。昭和五十二年十一月、六十四歳の若さで急逝されたことは、返す返すも残念です。あと一〇年も作刀を続けられていたら、作刀界全体の様相も変わっていたかもしれません。

ただ、刀一筋に生きた宮入さんの歩みを眺めると、これほど幸せな方もまれであろうと思います。父親の遺志を息子の恵《けい》(小左衛門行平)君が立派に継いでいるのも、うれしい限りです。

戦後の作刀界を先頭で引っ張ってこられた宮入さんのもう一つの功績は、多くの刀鍛冶を育成したことです。栗原先生が内弟子のほかに講習生や研究生を広く受け入れたように、宮入さんの元にも多くが研究に訪れています。亡くなったとき修業中であった数名の内弟子は、独立していた弟子が引き取って教えました。これも大したことです。今や、宮入さんの一門は、孫弟子の世代が活躍している時代です。

日本刀鍛錬伝習所の精神は、宮入さんによって最もよく継承され、将来に向けての土壌が蓄積されてきたように思えてなりません。

隅谷正峯さん

美術刀剣時代の作家精神に生きる

恵まれた研究環境

隅谷正峯《すみたにまさみね》さんを知ったのは戦後のことです。最初にお目にかかったときから常の鍛冶屋とは違う雰囲気を感じましたが、案の定、芸術家肌の方でした。「刀剣作家」とか「日本刀作家」とかの言葉を用い始めたのも、隅谷さんです。自ら称するにふさわしい気概を持った方でした。

本当に親しくなったのは、隅谷さんが全日本刀匠会の理事長に就任し、私が副理事長を務めたころからです。ご一緒する機会も多く、出かけた先ではいつも枕を並べて寝たものです。あの方は宮入さんとはまた違った意味で一途で、刀以外には興味がなく、二人になるといきなり作刀の話題に入ってきました。こちらも似たようなものですから、かなり突き詰めた議論になりました。今何を課題とし、どのように考え、いかなる理論に基づき、どんな方法で試み、結果はどうか、たいていは明らかにしてくれました。私も真剣にこたえました。啓発されることも多々ありました。

隅谷さんが刀と本格的に出合ったのは、立命館高専に入学したときだったといいます。中川小十郎総長が衣笠山《きぬがさやま》の麓に立命館日本刀鍛錬研究所を設け、桜井正幸さんを招いたことを知った隅谷さんら学生は、日本刀研究部を作って桜井さんの講義を聴くようになったそうです。そのうちに、鍛錬所で刀を作ることも許されました。授業のない日曜日に部員が集まり、交互に鎚を振るったそうです。この中には、中川総長の息子さんで、後に石の彫刻で世界的に知られる流《なが》政之さんもいました。

隅谷さんは昭和十六年（一九四一）、鍛錬所員になります。桜井さんの弟子になったわけですが、徒弟修業とは程遠い自由な研究が可能であったようです。ここから終戦までの四年余り、刀漬けの生活が続きます。鍛錬研究所時代、最も力を入れたのは焼入れの工程で、それが備前伝であり丁子乱れであるという自覚はなかったが、こと焼刃に関しては後年発表する作風の基礎を体得していた、と自ら語っています。

桜井正幸さんは大日本刀匠協会において、既に長老格の方でした。素養の豊かな文化人の風格がありましたから、隅谷さんはその辺の影響も受けたのでしょう。ただし、桜井さんがここで作ったのは直刃の太刀三振だけだったそうですから、隅谷さんに手ずから技術を伝えることはなかったのかもしれません。すると、隅谷さんはほとんど独学で、基本の刀作りを覚えたことになります。

　翌年夏、広島県尾道の郊外にあった興国日本刀鍛錬所に移ります。ここでの三年間は最も充実していたといいます。昼は作刀研究、夜は十二時ごろまで研ぎをし、それから読書、睡眠は常に三、四時間という毎日だったそうです。徴兵検査は丙種でした。ともに研究していた兄弟子が亡くなると、たった一人になりました。

　鍛錬所の後援者には「食べ物や材料の心配は要らないから、日本一の刀を作ってください」と励まされていたそう

隅谷正峯（すみたに・まさみね）

大正十年一月　石川県石川郡松任町に生まれる。本名・與一郎。

昭和十四年　立命館高専理工学部機械工学科に入学。

十六年　立命館日本刀鍛錬研究所に入所し、桜井正幸に師事。

十七年　広島県御調郡原田村の興国日本刀鍛錬所に移り、作刀に専念する。

十八年　佐世保鎮守府主催の新作刀展に出品し、特賞鎮守府長官賞を受賞。

二十九年　文化財保護委員会より製作承認を受ける。

三十年　第一回作刀技術発表会に出品。第六回・八回・九回・十回特賞、第一回新作名刀展正宗賞・名誉会長賞、第二回正宗賞・毎日新聞社賞を受賞し、無鑑査および審査員となる。

四十八年　自家製鋼の研究と指導により天田昭次とともに第一回薫山賞を受賞。

四十九年　第十回新作名刀展で正宗賞を受賞。第六十回伊勢神宮式年遷宮に際し御神宝大刀を製作奉仕。

五十六年　重要無形文化財保持者に認定される。

五十九年　紫綬褒章を受章。

平成五年　勲四等旭日小綬章を受章。

十年　死去。

ですから、隅谷さんは軍刀など全く作っていないかもしれません。実績として唯一聞いているのは、佐世保鎮守府主催の新作刀展で最高賞の鎮守府長官賞を受賞した一振です。あの時代に、研究という点では実に恵まれた環境にいたわけです。

終戦とともに、郷里の石川県松任《まっとう》に帰りました。隅谷さんはそれからの空白の一〇年間を回顧して、「年齢にして二十五歳から三十四、五歳は、刀作りの基礎はできていたし、頭の方も冴えており、体の無理も利いた。それを無為に過ごしてしまったのは惜しい」と言っています。家業の醬油醸造・販売は両親と奥さんに任せ、朝起きると「さて、今日は何をして遊ぼうか」と考える日々であったといいます。そう聞くと、隅谷さんがいかにも道楽者のように見えますが、そうではなくて、刀に代わって真剣に「遊べる」対象を求めていたのだと思います。

しかし、そのころ工芸の盛んな加賀の土地で、刀以外の伝承技に触れ、多くの工芸家と交わった体験は、後に刀子《とうす》など独自の作域で発揮されます。

＊

自家製鋼意味なし

隅谷さんは第一回作刀技術発表会以来、亡くなる平成十年（一九九八）まで、最も永く連続出品を果たした方です。一、二回は入選、三回から優秀賞を受賞し、六回以後いよいよ特賞の水準に達します。

ところで、第一回展で特賞を受賞した高橋貞次さんの「小竜景光」写しを見て、不思議でならなかったそうです。というのは、他の伝統工芸では古典を取り入れつつ現代の新しさを盛り込むことが、いわば常識であったので、写しが評価されるなどとは思いもよらなかったからでした。

それまでの自分は古名刀を目にする機会が少なく、確かに勝手に作っているところがあった、と自省しています。ある機会に、佐藤寒山先生から刀の何たるかを詳しく聞き、目から鱗《うろこ》が落ちる思いがしたとも述べています。写し物のことについては、本書の冒頭でも述べましたが、一概に否定されるものではありません。

私が病癒えて作刀を再開したころは、高橋さん、宮入さんと並んで無鑑査になっており、隅谷さんの勢いは隆々たるものでした。やがて「隅谷丁子」と呼ばれる、独特の華やかな刃文は完成していました。

隅谷さんは、鍛錬の要諦について「焼きに都合のいい硬さの地鉄を作ることに専念する」こととし、「地鉄の肌模様をうんぬんする前に、硬さを一定にしていかなくてはならない」とも述べています。これはその通りなのですが、明らかに備前伝を基軸にして、作刀全般をとらえている表現です。現代において備前伝は匂本位の丁子乱れに映りを表現することを基調とし、地鉄の変化を問うことはあまりありません。想定した焼刃をいかに正確に表すかに、重点が置かれます。

これに対して相州伝などは、地刃の変化の妙を求めるために、極論を言えば、地鉄のムラをいとわず、意識的にムラを作り出すことさえあります。古刀がこの通りであったかどうかは微妙なところですが、少なくとも現代の両伝の差は歴然としています。

隅谷さんの行き方にはっきりと変化が現れるのは、自家製鋼に取り組む辺りからではなかったかと思います。

写し物の意義に目覚めてからは精力的にこれに取り組み、「日光助真《すけざね》」「道誉《どうよ》一文字」「大般若長光《だいはんにゃ》」「小竜景光」などの備前の名刀や、名槍「日本号」を巧みに再現していました。これらの仕事を通して名品の神髄に触れ、さらに近づくことに意欲を燃やしていたと思います。しかし、誰もがそうであったように、古刀、特に鎌倉時代の名刀に迫る道はいかにしても閉ざされていました。

隅谷さんは帝国製鉄が戦前に製造した玉鋼を三トン、銑《ずく》を四トン入手していたそうです。使うのはもっぱら玉鋼で、これも自らの作刀と弟子の養成などのために、いずれ使い切ってしまうだろうと危機感を抱いていました。そこで発想したのが「自家製鋼」です。

当時の作刀界の雰囲気として、古刀の地鉄に迫るには小形の炉を用い、低温還元で鉄を得る以外にない、とする考えも台頭していました。玉鋼を鍛え、得意の丁子を焼く従来の手法にも満足できなかったのでしょう。隅谷さんは、自家製鋼にのめり込んでいきました。

昭和四十五、六年ごろは、鉄ができただけで先進的でした。隅谷さんと私が第一回薫山賞《くんざん》をいただけたのは、それが一つの理由でした。しかし、自家製鋼によって展望を得ようとした隅谷さんのもくろみは、結局、失敗でした。鎌倉の地鉄に結びつくどころか、現代刀の地鉄か、せいぜい新々刀どまりだったと述べています。隅谷さんの落胆は相当なものでした。しばらくの間悶々《もんもん》として過ごし、ついに「自家製鋼意味なし」の断を下します。

隅谷さんは、おそらくノロ（鉄滓《てっさい》）を抜く方法を知らなかったのでしょう。ノロが嚙んだままでは地鉄が濁り、焼刃も明るく冴えないのです。ノロを抜くには、一次加工、二次加工、三次加工をしなくてはなりません。それがわからないまま、自家製鋼を試行錯誤的に続けたわけです。

＊

多彩な作域への挑戦

次に期待したのが、日刀保たたらの玉鋼でした。これも

隅谷さんは日本刀作家の気概の持ち主だった。

当初は品質が劣り、材料問題の解決には貢献しても、時代の壁を突き破るものではありませんでした。そして、眠っていた四トンの銑に最後の期待がかかりました。

銑に手を付けなかったのは、銑の処理がうまくいかないでいたためだと思います。帝国製鉄の銑を買った刀鍛冶はほかにもおり、かなりの成果を出していた人もいます。いわゆる鍛冶屋修業をしていない隅谷さんは、鉄扱いの手際でやや後れを取っていました。その代わり、理論で攻め、感性でまとめるやり方では追随を許しませんでした。

自家製鋼研究会の折に私が公開した左下法《さげほう》も、かなり研究したということですが、うまくいきませんでした。あれもやはり一種の職人仕事です。

あるとき、隅谷さんからこんな質問を受けました。「銑の固まりを細かく割りたいんだが、どうしたらいいだろう」。私は一瞬耳を疑い、「そんなことは簡単だよ」と言いながら、隅谷さんの真剣さに思わず吹き出しそうになりました。銑の割り方を知らない刀鍛冶は、まずいないのではないでしょうか。無垢《むく》で正直な方ですから、教わったことを恥ずかしいなどとは考えず、『日本経済新聞』の「私の履歴書」で全部明らかにしています。

銑を小割りするのは、それこそ簡単です。固まりを火床《ほど》で赤めたら、水に放り込みます。引き上げると焼きヒビができていますから、それを金鎚でコンコン叩くだけでバラバラになります。

隅谷さんが偉いのはそれからです。銑を小割りすると、大きさは均一でなく、大小とりどりで、粉末状も出ます。それらを十能に混ぜて一度に卸すと、炉底に固まりができます。素材の大きさが不揃いなために、期せずして内部にムラな状態が残ります。そのムラを生かそうとしました。かつて均一な硬さの地鉄作りをもっぱらとしたのとは一八〇度の転換ですが、これをもっていよいよ鎌倉に向かうことになります。

隅谷さんほど、いろいろなことに挑戦した方も珍しいと思います。「小竜景光」や「日本号」は、彫刻までも自身で完成させた作品を残しています。正倉院の刀子写しなどは、金具から撥鏤鞘《ばちるざや》まで手がけ、独擅場《どくせんじょう》でした。

また、発想のユニークさでも常人とは違いました。新々刀から新刀へ、室町から南北朝へさかのぼろうとしても駄目だ、一気に古代に飛び、そこから鎌倉に下ってくるのだと、盛んに古代刀の研究もしました。「七星剣」の金象嵌も自作です。

「私の履歴書」は、「鎌倉を攻める――これが私の一貫した目標だった。そして半世紀以上が過ぎた」と書き出しています。次いで、その春に試作した二振に触れ、「とうとう、あの鎌倉期の古刀の風格に迫る地鉄を作ることができたのではないかと直感した」とも記しています。

隅谷さんが亡くなったのは、その八年後のことです。刀剣作家としての面目を発揮し、先頭に立ってがんばった方でした。私にとっては尊敬する先輩であり、目標を共有する同志でもありました。

長島宗則さん

名人刃物鍛冶との戦後

師匠は「名人中の名人」

長島宗則《ながしまむねのり》さんは戦時中に刀を作ったこともありますが、根っからの刃物鍛冶です。

最初のご縁は、その刀でした。昭和十七年（一九四二）だったと思いますが、日本刀学院の講習会に参加されたときです。同じ新潟県人のよしみもあって、ずいぶん親しくしていただきました。

ご一緒に講習を受けられた大分県日田《ひた》の本荘国行さんは金物店も営んでおり、その話によれば、長島さんの刃物は九州でも評判が高く、とても高価だったそうです。そんな方でもあの時代、刃物では立ち行かなくなり、刀鍛冶に転じようと日本刀学院を訪れたわけです。

もっとも、長島さんは後年、清磨を掘り出したことがあったくらいですから、もともと刀が好きで、刀作りの意欲を持っていたのかもしれません。講習を終えると軍刀作りに携わり、後に海軍の受命刀匠に任命されました。昭磨の名乗りは、一門ということから栗原先生にもらった刀匠銘です。

長島さんの刃物の師匠は、県内の江川清宗という方です。この師匠のことを長島さんが「名人中の名人」と言うのですから、大したものだったのでしょう。種類の違う鋼を一〇本ばかり並べておいて、小鎚でコンコンと叩いただけで、これは鉈《なた》にいい、これは鉋《かんな》だと、鋼ごとの最適な用途をたちどころに判別したそうです。昔の職人に学問のないのは当たり前ですが、それでいてコンピューターでも及ばないような勘が働くのですから驚きです。

長島さんは何とか師匠に追いつこうと、がんばったそうです。工房では朝鮮・台湾にまで各種刃物を出荷しましたから、人手も必要で、弟子が二〇人もいたそうです。長島さんは十六、七歳で先輩たちを先手として使うほどに腕を上げました。

ところが、師匠の仕事を毎日見ていながら、どうしてもわからないことがあり、悩んでいました。それは、下駄を製造する機械に取り付けるカッターで、数枚の長い刃が回

長島宗則（ながしま・むねのり）
明治四十二年四月　新潟に生まれる。本名・平次郎。
　小学校卒業後、新潟市の刃物鍛冶・江川清宗に入門、一〇年の修業を経て独立。鍛冶銘「宗則」を受ける。
昭和十七年　神奈川県高座郡相模原町座間の日本刀学院にて師範講習会に参加。修了後、栗原彦三郎より「昭磨」の刀匠銘を受ける。
十八年　陸軍軍刀展に出品し、入選。
二十九年　文化財保護委員会より製作承認を受ける。

転しながら用材を切削するというものです。使用する鋼材は隠しようもありませんから、長島さんは、鋭利さと耐久性を生み出す焼入れの秘伝が知りたかったのでしょう。

　ある日の夕方、まさに太陽が山の端《は》に隠れようとするとき、光がその刃物に反射するのを見ていたら合点がいったというのです。これさえわかればもういいと思って、長島さんは独立してしまった。二十歳そこそこのことです。その結果、後継ぎにしてもいいと心に決めていた師匠は、裏切られた思いで、長島さんを疎んじるようになりました。

　師匠の晩年は哀れだったようです。名人にはよくあることですが、仕事一途で、経営には全く頭がいかなかったのでしょう。全国の刃物屋から毎日送られてくる売り上げを、すべて任せていた番頭に食われてしまい、病気になると誰も寄り付かなくなってしまった。その師匠のために高価な薬を買い、最期を看取ったのが長島さんでした。

＊

使い良さが道具の生命

　赤坂と座間の後片付けを済ませ、私が郷里に帰ったのは二十一年の三月でした。長男の私がともかく無事に帰ったことを家族は喜んでくれましたが、私の方は敗戦のショックと、一転して展望を失った刀鍛冶の将来に、しばらくは茫然自失といった体《てい》でした。私が一人前の刀鍛冶になることを楽しみにしてくれた長谷川泰蔵先生は、「ご苦労だったね。慌てることはないから、しばらく休養しなさい」と、いたわってくれました。

今考えれば、中途半端な修業しかしていない二十歳前の若者に、たいていのやり直しは可能だし、事実いろいろと心配してくれる方もいたのですが、どうも本気になれないのです。けれども、何か仕事を見つけなくてはなりません。

父の使った鍛冶道具が残っていたので、とりあえず手近な農具を作ることにしました。このときも長谷川先生が大伝《でん》《だい》というところに仕事場を作ってくれ、応援してくださいました。そのうちに、今一緒に刀を作っている五つ違いの末弟が手伝ってくれるようになりました。

私に農具作りの経験はありません。父の弟子の今井貞六さんは、父の下で鍛冶屋をやったことがあり、終戦後すぐに刀から農具に切り替えていたので、作り方の要領を教えてくれ、協力もしてくれました。しかし、少しぐらい教わってできるものではありません。専門の鍛冶屋は、永い徒弟修業を積んで一人前になります。刀鍛冶の転業ですぐにものになるほど、生易しくはないのです。

何が難しいかというと、「使い良い」農具をいかに作るかに尽きます。修業した者にはそれが体に叩き込まれていますが、私には具体的にどういうことなのか、習っていないからわからないのです。

例えば、鍬《くわ》といってもいろいろ種類があります。地域によって形も違います。この辺りでは特に大きな鍬を使います。使う人の体格によって、変わってくる部分もあります。使い勝手がいいということは、使う人によって千差万別なのです。毎日使うものだから、使いにくかったら突き返されます。文句を聞き、どこが悪いか教えてもらい、作り替えなくてはなりません。半分ベソをかきながら、自分で自分を励ましながらの毎日でした。下手くそでしたが、注文がもらえれば、鎌でも鉈でも包丁でも、何でも作りました。

昭和二十五年ごろ、大伝から役場のそばの乙次《おとじ》に引っ越しました。このころには、農具よりも鉋の刃を作る仕事が多くなっていました。鉋を始めたのは長島さんの助言です。「前にお世話になったから、今度は私が教える番だ」と言ってくださり、鉋を勧められました。長島さんは下駄道具と大工道具を作っていましたが、「下駄道具はだんだん廃れていくだろうから、大工道具の方がいい。それも鉋だけに絞って覚えてはどうか」と、親身に言ってくださいました。

下駄道具は種類が多く、一通り覚えるだけで一〇年はかかります。大工道具も、鋸《のこぎり》は鋸鍛冶、鑿《のみ》は鑿鍛冶などと専門がいるくらいです。鉋が簡単なはずはありませんが、お願いすることにしました。しかも、一から修業する余裕はないので、ときどき新潟市の仕事場に通って、ここぞという鉋作りのポイントだけを教えてもらうことにしたのです。

＊

科学から見た刃物

三条の岩崎航介さんを知ったのも、長島さんの紹介でした。岩崎さんは日本刀鍛錬伝習所の第一期生ですが、それまで面識がありませんでした。栗原先生の日本刀復興事業に協力されていたのは、岩崎さんが東京帝大の国史学科を卒業した後、工学部冶金科に再入学し、俵國一博士の下で日本刀の研究をしていたころのことです。私が紹介された当時は、玉鋼を坩堝《るつぼ》で溶かして均一な鋼とし、これで西洋剃刀《かみそり》を作る研究に就いていました。長島さんは、岩崎さんの試作にいろいろ助言をする立場でした。

岩崎さんは長島さんを崇拝しており、『刃物の見方』の中でも「曲がらない刺身包丁」を作る名人と紹介しています。新品の刺身包丁はどれでも真っ直ぐだが、三年以上使うと張りを失って、必ず刃金の側に曲がってくる。ところが、宗則の包丁だけは三年、五年たっても曲がらない、というのです。

戦後の三条の刃物業界は、岩崎さんによって開眼させられたと言っても過言ではありません。ドイツのゾーリンゲンなど、世界各地の優秀な刃物に対抗していくには、日本刀の長所を取り入れるべきだという主張を持ち、問屋の後継ぎや刃物鍛冶を集めて科学的な見方や作り方の指導をしていました。私も三条に通って、教えていただきました。

勘と経験の世界に冶金学の考え方を入れ、切れる刃物を作ろうというのは画期的でした。刃物の世界には、絶対的な価値を表す「刃持ち」とか「長切れ」という言葉があります。見かけがどんなにきれいでも、切れなくては道具として役に立ちません。研ぎ立てはよく切れるが、すぐに鈍くなり、研いでばかりいるようでも、仕事になりません。

刃持ちを良くするには、用途に合った素材を選んで鍛造し、焼きを入れ、間《あい》を取るすべての工程で科学的合理性が求められます。出来上がりがどうかを調べるには、まず鉋の刃先の端っこをぶっ欠きます。どうせ、ここは要らない部分です。それを顕微鏡でのぞくと、鋼の組織の状態によって切れるか切れないか、たちどころにわかります。切れないとわかれば、どうしたら切れる組織に変えられるか、今度は鍛冶屋の腕次第です。

同じように拡大してみて、セメンタイトという最も硬い組織が大きな白い網状に現れていたら、刃先でポロリと欠けます。硬くて脆いのが、この場合です。鍛造からして粗雑であるとみて、間違いありません。

満天に星を散りばめたように見えたら、セメンタイトが細かく平均に分布していることを示し、合格です。これで切れないと言うなら、研ぎが悪いか、大工の腕に問題があるかです。

鍛造は適切で、細かな分子になったとしても、焼入れ温度が高すぎると、白い粒が消えて、石垣のような状態になります。これがマルテンサイト組織です。セメンタイトよりは軟らかいものの、やはり脆くて、かつ切れ味も劣ります。使う側に「甘い」などと言われると、さらに焼入れ温度を上げがちですから、石垣が膨張し、ますます切れなくなります。こういうものは、どんな焼き戻しをしても軟らかくなるだけで、脆さは改善されません。不良品です。

鉄は生き物です。鍛え、焼きを入れた結果が現れます。それは、和鉄であろうと洋鉄であろうと同じです。どうしたら鉄を生かし切ることができるか、刃物作りという場を通して、ここでも鉄に聴き、鉄に学ぶ体験がありました。

岩崎さんは、これからは顕微鏡と硬度計で結果を確認し、自信の持てる製品だけを納めるべきだと、常々言っていました。その言葉通り、三条の金工試験所に通い、すべての鉋を検査しました。製品一点ごとに検査証を付けるなど、今では当たり前ですが、当時は斬新な方式でした。

こうした過程を踏んで作った鉋の刃は、一枚ずつ桐箱に納め、東京・浅草橋の問屋まで届けました。一度に一五枚か二〇枚ぐらいだったと思います。幸いに評価されて、並品の数倍の代価をいただいたものです。問屋から「千代正」という鉋鍛冶の銘ももらい、ずいぶん売っていただきました。

＊

名人技に学ぶ

長島さんに鉋の作り方を教えてもらっていたとき、すごいなと感心したのは土置きです。刀の焼刃土は粘土・炭の粉・砥石の粉の三種を基本に調合しますが、刃物は土だけでいきます。ベンガラ（酸化鉄）という赤い粉を混ぜて使う人もいますが、本式には土だけです。土には粘土系もあり、砂系統もあって、選定が難しいものです。それを縁の下に何年も寝かせておいて使います。

鉋はあれだけの小さなものです。塗り方がまた難しいのです。切れ味を出すには薄く塗るほどいいが、薄いとシミができやすく、また、刷毛《はけ》で塗ったのではムラができます。ムラになると、焼きが均一になりません。そこで、長島さんがどうしたかというと、いったん刷毛で土を置き、鉋を持ってパッと振ります。振った途端に、土は全体に広がります。

ただパッと振るだけではありません。パッと振っても、全面に薄く平均に広がらず、ムラになっては意味がありません。そのために、下地に一工夫します。ナマガネの方はどうでもいいが、刃金の表面に金剛砂の細かい粉を置き、上からこすって毛羽《けば》立たせます。そこへ土がかかるから、引っかかって薄く一定になるというわけです。

このような手法は刃物鍛冶に固有の名人芸ですが、戦前期の刀鍛冶の中には刃物のやり方をうまく応用した方がいたのではないかと思います。復興途上でしたから、製作法が徹底していません。研究を進めようとすると、いきおい手探りにならざるを得ません。そんなとき、刃物鍛冶出身の方は得意の手法を採ることもあったのではないでしょうか。繰り返しになりますが、石井昭房さんが焼いた重花丁子などは、当時群を抜いていました。やはり刃物の経験が永かった石井さんが、誰にも教わることなく重花丁子の焼きを可能にしていたのは、ひそかに応用できる技術があったからだと思えてなりません。

素延べ作業をする長島さん。手際の良さは群を抜いている。

長島さんは焼入れにおいても、素晴らしい手際を見せてくれました。焼入れは仕事場を暗くして、まとめて作業にかかります。焼刃土を塗る目的も、急冷して刃先をムラなく硬くするためですが、冷却水の入れ物も半端な大きさではありません。大人がトップリ入るほどの瓶《かめ》が土中深くいけてあり、いつでも水が張ってあります。鍛冶屋の焼入れは普通、水槽にチョンと漬ける程度ですが、長島さんは違います。ズブリと入れて、グルグルグルッとかき混ぜるのです。いかにすれば速く冷却させられるか、すべてに行き届いていました。

長島さんと一緒にやった仕事で変わったところでは、サーベル作りがあります。サーベルと言うと、西洋の刀剣全般を指しますが、われわれの作ったのは指揮刀で、刀身が弓なりに撓《しな》る点が日本軍の指揮刀と違います。先端を突き刺しUの字に折り曲げたところでパッと手を離すと、元通りに戻るのが合格品です。これもなかなか難しく、コツを会得するまでは失敗ばかりでした。

巴町（現在の港区虎ノ門）の日本刀剣が米軍の注文を受けて、目黒に工場を設けた昭和二十五、六年のころでした。

特殊な製品なので、かつての刀鍛冶にも手に負えなかったようです。失敗が多く、一日にせいぜい五本もできればいい方だったそうです。先代社長の伊波富次郎さんから長島さんに依頼があり、私にも声がかかりました。材料のバネ鋼は支給されました。

問題は、間《あい》の取り方です。間を取るというのは一種の焼戻しのことで、弱火で短時間赤めることにより、硬い刃に粘りを持たせ、折れにくくする作業です。成形したものに土を塗り、火床で加熱し、水焼入れをするのは刀と同様です。ただし、木炭でなく、コークスの方が温度を一定に保てます。焼き戻す温度は、キツネ色を目安にします。キツネ色は大体一六〇度です。それが冷めて紫色になり、紫色が黒みを帯びてくる、そのタイミングを見計らって曲がりや狂いを直します。そのときはもうバネになっていますから、どんなに叩いても折れません。それがわかるまでは、曲がったり折れたりしたものです。

注文はどんどん来ましたから、一時はそれぞれが一日に二〇本以上もこなしました。

刀の作れなかった戦後、農具に始まり、刃物をやり、長島さんに教えてもらった鉋作りが軌道に乗ってくると、自分はこのまま刃物鍛冶で一生を全うすることになるだろうと思えてきました。東京で刀作りを学んだのは、青春のいい思い出でした。再び刀が作れるようになるとは、思いもよらなかったのです。刃物は刃物で奥が深く、勉強するに従って興味もわいてきました。

千代鶴是秀さんに会ってみたいと思ったのは、そのころです。

工藤治人博士

「鉄」を知り尽くした経営者

幻の「桜ハガネ」

工藤治人《くどうはると》博士の面識を得て、ご指導をいただくようになったことは、私の鉄作り、刀作りに最大の確信を与えてくれました。最初にお目にかかるきっかけを作ってくれたのは、長島宗則さんです。その経緯を語るには、長島さんのもう一つの側面に触れなくてはなりません。

師匠が鋼材をコンコンと叩いただけで用途をたちどころに見極めていた話を記しましたが、長島さんも材料の選定には厳しい方でした。鍛冶屋の技量に甲乙がなければ、良い材料、用途に適した鋼材を使った方が勝ちです。それには、材料を見極める目が不可欠です。しかし、いつでも良材が手に入るとは限りません。そのために、刃物鍛冶は一度に大量の鋼材を買うことが大事とされます。少量ずつしょっちゅう買っていると、ろくなことがないといいます。その度に品質が違っていては、仕事にならないからです。

長島さんも材料は大量に買い込んでいました。いつでも床が抜けんばかりに積んでありました。しかも偉いことに、使い切らずに、その時々の内外の鋼をサンプルとして取り置いていました。数あるその中でも、昭和十年（一九三五）、十一年の桜ハガネは最高だと言っていました。角鋼《かくはがね》と平鋼の二種類があって、一つは五～六分（一・五～一・八センチ）角、もう一つは幅が一寸二分（約三・六センチ）で厚さが二分か三分（六～九ミリ）、長さはいずれも一〇尺（約三メートル）ほどでした。

私ももらって使ってみました。軟らかくて延びやすく、そのうちに油を付けたような艶が出てきます。砂気などの混じり物は全くありません。こんなに軟らかくて、果たして焼入れでうまく硬くなるだろうかと疑うくらいです。ところが、ピタッと硬くなります。何にでも向きますが、高級刃物にはぜひ使いたい鋼です。これを鉋などに使うと、大工さんが研いでサラサラ下りるので気持ちが良く、また長切れもしそうです。私自身、初めて使う最高の鋼でした。

製造したのは、島根県の安来製鋼所です。島上工場の新設とここでの木炭銑生産を決めた大正六年（一九一七）に

工藤治人（くどう・はると）
明治十一年十一月生まれ。
三十五年　京都帝国大学機械工学科を卒業し、住友別子鉱業所に入所。
三十八〜四十三年　ドイツに留学。
大正元年　工学博士の学位を受ける。
五年　株式会社住友鑄鋼所（のち住友製鋼所）取締役支配人に就任。
十一年　戸畑鑄物株式会社専務取締役に就任。
十四年　株式会社安来製鋼所専務取締役に就任（翌年、取締役社長）。
昭和八年　財団法人日本刀鍛錬会顧問に就任。
十一年　日立製作所との合併により同社専務取締役に就任。
十九年　日産重工業株式会社（日産自動車）の生産責任者兼取締役社長に就任。
三十八年十月　死去。

「櫻印」の商標を登録し、以後、同社の製品は一般に「桜ハガネ」と呼ばれた模様です。後の特約店の看板には、桜の花びらの中にYとSの二文字を組み合わせたマーク、下に「雲伯玉鋼製打刃用・鋸用鍛鋼」の表示が見えます。ある時期からは「安来ハガネ」も知られるようになりますが、両者が厳密に同じ製品を指すのかどうかは定かでありません。いずれにせよ、白紙《しろがみ》・青紙・黄紙などと呼ばれる出雲の高級炭素鋼の一つであることは間違いありません。

長島さんとしては、戦後の製品の質が昭和十年、十一年のものに比べてずっと劣ることが不思議で、腹立たしい思いさえ抱いていました。そこで、親しい岩崎航介さんにサンプルを渡し、分析を依頼しました。ところが、なかなか結果を知らせてくれません。じれてしまい、工藤博士のところへ一緒に行き、直接聞いてこようということになったのです。特別にいい鋼ができていた当時の責任者が工藤博士、その下の製造部長兼冶金研究所長が菊田多利男《たりお》さんでした。

＊

鮎川義介と安来製鋼所

岩崎さんの『刃物の見方』によれば、安来製鋼所の技師にサンプルを送ったところ、返事は「分析してみましたが、現在のものと全く同じでございます」ということだったそうです。さて、名人を信じるか、刃物を作った経験のない技師の言うことを信じるか――。結局、分析結果が同じでも科学者が気づかない原因があるはずだと確信し、岩崎さんは自ら突き止めようとされたようです。何年もかかって研究するうち、ある欠点のために長切れする刃物ができないとわかったといいますが、欠点の何たるかは書いていません。どうやら製鋼法が違っていたらしいのです。

岩崎さんは自作の剃刀《かみそり》と顕微鏡まで持参して欠点を示し、安来製鋼所に製品改良の申し入れをしたそうですが、「ほかの方は喜んで使ってくださる」と取り合ってもらえませんでした。そのうちに、樋山慎治さんという日産自動車の研究所幹部から同じ指摘がなされたので、大得意先とあって無視できず、改良が加わることになった、と後日談も紹介しています。

ともあれ、長島さんと私は連れ立って渋谷区大山町の工藤博士を訪ねました。博士は終戦の年に日産重工業（後の日産自動車）の社長を退任された後は、これといった役職に就かれないご様子でした。初めて会う二人の鍛冶屋に、とても親切に接してくれたことを記憶しています。

博士の日本刀に対する功績は、何と言っても靖國鑪の設計と操業の指揮に当たられたことです。靖國鑪は安来製鋼所鳥上工場内に設けられ、昭和八年から十九年にかけて、玉鋼約五〇トンを生産しました。品質の順に鶴・松・竹・梅（上・下）の五段階に選別されたといい、特級品の「鶴」などは驚くほどの感度であったと語りぐさになっていますす。現在の日刀保たたらに遺構が受け継がれていますから、刀鍛冶は今も間接的に工藤博士の恩恵を被っていることになります。博士は日本刀鍛錬会の顧問でもあり、日本刀にも見識を持っておられました。

安来製鋼所に勤務するについては、鮎川義介《あゆかわよしすけ》さんの存在があったようです。住友製鋼所取締役支配人から戸畑鋳物専務取締役に転じた工藤博士は、同社の経営者であった鮎川さんが不振の安来製鋼所を救済するに際して、専務取締役に就任しました。間もなく社長に就き、戸畑鋳物との合併、次いで国産工業に社名を変更した後も責任者としてとどまりました。

鮎川義介さんは栗原先生とも親しく、赤坂にお見えの際に、玄関番の私が幾度か応対しています。日産コンツェルンを率い、軍部と提携して満州開発を手がけたことなどから、一般には「政商」という解釈をされがちですが、元はエンジニア起業家でした。

若いころ、大叔父である明治の元老井上馨《かおる》から「これからは技術の時代だ」と説かれ、エンジニアを目指します。東京帝国大学工科大学を卒業後、学士の身分を隠し見習工員として芝浦製作所に就職します。後に米国の鋳物工場にも工員で潜り込み、身をもって可鍛鋳鉄の先端技術を習得します。帰国後、設立したのが戸畑鑄物でした。

安来製鋼所を引き受けたのは、「和鋼の法灯を絶やしてはならない」という思いがあったからだと伝えられています。気概といい、信念といい、栗原先生と相打つものがあったのではないかと思います。

＊

伝統の地で新和鋼を作る

聴きたかったのは、昭和十年、十一年ごろの桜ハガネがなぜ特別に良かったのか、現在の鋼がなぜ駄目なのか、その上で、あの鋼を再び作ってはもらえないか、ということでした。工藤博士の答えは、われわれが期待するような明確なものではなかったと記憶します。科学的・技術的な説明は聞いても理解できなかったと思いますが、それにはあえて触れない配慮が感じられました。われわれの動機は認めるにしても、製造の核心部分であり、経営を退いた立場で明らかにできないことは、考えてみれば当然でした。

工藤博士が安来に着任したのは大正十四年、離任は安来製鋼所が日立製作所に合併し、顧問として転出する昭和十二年五月と思われます。今、『安来工場百年の歩み』から、この間に工藤博士の名前が登場する事項を拾ってみると、

・海綿鉄の研究開始（昭和二年）
・エルー式電気炉設計製作、電極三相となる（同年）
・精錬、鍛錬、熱処理の現場技術の再教育に全力を尽くす（同年）
・新和鋼、海綿鉄完成（昭和三年）
・航空機用鋼材の生産を企画、電気炉鋼の優秀性を理論的に詳述し、後日、電気炉鋼が陸航本規格として認められる（昭和四年）
・鉄道省工場業務研究会において講演、「和鋼に就て」（昭和五年）
・木次工場で電気炉を用いFe-Niの精錬を開始、自家用に供す（昭和八年）
・日本刀鍛錬会の靖國鑪工場を経営し、玉鋼の生産を再開（同年）

記録されている従業員数を見ると、昭和二年の四三人から、七年、大台の一六九人に増え、翌年も三二四人と倍増、十二年には七九九人に達します。そして終戦の二十年には史上最高の五七七七人（うち学徒・女子挺身隊《ていしんたい》一四三六人）を数えますから、軍事的背景もあったとはいえ、工藤博士就任後の再建と急成長は明らかです。経営者としても一流であったということでしょう。

右の講演を再録した冊子を見ると、安来製鋼所が砂鉄を

鳥上の鉄穴流しを視察する工藤博士(右)と日本刀鍛錬会・倉田主事(中央)。

いかに大量に消費していたかがわかります。昭和九年の秋から十年の春にかけて、出雲の奥地から伯耆にかけて五一カ所の鉄穴場《かんなば》を設け、砂鉄を採集したそうです。当時は含有量一～三パーセントの砂鉄を水で流して比重選鉱することにより、大量の土砂を流出することになります。そのために、春の彼岸から秋の彼岸までは鉄穴流しを休止するのが習いでした。しかし、半年間の操業でも、年末に千駄祝いをした鉄穴場があり、春に千駄祝いをしたところは珍しくなかったそうです。一駄は三〇貫ですから、千駄は一一二・五トンです。全体では一万トンに近かったでしょう。

　これほどの砂鉄は何に使われたのでしょうか。多分、靖國鑪で消費するのはごく一部で、大半は「新和鋼」「浄精鉄」「海綿鉄」などの生産に充てられた模様です。

　安来製鋼所でも世界大恐慌の影響を受け、昭和六年には原料鉄の原価が大幅に低減できたものの、製品価格が低落し、営業はきわめて不振に陥っていました。翌年、満州事変が起こり、金輸出を再禁止し、軍需インフレ政策が採られると、景気は上向いていきました。輸入鋼の暴騰という追い風も吹きました。その後に登場したのが、超優良の桜ハガネであったと思います。

　昭和十年ごろと言えば、台湾・朝鮮をはじめ、外地や外国にどんどん刃物を輸出した時代です。刃物工場の職人仕事がもてはやされ、一流の刃物鍛冶になることは、学問のない者でも財産家になれる近道だと言われたほどです。優れた材料が求められて当然でした。

　工藤博士が、自ら陣頭に立って炭素鋼の開発と製造に当たっていたことが、お話からよくわかりました。念頭には、出雲という伝統の地で、和鋼の利点を最大に生かし、ヨーロッパの製品に負けない品質をつくり出す理念がありました。それから後は、戦時体制、敗戦、戦後の混乱と、たかが刃物用の鋼にさえ逆風が吹き荒れたのでした。

＊

「謎の中世」を解く

この初対面から五、六年して、私は再び工藤博士を訪ねます。刀を作れるようになり、古刀の再現と「鉄」という深刻な問題に突き当たったときでした。そこで初めて「中世は銑《ずく》である」と告げられたのです。

その後も上京し、重ねて教えを請いました。手紙でも再々お尋ねしました。紹介状をもらって出雲に鉄を訪ねたくだりは、既に記しました。

私が病に伏し、お目にかかれなくなってから、博士に頂戴した最後の手紙二通を紹介させていただきます（ルビは著者）。

天田誠一殿

工藤治人

良い季候《ママ》になりました。御健勝でありますか伺い上げます。私ハ近来大変に弱りました（数えの八十六歳です）。別に病気らしいものはありませんが、全体として弱って居ります。座って居れば読み書きとか謡《うたい》なぞも致しますが、歩くとなればさっぱり駄目で、人生の末路を正《まさ》しく歩んで居ります。存命中に肌鍛えの立派なものを見る事が出来なかった事が頗《すこぶ》る残念に存じます。

木目を見せる黒い筋は鉄滓であり、大宮盛景の時代の備前のタ、ラの産物は勿論銑鉄（白銑）であったので、銑を左下場で鋼に卸し、尚更に本場で庖丁鉄に卸したものを使ったに相違ないと思ひます。

今日は精鋼を得るためには、鉧を初めに高く焼いて鉄滓を流動状にし、鎚で絞って鉄滓を除去しますが、盛景は此の鉄滓除去をして居ないと思ハれます。即ち、出来る丈け低温鍛錬をして居ると思ひます。併し炭素の高い鋼は低温鍛錬が出来ぬので、左下場で出来た鉧と、本場で卸《さ》げた庖丁鉄を合ハせ、何《いず》れもの持って居る鉄滓を逃がさぬ様、出来る丈《だ》け低く焼いて鍛えたものと考へられます。低い温度で叩いて傷の出来ないためには鋼の炭素の低い事を要するので、鉧の炭素を低くするために庖丁鉄を交ぜ鉄滓をも増加して居るものと思ひます。

鉄滓除去のための高熱作業をせぬ
低温鍛錬を上手に行ふ
低温鍛錬を可能ならしむるため出来る丈け低炭素

にする
大体右様の心得が大切で、盛景の低温鍛錬が上手であったことハ間違ゐないと存じます。
此の冬から春にかけて日本海沿岸地方は豪雪、又九州四国東海道は豪雨の様でありましたが、東京ハ一昨年頃から大雨はなく雷らしい雷も降らず、昨年から引続き節水で不自由して居ります。お大事に。　　　敬具
五月廿七日
治人
天田誠一殿

先月御手紙を差上げました後死病にとりつかれまして今ハ自宅で苦しんで居ます。
御送付の文献も一寸拝見しましたが、肌ギタエにチタンがどれ丈の効能があったか分りません。此の文献ハ病院でなく御宅の方に御返し、て置きました。今にチタンは、主にステーンレスに用ゐる事となりませう。
肌ギタエには先日申上げました様に、①打上げた時C〇・四五～〇・五になる様に素材を選ぶ事、②初め高温に熱して除滓する和鋼独特の作業をしない事、つまり鉄滓を残す事、③心金を用ゐず丸ギタエにする事、④なるべく低温に焼く事、⑤折りかへしハ少くする事
私生きてる内に何のお役にも立ちませずお恥かしい次第に存じます。
今ハ甚だ苦しい苦しいで毎日を送って居ます。見舞客にお会ひする事難有《ありがたい》と存乍《なが》ら苦しい、殊に見舞品なぞ貰ひますと非常に困ります。穏やかに静かに逝かせて頂き度いと思ふて居ります。　　　敬具
昭和三十八年七月三十日

工藤治人博士は、この手紙の二カ月半後に亡くなられました。私はそのことをすぐには知らず、知ったときに悔やみにも行けず、教えていただいたことを試みることもできない体でした。

博士の最後の言葉を、鍛刀界の若い諸君はどのように受け止めるでしょうか。

今も工藤博士の教えは、私の行き方の大きな部分を占めています。

千代鶴是秀さん

一度だけの出会い

使う人の身になって作る

長島宗則さんに教わった鉋《かんな》作りが何とかものになり、東京の問屋さんに納め始めたころですから、昭和二十五年（一九五〇）ごろのことです。浅草橋界隈には刃物や道具を扱う問屋がたくさんあり、その一軒でした。用事が済んで帰ろうと、店の奥の神棚にひょっと目が行ったとき、小刀らしいものが上がっているのに気がつきました。

「あの品物は何ですか」と聞くと、桐箱ごと下ろして、見せてくれました。鉈豆《なたまめ》形の切り出しで、地には魚子《ななこ》が蒔《ま》いてありました。箱書きには作者の名とともに、作品の銘もあったと思います。これは並の刃物ではない、まるで美術品だ、と感服しました。作りがすべてに行き届いて、握ると手にしっくりきます。「いくらいくらでも売れないよ」と主人の言った金額が思い出せませんが、その言葉から尋常ではない愛着が伝わってきました。それが千代鶴是秀《ちよづるこれひで》さんの作品だったのです。

ぜひ一度お会いして話を伺いたいと思って、岩崎航介さんに相談すると、岩崎さんはまだ面識がなかったのでしょう、彫刻家の朝倉文夫先生に紹介してくれるよう取り次いでくれました。

朝倉先生は千代鶴さんと懇意で、作品も数多く所蔵しておられたことが白崎秀雄著『千代鶴是秀』に出てきます。

あるとき、篆刻《てんこく》家の楠瀬日年《くすのせにちねん》先生が朝倉邸を訪ねた折、植木職人の使う鋏《はさみ》の音に交じって、一挺だけ高く澄んだ音がするのに気づいた。それは、朝倉先生の使う千代鶴さんの作だったのです。その鋏が職人のよりも早く動き、力を入れずに軽く切れてゆく様を、楠瀬先生は「まるで鈴を振るようだ」と評しています。

同書は、千代鶴さんがその鋏を納めに来たときの言葉も記しています。

「植木鋏ってものは、どうも食い切れただけでは面白くありません。食い切ってからパッチリと気持のいい音が出なくっては」と言い、果たして朝倉先生がときどき使っているうちに「こういういい音になってきた」と。

「姿かたちにも気をつかうんでしょうな」との朝倉先生の問いには、「いえ、姿かたちを先に考えることはございません」と答え、「少しでもよく切れるようにと工夫をしてますうちに、姿かたちはととのって来るもんで。使ってみて具合のいいものはどんな道具でも、姿かたちがいいようでございます」と述べたそうです。

確か東横線中目黒駅で降り、大通りを折れて坂を上っていったと思います。簡素なお住まいに、老夫婦がお二人でおられました。大変丁重に扱っていただいたことを覚えています。

「私も下手ながら鉋をやっています。ぜひ教えていただきたいと思って伺いました」と言うと、千代鶴さんは黙って席を立たれました。私の作った鉋も持参したはずですが、批評を聞いた覚えがありません。千代鶴さんは小さな箱を私の前に置き、「天田さん、開けてご覧なさい」と言われました。中には、鉋屑《くず》が入っていました。「どうぞ、手に取って、延ばしてみてください」と言うので、おずおず引き出しますと、これがとても長いのです。十数メートルもつながっていたでしょうか。その薄さといったら、透き通って向こうが見えるほどで、しかも、何とも言えぬ艶があります。

「これは、宮内庁の仕事をしている大工さんが片手で引いたものです」と説明がありました。三寸（約九・一センチ）幅の仕上げ鉋で、用材の端から端まで流したものでしょう。こういうものを見せられると、あらかじめ聞こうと思っていたことなど、頭からすっかり失せてしまいました。強烈な印象でした。

浅草橋の問屋さんで鉈豆形の切り出しを見たときは、千代鶴さんは道具を工芸品や美術品のように作っておられてすごいな、と思いました。鍛冶屋の仕事ではないと思いました。それは、偏った見方でした。目の前の鉋屑は千代鶴さんに代わって、私に「使う人の身になって作れ」と諭しています。千代鶴さんの偉さがあらためて理解されました。

長島さんは間違いなく刃物の名人ですが、千代鶴さんはまた別の世界の、名匠というか、大変な人物です。仕事に関して盤石なものを持ち、一段と高い世界に引き上げています。芸術家や文化人など、第一級の方たちとの交流も深

千代鶴是秀（ちよづる・これひで）
明治七年七月　東京・飯倉に二代長運斎綱俊（運寿是俊）こと加藤助一郎の三男として生まれる。本名・廣。
十七年　叔父の石堂是一に入門。
二十六（二十七？）年　是一の長女・信と結婚。
昭和三十二年十月　死去。

く、その方たちが一目置くだけの存在でした。刀鍛冶にも立派な方はいましたが、千代鶴さんの比ではありません。人品骨柄も立派でした。

千代鶴さんの作品は今、とても高価だと言われます。それに、しかるべきところに収まり、取引の対象になっていないかもしれません。当時でさえ、きわめて手に入りにくいと聞きました。値段も、驚くほど高かったそうです。値段というのは、結局は世間の評価ですが、千代鶴さんの場合は自分自身が初めから、群を抜く高値を付けていたそうです。

そう聞くと、腕一本でいかにも財をなしたように受け取られます。ところが、千代鶴さんは見るからに清貧を貫いているようでした。その理由は、すこぶる寡作《かさく》であったことです。注文を受けると、作品の構想と研究に多くの時間を費やしてしまうのが常でした。高い代金をもらっても、労力と時間がかかりすぎては、安い仕事をしているのと同じになってしまいます。鍛冶屋は経済のためなら、多少安くても、どんどんこなした方が有利と言えます。その点でも、千代鶴さんは並の鍛冶屋と全く違いました。

＊

刀剣会の千代鶴評

「この年になると、適当にしかできないが」と言って、仕事場にも入れてくださいました。弟子はおらず、炭切りや先手は奥さんが手伝っているとのことでした。

千代鶴さんのおじいさんは新々刀期の有名な長運斎綱俊、お父さんは岩国の青竜子盛俊に学んだ運寿是俊です。また、おじいさんの兄は長運斎綱英で、その嗣子が固山宗次《こやまむねつぐ》です。おじいさんの代のとき、姉さんの子政太郎を長女の婿養子に迎え、江戸石堂家の株を買って家督を継がせます。この政太郎が幕末の名工、石堂是一《これかず》です。石堂家には子がなかったので、千代鶴さんのお父さんの弟、つまり叔父さんが順養子に入ります。ちなみに、千代鶴さんの奥さんの信《のぶ》さんは、石堂家の長女ということです。

こうして見ると、千代鶴さんの生まれは刀の世界そのものです。五〇年も前に生まれていたら、間違いなく幕末の名刀匠になっていたでしょう。誕生した明治七年（一八七四）はまさに廃刀が決する時期であり、夫妻の両親の代が家業の移行期でした。

刀の話はしませんでしたが、千代鶴さんも若いころは玉鋼を使っていたとのことでした。洋鋼が普及して刃物の作り方は一新しますが、それ以前は、鍛錬といい、焼入れといい、刃物と刀の技法は近似していました。

前記の『千代鶴是秀』によれば、明治三十三年の刀剣会（中央刀剣会の前称）に刀を出品したことがあるそうです。

当日、公開で行われる鑑定会を傍聴に行ったところ、鑑定員の間で次のようなやりとりがあったと記します。

「さあて、この刀は長運斎千代鶴是秀と銘を切ってありますが……」

と、幹事の一人別役成義《べっちゃくせいぎ》がいう。

「備前伝の作風だが、新作刀のようじゃないところがあります」

これは本阿彌琳雅。

「あたしの考えでは」と、子爵の松平頼平《よりひら》は最後にいった。「これは無銘の古刀に今の人が銘を切ったもので、出品者がわれわれの鑑定力を試されたように思いますな」。

そういうものなら、この作は出品作として記録にはとどめないことにしよう、と誰かがいい足し、千代鶴の新作刀の合評はそれで終わった。

千代鶴さんは後年、楠瀬日年先生に刀工の家に生まれながら刀を鍛《う》たぬ所以《ゆえん》を尋ねられ、右の逸事を物語った後、「あたしはこのとき以来、刀を鍛っておりません」と締めくくったというのです。

＊

東郷ハガネの誕生

私は最後に、思い切って鋼のことを聞いてみました。

「私のは大体、大正ごろだね」と答えられました。三〇年前に材料を、やはり大量に買っておられたわけです。長島さんの話でも、大正ごろのヨーロッパの鋼は素晴らしかったそうですから、千代鶴さんの鋼も輸入品だろうと確信しました。

岩崎航介さんの『刃物の見方』は、研究のために千代鶴さんを訪問し、「鋼は国産では何を使っておられるか」と質問した際のやりとりを載せています。

「国産の鋼は使いません。何十回も見本が届けられてきますが、まだ一回も使ったことがありません」「何故使わんのですか」「切れ味が悪いからです」。

『千代鶴是秀』には、千代鶴さんや従兄の石堂秀一さんが使った鋼は、英国のワーランデッド・スチール社製やトーマスだったとあります。また、木屋の加藤俊男さんが聞いた話として、「スウェーデンです。鋼屋の河合さんから炭素量百分の一のものを目安にもらってました」という談話を紹介し、明治三十年代のある年の出来が良かったので、有り金はたいて買い、残り少なくなったが今も使っていると聞いた、と続けています。

私が聞いた話と少し違いますが、加藤さんは私と同じ世代の方らしいので、聞かれたのは私の訪問したころかもしれません。

「鋼屋の河合さん」が日本橋の河合鋼商店（現在のカワイスチール）であることは、間違いないでしょう。元は金物や打刃物、和鋼・和鉄を扱っていたそうですが、明治二十三年の『東京買物独《ひとり》案内』に「和洋鋼鉄問屋」として所載されているそうですから、既に洋鋼の輸入・販売も相当量手がけていたものとみえます。このころで、欧州からの鋼鉄の輸入量は、国内生産の数倍に達していたといいます。

洋鋼が入ってくると、刃物の世界はどうなるか—。土佐山田では明治二十年代、ある鍛冶屋が播州三木で手に入れた洋鋼を持ち帰り、弟に使わせたのが始まりだそうです。一年間はひそかにしていたが、できる大鋸《おが》（木挽き鋸）の量が多すぎると周囲から不審がられ、とうとう白状してしまった。その結果、土佐山田の鋸鍛冶の能率向上は三倍や四倍の比でなく、一気に生産量が増えたといいます。

同じく大鋸の産地で知られる滋賀県甲南町では、明治四十年ごろに洋鋼の使用が主流になり、和鋼使用の鋸は一割程度だったそうです。和鋼に比べると、洋鋼製品の代金は四分の一ですが、材料代は二分の一、鍛冶屋の手間は五分の一と、洋鋼製ははるかにコストがかからず、もうけも大きかった模様です。

玉鋼などの和鋼・和鉄が洋鋼に駆逐されてゆくのは、その理由です。和鋼・和鉄の処理には特殊な技術を要し、木炭の消費量も数倍です。また、洋鋼は品質・形状・寸法の種類が多く、目的に合わせて選ぶことができました。

河合鋼商店に勤務し、娘婿《むこ》になって二代河合佐兵衛を名乗った方が、大変な経営革新を図ります。まず、日露戦争の日本海海戦大勝利で子供にまで知られる東郷平八郎大将を訪ね、鋼の商標名に名前を使うことをお願いします。こうして誕生したのが「東郷ハガネ」です。商標登録は明治三十九年、すなわち日露戦争終結の翌年ですから、驚きです。全国津々浦々の鋼屋には後々まで、東郷元帥の似顔絵を配した東郷ハガネの看板がありましたから、ご記憶の方もいらっしゃるでしょう。

次いで河合鋼商店では、規格品を開発します。従来の洋鋼には粘りがなかったので、取引先である英国のアンドリュー社に和鋼を送り、これと同様の粘りのある材質をと依頼したところ、「昔はこれと同様の品を製造したが、今はできない」との返事であった。そこで、世界各国の鉱石で試作をし、スウェーデンのダンモネラ鉱山で得られるものが良いとなり、所期の規格品が完成したそうです。

東郷ハガネ製造所としてアンドリュー社のほか、スウェーデンのフーホース社とドイツのバイルドン社を挙げていますから、日露戦争以後の急激な需要増にこたえつつ、国内の鋼市場のシェアを押さえていったことが想像できます。

千代鶴さんは明治三十年代のある年の鋼と言ったそうですが、あるいは、四十年代の記憶違いまたは誤記の可能性も否定できません。工藤博士が高品質の桜ハガネを開発する際、強く意識したのも、この粘りある東郷ハガネではなかったかと想像しています。

販売促進策の一つともみられますが、河合鋼商店が『洋鋼虎《とら》之巻』（明治四十一年）、『鋼鉄大観』（大正五年〈一九一六〉）、『東郷ハガネ虎の巻』（同六年）などを出版し、希望者に無償で頒布《はんぷ》したのも画期的でした。これらには鋼の知識とともに、熱処理などの取り扱い方が詳しく記されています。

明治43年当時の河合鋼商店。「東郷ハガネ」の看板が見える。

東郷ハガネと総称しても、いろいろあったようです。社史『河合鋼鉄一一一年のあゆみ』で見ると、明治四十一年の丸棒ベース一キロ当たりの価格は、最高の「レイレイ号」で五円三五銭、次いで「レイ号」が一円八五銭、最低の「黄紙秤《はかり》印」が一六銭です。黄紙秤印の一六銭は、当時の米一キロと同じ値段です。最高と最低の価格差は実に三三倍強ですから、良い材料を買うのは、一般の鍛冶屋には決して容易ではありませんでした。

大正三年、羽山円真《はやまえんしん》は東郷ハガネをもって日本刀を作り、兜の試し斬りをしたといいます。兜は真っ二つに切れ、硬さも靭性《じんせい》も強いことが証明された、と社史は記します。この刀と兜は、東郷元帥に贈られました。円真が洋鋼で刀を作ったとはしばしば聞きますが、それが東郷ハガネであったわけです。

＊

包丁鉄へのこだわり

以上の話は鋼、すなわち刃金として用いるものです。日本の刃物は欧米などと異なり、全鋼《まるはがね》は一部に限られ、ほとんどは付け鋼で作ります。すると、刃金を付ける土台、つまり地金が要ります。それも、刃金よりはるかに多い量の地金用材が必要です。一時、橋脚に用いられていた「並鉄」が鉋の地金として珍重されたことは既述しました。

千代鶴さんが一貫して使っていた地金は「日本鉄」だったと、『千代鶴是秀』は再々記しています。日本鉄は雲伯地方に産し、夾雑物が少ないために軟らかくて粘りがあり、研ぎやすくてしかも強靭な、理想の地金だった、とあります。一般に「並鉄《なみてつ》」と呼んでいたドイツ製の舶来品などは、柔軟さでは必ずしも日本鉄に劣らなかったが、粘力の点で遜色があった、とも書いています。

第一次世界大戦の勃発で、それまで一貫目（三・七五キロ）が八〇銭か八五銭だった日本鉄は、一気に三円五〇銭から三円八〇銭にまで跳ね上がったそうです。大戦が終わっても、日本鉄はジリ高を続けました。中国山地の鑪《たたら》製鉄が終焉《しゅうえん》に差しかかったからです。当時、並鉄は古いものでも一貫目当たり二〇銭ぐらいで、対する日本鉄はその二〇倍もしたとのことです。

千代鶴さんは日本鉄を、四谷の釘萬とか浅草並木の井坂などの金物屋で買っていたそうです。長さ二尺五寸（約七五・八センチ）ぐらい、幅四寸（約一二・一センチ）、厚みが四〜五分（一・二〜一・五センチ）で、重さが三貫目（約一一・三キロ）前後の、不揃いなインゴットを「大元《だいげん》」と言い、それをちょうど半分に割り、幅二寸（約六・一センチ）ぐらいにしたものを「小割《こわり》」と称したそうです。小割一本の値は五〜六円で、それで鉋が一〇枚ほどできたといいます。

日本鉄とは、われわれが「包丁鉄」と呼ぶ錬鉄でした。包丁鉄は小田川兼三郎さんのような大鍛冶屋が、銑《ずく》や歩鉧《ぶげら》を除炭して製品にしたものです。鑪の火が消えてからも包丁鉄に固執し、鉋の地金としていた鍛冶は、千代鶴さん以外に、ほとんどいなかったと言っていいでしょう。

余談が長くなりましたが、たった一度だけお目にかかった千代鶴是秀さんは、長島宗則さんと並んで、仕事に対する根本の構えの大事さを私に教えてくれた方でした。

※本項は掲示の文献のほかに、香月節子「近代洋鋼の普及とある刃物産地の成立—伝統技術の継承と変容」（鉄の歴史—その技術と文化」フォーラム第三回公開研究発表会講演論文集、平成十三年）、香月節子・香月洋一郎『むらの鍛冶屋』（平凡社、昭和六十一年）などを参考にしました。

中島宇一さん

刀に心を求めた研師

大村邦太郎さんに兄事

中島宇一《なかじまういち》さんとのお付き合いは、私の刀鍛冶人生の大半に及んでいます。単に長いというだけでなく、深いところで啓発を受けた方でした。先に記したように、自家製鉄に取り組む決断を促したのも、中島さんの一言でした。壁に突き当たり、「これまでかもしれない」と消沈していると き、中島さんの言葉が迷いを振り切り、勇気を与えてくれたこともしばしばでした。

しかし、中島さんは励ましを言われたわけではありません。むしろ逆であって、真実とは何か、それに到達する道がいかに困難かを、寡言《かげん》に説くのが常でした。それでも心を動かされたのは、刀の研磨を通して、古今の作者の心に迫ろうとする姿勢がありありとうかがえたからです。並の研師ではない、哲学者のような方でした。

明治三十六年（一九〇三）三重県に生まれた中島さんは両親とともに広島に移り、ここで成長しました。米屋を営んでいたお父さんの亀吉さんは、刀の趣味が高じて本業を放り出し、とうとう研師になってしまったほどで、こんな環境が中島さんに研ぎへの道を開いたのでしょう。二十二歳のとき、発起して神戸の研師山本七造さんに入門し、本格的な修業に入ります。

しかし、当時、この年齢での入門は尋常でありません。うかがったところによると、映画雑誌の編集に携わり、映画と酒に明け暮れる日々を送っていたこともあるそうです。遊びにかけては人後に落ちない亀吉さんから「長男でなかったら勘当だ」と言われたくらいですから、かなりな放蕩《ほうとう》を続けた時期があったのかもしれません。

戦前、広島の刀剣関係者で最もよく知られるのは、月刊『刀剣工芸』主幹の大村邦太郎さんです。中島さんの十五、六歳年長ですが、大村さんは刀ばかりでなく、私生活も含めて中島さんに大きな影響を与えた方だとみています。

大村さんは広島の大きな質屋の長男に生まれ、旧制中学を卒業した後、一年間アメリカでの生活を体験します。帰国後は家業の手伝いを経て証券販売を始めますが、店員の

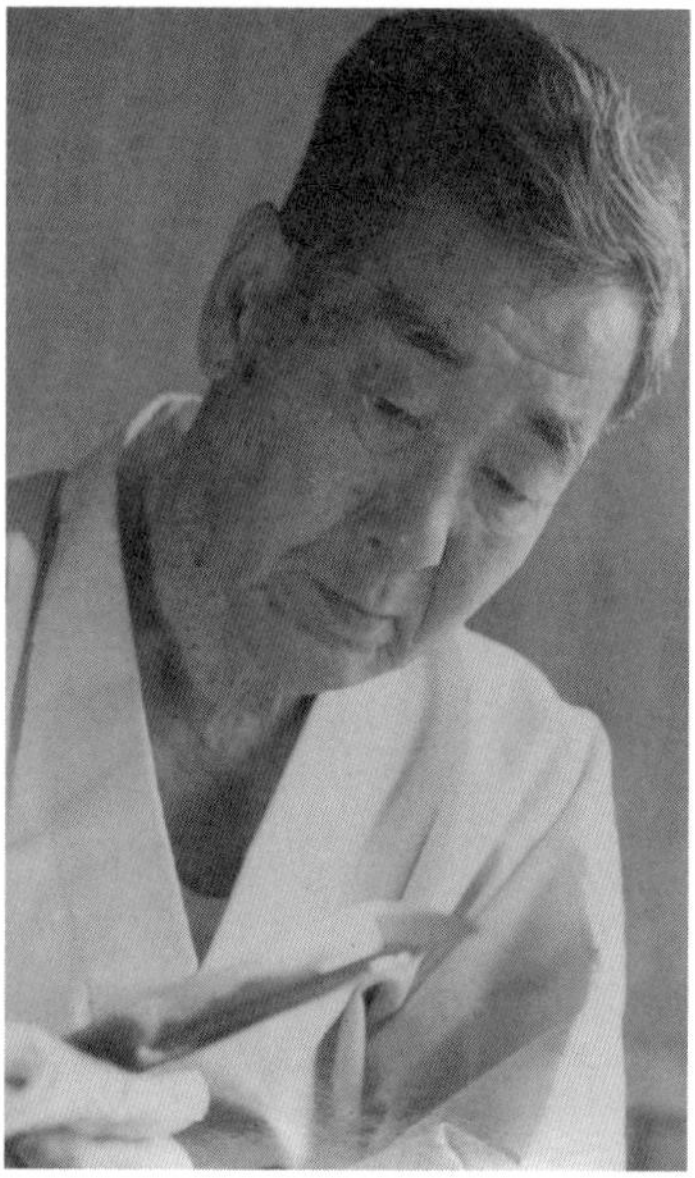

中島宇一（なかじま・ういち）
明治三十六年九月　三重県に生まれる。のち広島県に移住。
大正十三年　神戸の研師・山本七造に入門。
昭和十一年　上京し、四谷荒木町で開業。
十四年　新作日本刀展覧会研磨の部で文部大臣賞を受賞。
二十年　長野県に疎開（二十七年、千葉市に移住）。
二十一年　銃砲等所持禁止令に基づく刀剣審査の委員を委嘱される。
二十八年　千葉県から刀剣登録審査員を委嘱される。
三十年『源清麿』を出版（三十五年に補遺版、四十八年に全面改定版を刊行）。
五十年　勲五等瑞宝章を受章。
五十三年　千葉県無形文化財保持者に認定される。
平成六年十二月　死去。

失敗から閉鎖のやむなきに至りました。大正十一年（一九二二）、上京して弟の経営する出版業大村書店を手伝いながら、本格的に刀剣研究に取り組みます。三年余りで帰郷すると、それからは刀一筋となります。

余談になりますが、刀剣商の藤代義雄さんが檜舞台に登場する道筋をつけたのは、この大村さんだと言われています。大村さんは刀の通信販売を発案し、藤代さんに東京と広島の東西呼応してやろうと説いたそうです。それが大正十五年でした。『通信刀剣目録』（後の『藤代月報』）はこうして生まれました。

また、藤代さんの最初の著作『源清麿《きよまろ》の銘』は昭和六年（一九三一）、大村書店の発行です。その序文に「……何としても止み難いのは刀の我々に命ずるまことであります。私共は正しき刀屋の名に於《おい》て、その損《そこな》はれたる矜持《きょうじ》と信用とを恢復せんがためにのみ、この発表をしました。教へんため――それは思ふだに恥《はずか》しき次第であります。この書は徹頭徹尾『弁明』の書であります」と記すのは、本書への大村さんの深い関与と、出版に至る事情を物語っています。実は、藤代商店で販売した清麿が『刀剣研究』誌上で川口陟《のぼる》さんによって偽銘《ぎめい》とされ、返品に至る経緯があり、本書をもって反駁《はんばく》し、刀剣商の意地を示したのでした。以後、藤代さんは多くの著作を発表し、「新刀の藤代」の名を不動のものにしました。

中島さんが本格的な修業を志すのは、大村さんが広島に帰る時期と符合します。中島さんは大村さんから薫陶を受けたと自ら語っていましたが、異例の年齢での入門も、大村さんとの出会いがきっかけとみて間違いないでしょう。

若いころの中島さんの写真を見ると、職人の印象からは程遠く、モダンボーイそのものです。こうした側面にも、刀剣人というより文化人の香りを漂わせる大村さんに共通するものを感じます。

*

清麿と共にあった生涯

さらに、中島さんにとって最大の転機となったのは、大村さんに見せられた一振の刀でした。それが、源清麿だったのです。

清麿は文化十年（一八一三）、信州赤岩村（現在の小県《ちいさがた》郡東部町）の名主山浦家の次男に生まれました。本名を内蔵《くらの》助環《すけたまき》といいます。兄真雄《さねお》とともに鍛法を修め、天保三年（一八三二）松代で独立しました。初銘を正行と切ります。号一貫斎。同五年、江戸に出て松代藩士柘植《つげ》嘉兵衛の紹介で幕府講武所の寄合窪田清音《すがね》の教えを受け、十年には武器講により作刀しています。十二年、長州萩に下り、十五年には信州に帰りました。弘化二年（一八四五）から江戸四谷北伊賀町の組屋敷に住み、清麿と改めます。安政元年（一八五四）十一月十四日、自刃。四十二歳。

清麿の作品は今、愛刀家の間で古名刀をしのぐばかりの支持を得ています。新々刀にしては異例です。命日に供養を兼ね、故人をしのんで作品を鑑賞する「清麿会」は、既に五〇回を数えます。なぜ、それほどまでの人気があるのでしょうか。酒を好み、勤王運動にもかかわったといわれ、自死という最期を遂げた劇的な一生も、評価を増幅しているのかもしれません。

しかし、作品に魅力がなくては、いかんともし難いのが刀の世界です。清麿の場合、南北朝時代の名工志津兼氏《かねうじ》らに私淑しながら、清麿でなくてはなし得ない独特の作域を築き上げています。技術的に見て多少の難はあっても、みなぎる覇気がそれを補って余りあります。古名刀の味わいと品格には達しなくても、見る人を打つ何かがあります。

刀は、見る人によって受け取り方を異にする場合もしばしばです。感動は、言葉に表し切れないものです。清麿を見て中島さんが何を感じたか、うかがうべくもありませんが、よほどの衝撃を受けたのでしょう。その後の中島さんの人生は、自らを清麿にあざなうようにして推移していったと言えます。

昭和十一年、中島さんはお父さんが亡くなると、やはり研師であった弟の利寿《としひさ》さんに身代《しんだい》を譲り、上京します。居を構えたのは、清麿晩年の故地に程近い四谷荒木町でした。

四谷は、私にとっても思い出の多い土地です。兄弟子の今野昭宗さんが高子さんと結婚して住んでいましたし、栗原先生の有力な後援者だった松本家のお屋敷が駅前にありました。先代の留吉さんは亡くなって、藤倉電線社長は長男の新太《あらた》さんでしたが、しばしばお使いで伺ったものです。

栗原一門と中島さんとの親しい関係は、やはり大村さんの紹介で始まったのではないかと思います。大村さんは新作日本刀展覧会の初期の審査員であり、栗原先生とも昵懇《じっこん》でした。私が入門したころには、中島さんは既に赤坂に親しく出入りされておられました。一門の宮入昭平・若林昭寿・近藤昭国ら各兄弟子も、ひんぱんに中島さんを訪ねていました。作品について、研師の立場からの批評をもらい、それぞれ参考にすることも多かったと思います。

私はもっぱら、栗原先生の作品や蔵刀の研磨をお願いに行く役目でしたが、そのたびにいろいろな話を伺うことが楽しみでした。

昭和十四年、新作日本刀展覧会研磨の部で中島さんは最高賞の文部大臣賞を獲得します。中島さんが修業したのは差し込み研ぎという古典的な方法でしたが、このころには白く刃取りをする現代の研磨法も修練を積み、第一人者になっておられたわけです。

戦時中は刀鍛冶も研師も、そのほか刀関係の職人すべてが例外なく多忙で、潤った時期でした。軍刀の需要が急増し、それこそ眠る時間さえなかったそうです。けれども、中島さんの仕事ぶりは従来とあまり変わりませんでした。軍刀は研いでも、「軍刀研ぎ」と言われるような、ただ刃を付けて光らせるだけの研ぎは断固として受けませんでした。閑暇さえ許せば、刀の研究に充てるのを当然としていました。上京した目的の一つがそれであったそうですから、ここにも中島さんの面目躍如たるものがあります。

＊

長野へ、そして千葉へ

しかし、東京の下町が焦土と化した二十年三月十日の大空襲を見て、やむなく疎開することを決意します。転居先は長野県坂城町、宮入さんの好意によるものでした。清麿の故郷に近かったことも、中島さんを郷里の広島でなく信州に向かわせた理由だったでしょう。当地には鞘師の沓掛《くつかけ》貞雄さんがおられ、先に東京から疎開していた研師の佐埜《さの》善照《ぜんしょう》さんと中島さんとで三羽烏と呼ばれたそうです。宮入さんはこのような優れた方々の間で、身をもって切磋琢磨できたのですから幸せでした。

敗戦を境に、日本刀を取り巻く環境が一変したことについては再々触れました。この年十月に至り、武器引き渡しの除外例として、善意の日本人が所有する美術的・骨董的価値のある刀剣類は審査の上で保管を許す、とGHQの覚書が発せられますが、実際には全国で無差別の接収が行われました。審査する権限が連合国側にある点が、何よりも問題でした。

昭和15年４月。左から宮形光盧・中島宇一・北原十三男・三好行光・大村邦太郎・４代越水盛俊・藤代義雄。

そこで関係者が折衝を重ねた結果、刀剣類の保有に進展が見られ、その審査も日本側に委ねられることになりました。二十一年六月には勅令第三百号「銃砲等所持禁止令」が公布になり、秋からはいよいよ審査が始まります。中島さんはそのときの六〇人の一人に選ばれ、大村清一内務大臣から審査委員を委嘱されています。

審査の結果、所持の許可された刀剣類は、全国の警察署に届け出のあった約九万七〇〇〇振のうち約七万三〇〇〇振であったといいますから、まだまだ秘匿している刀が圧倒しています。

長野時代の三羽烏のうち、佐埜さんは戦後も坂城にとどまり、宮入さんと相添うようにして一生を全うされました。沓掛さんは後に上京、中島さんは二十七年に千葉市幕張町に移ります。特にゆかりのない土地に住むについては、刀を介したつながりがありました。特に仲村城一郎・渡辺昇両氏の熱心な勧誘があり、渡辺さんは中島さんを迎えるために宅地と材木を提供されたほどです。

この地と愛刀家の気質は、中島さんとよほど相性が良かったものでしょう。千葉刀剣研究会の例会には自宅を開放され、鑑賞刀の用意から懇親会に至るまで、多くの皆さんの面倒をよく見ておられました。「今がどんなに良くても、若い人が育たなかったら何にもならない」と、いつも口癖のように言っていました。

刀や装剣具の名品も相当数お世話しています。清麿だけでも三〇振は下らないでしょう。宮入さんも中島さんを介して清麿の脇指を入手し、愛着ひとかたならぬ様子を自ら記しています。ひそかな盟友関係にあった本間薫山先生は「千葉県に名刀が入ってしまうと、めったに江戸川を渡ってこない」と言っていたそうです。半ば冗談にしても、中島さんの周辺には熱心な愛刀家が少なくありませんでした。

こう言うと、研師を表看板にして実は商売をやっていたのかと誤解されそうですが、決してそうではありません。中島さんは、真面目な愛刀家の相談に乗り、役に立つことが、研ぎも含めて自分の務めであると任じていました。戦前からの有力な人脈を通じて、たまたま名品が回ってくることがあり、そんなとき、これはと思う方にご紹介するのでした。それでどれだけの実入りがあったかとなると、中島さんの清らかな生き方から推して、微々たるものではなかったかと思います。

＊

畢生の書『清麿大鑑』

人柄は温厚そのものでしたが、時に厳格な一面も見せました。私なども作品の行き方をめぐって、誠に厳しい指摘を受けたことがありました。県の刀剣登録審査員は当初から務めていましたが、中島さんは安易な妥協を許しませんでした。千葉県の審査は全国一厳しいと、有名でした。

終生、弟子を取ろうとしなかったのは、やはり中島さんの眼鏡《めがね》にかなう人物がいなかったのかもしれません。有力者の紹介であっても、すべてお断りしていました。

不思議なことに、それでもただ一人、弟子がいます。鵜《う》澤《ざわ》幸蔵さんといい、私もよく知る方です。鵜澤さんは、最初から入門したいと訪れたわけではなく、たまたま購入した『源清麿』の著者が同じ千葉市内に住むと知って、署名を頼みに来たのでした。馬が合うと言うのでしょうか、中島さんに眼光鋭く見つめられると震え上がってしまう人もいるのに、鵜澤さんはその後もちょくちょく訪れるようになります。まずは鑑定を教えてもらうことでした。

鑑定を勉強する機会はほかにもいろいろありますから、あえて一人の研師にこだわる必然性はないし、中島さんも仕事を割いてまで教える理由はありません。そこが運命的な出会いであり、面白いところです。

そのうちに中島さんの方から、「研ぎを知らなければ、刀の本当のところはわからないよ」と、研磨の勉強を勧めました。刀を砥石に当て、いわば刀をいったん裸にした上で化粧を施していくような仕事をしますから、研師でなくては知り得ないことも多々あります。地鉄の色合い、地肌の子細、わずかな欠点などは、研ぎを知ることによって正確に見えてくるものかもしれません。

鵜澤さんは鑑識のための研磨修業にとどまらず、中島さんの技術を継承する水準にまで到達しました。これには努力だけでなく、天性の素質も相まった結果でしょう。その後、仕事の依頼で出入りした沓掛さんにも目をかけられ、鞘作りを教わり、鎺《はばき》まで上手に作るようになりました。さらには、美術写真では最も困難とされる日本刀の写真もものにしてしまいました。世の中に器用な人はたくさんいますが、才能と集中力と熱意を併せ持つ人はまれです。全く驚いた方です。

仕事を終えると、よく向かい合って杯を交わしていたそうです。「君は大正ごろに生まれてくるはずの人だったね」「そうかもしれません」。親子以上に年が開き、共通して寡黙なお二人が、そんな会話をしている光景を想像するだけでもほほえましくなります。

中島さんを語るとき、清麿に関する三度の出版を避けるわけにはいきません。清麿の卓越した作品に限りない崇敬の心を寄せていた中島さんは、上京した当初から、いずれはその遺業を完璧な押形集としてまとめたいと念願していたそうです。最初の出版は昭和三十年、刀剣ブームが訪れるはるか以前のことで、個人による大型本の著作は皆無でした。発行は刀剣協会千葉市支部になっており、これにも関係者の大きな支援がありました。

次いで三十五年には前書の欠を補い、四十八年には集大成とも言うべき『清磨大鑑』(刀剣春秋新聞社刊)が完成します。大鑑は前二書の再編集では済まず、かかりきりで三年を要したそうです。何せ、一振の刃文の手拓に三、四日をかけ、銘字の写真は自ら撮影しています。自序に「本大鑑には、正真物のみにて、疑問のもたれるものは、悉《ことごと》く之を避け保留とし、所載刀から外すこととしました。他日、その真贋の究明には、全力を傾け、正真であることが立証されたものは、次の出版の機会に所載して発表することと致しました」とあって、贋作の混入を幾重にも注意したことがうかがえます。

その後、本書を超える清磨の体系的研究は現れておりません。

平成六年(一九九四)十一月に開かれた研究会の席上、中島さんは研磨の実技を公開しました。九十一歳のときのことです。それから風邪をひき、一度は快復しましたが、再び風邪にかかると、危篤状態に陥りました。上京していた私は急を聞いて駆けつけましたが、十二月二十九日、とうとう帰らぬ人となりました。

年が明けての葬儀は、千葉刀剣研究会葬で執り行われました。墓石にも「千葉刀剣研究会」の名が刻まれました。終生、清磨をこよなく愛し、ともに刀を愛でる人々の育成に尽くした研師中島宇一さんは、亡くなって大輪を咲かせ、あらためて大きさを感じさせる方でした。

長谷川泰蔵先生

一身を「仁術」に挺した情の人

辛苦を忍んで村医に

昭和六十年（一九八五）、私の住む豊浦町の役場のそばに、一基の碑が建ちました。三九年前に亡くなられた医師、長《は》谷川泰蔵《せがわたいぞう》先生の遺徳をしのぶものです。建碑に際しては一〇〇〇を超える方たちからの協賛があり、近年に町の住人となって、直接に先生を知らない方たちからも「仁徳《じんとく》を後世に伝えることは子弟教育にも有益だ」と、賛同が寄せられました。

長谷川先生はわが家にとって、父の代からひとかたならぬ恩にあずかった方です。私が上京するとき、「貞吉の二代目ができる」と喜んで、連れていってくれたのも先生です。先生をしのびながら、足跡をたどりたいと思います。

先生は明治十九年（一八八六）、北蒲原郡米倉村（現在の新発田市）に生まれました。父の一四年長です。一人っ子であったそうで、生まれたときはお父さんの着物の袂《たもと》に入ってしまうくらい小さかったので、これでは助からないかもしれないと、出生届が出されたのは半年後でした。

お医者さんになるには、昔も今もしかるべき家計が必要です。しかし、長谷川家は裕福ではありませんでした。お父さんは体が弱いと称して、あまり仕事をせず、お母さんが営む豆腐屋さんで生計を立てていたそうです。そこで、幼いころから医師になろうと決めていた先生は、まずは山形県米沢のお菓子屋さんに奉公に入り、子守をしながら勉強をしたといいます。十歳になるかならぬかのことだろうと思います。

その後、東京に出ました。勉強しながら働かせてくれるところなど、なかった時代です。新聞配達、土工、便利屋と、ありつける仕事は何でもやりました。「立ちん坊」と言って、道ばたに立っていて通りがかる荷車の後押しを手伝い、なにがしかの駄賃をもらうことまでやったそうです。幾度も受験に失敗し、それでもめげず、仕事の合間を縫い、眠る間も惜しんで勉強しました。そして、ついに慈恵医科専門学校（現在の慈恵医科大学）に合格、苦学の末に卒業しました。

初め、生地に開業し、大正七年（一九一八）ごろ、中浦村（現在の新発田市、旧豊浦町）大字乙次に移りました。現在の豊かな穀倉地帯からは想像もできませんが、その当時の農村は貧しく、疲弊し切っていました。当県に数百町歩を有する大地主が少なくなかったことは、小作農家の数が自作をはるかに上回っていた半面を物語っています。

長谷川泰蔵（はせがわ・たいぞう）
明治十九年七月　新潟県北蒲原郡米倉村に生まれる。
　慈恵医科専門学校を卒業し、郷里に開業。
大正七年　中浦村大字乙次に開院。
　中浦村村医・同伝染病予防委員・同村議会議員・同方面委員・同連合青年団団長を歴任。
昭和二十一年十月　死去。

水害や冷害が続き、それでいて米価は安く、農業恐慌は生活を直撃して、いきおい栄養不足から病人も続出しました。潟端《かたばた》通りの辺りにはワイル氏病（急性黄疸《おうだん》）という風土病があり、夏季には必ずと言っていいほど腸チフスが発生、また流行性感冒が大流行して、一家で二、三人も死亡することさえあったそうです。医療保険制度など全くない時代ですから、診てもらいたくても、よほどのことでないと診せられないのが一般の実情でした。

　長谷川先生を待っていたのは、そのような現実でした。聞いた話ですが、殊に貧しい家で、父親が出稼ぎに行った後、小さな娘が亡くなったそうです。小学四年生の兄は夜も明けやらぬうちに母から起こされ、「長谷川先生に診てもらってこい」と、死んだ妹を背負わされました。赤い着物を着せられた妹が、まさか死んでいるとは思わなかったのでしょう。三角乗りしかできない大人用の自転車を借り、田圃《たんぼ》のあぜ道を必死で乙次に向かいました。泣きながら「診てください」と頼むと、長谷川先生は「今診てやるから、飯を食っておれ」と、奥さまに朝食の支度をさせたそうです。

　食事をいただき終えると、「これは大事なものだから、なくさないようにしろよ」と言われて封筒を預かり、再び妹を背負い、帰りを急ぎました。途中、代掻《しろか》きの終えた田圃に転落し、死児《しじ》もろとも泥だらけになりながら家にたどり着きました。預かった「大事なもの」を母に渡すと、それは死亡診断書で、一緒に一円紙幣が二枚入っていました——。それから六〇年もたってから、当人が涙ながらに語った話です。

近在では、年輩の方であれば皆、口をそろえて人情家であった長谷川先生を、まるでわが親のように語ります。

＊

父の名を辱めるな

先生は書画・骨董《こっとう》に造詣《ぞうけい》が深く、日本刀の愛好家でもありました。住まいが近かったこともあって、父は物心ともに大きな支援を受けました。鍛冶屋上がりの独学の刀鍛冶のこととて、世間から無視されていた時代です。世に出ることができたのには、長谷川先生のお力も大きかったと思います。

「鍛冶屋と違って、刀では暮らしが定まりにくい。いつ、何が起こるとも限らない。万一のことも考えておくのが当主の務めだ」と説かれ、生命保険に加入していたのが、わが家の救いになりました。父の急逝後、先生が後見してくれなかったら、われわれ兄弟の現在もなかったはずです。

東京でお別れするときに言われた「父の名を辱めるな」という言葉は、励みでした。長谷川先生から聞かされた父のような刀鍛冶に、いつか自分もなるんだと心に決め、歯を食いしばって耐えたものです。修業中、折々にいただいた心温まる手紙は大事にしていましたが、空襲で焼いてしまいました。

修業半ばで郷里に帰り、進路を見失って空しく過ごしていた私を立ち直らせてくれたのも、長谷川先生とご家族でした。

ご厚意に甘えて、長谷川家によく遊びに行き、遅くなると泊めていただいたものです。家族も同然でした。夜中になると必ず急患があって、往診を頼む人が玄関を叩《か》きます。するとお母さまが起きて、迎えの人に患者の様子を聞き、先生に取り次いでから人力車の車夫を起こしに行ってもらうのでした。

当時は道路が悪く、遠くまで往診されると、帰宅が明け方近くになることも珍しくありませんでした。往診から戻られてようやく眠りに就かれたと思ったら、別の患者の知らせに起こされることもあります。朝まで待ってほしいと思っても、つい迎えの人の真剣な頼みに負けて、お母さまが先生を起こしに行くのが常でした。多いときなど、一晩に五回も往診があったと聞いています。

雪の降る夜は、人力橇《そり》で出かけました。人力車と違い、前後に一人ずついないと橇は動きません。雪中何度も起きて往診される先生のご苦労もさることながら、お母さまの介添えも並たいていでなく、また車や橇を引く方も大変だったと思います。

＊

あらためて徳を知る

終戦直後は物資が不足し、ヤミが横行し、医薬品さえ入手しにくい状態でした。品物はあってもお金では買えず、

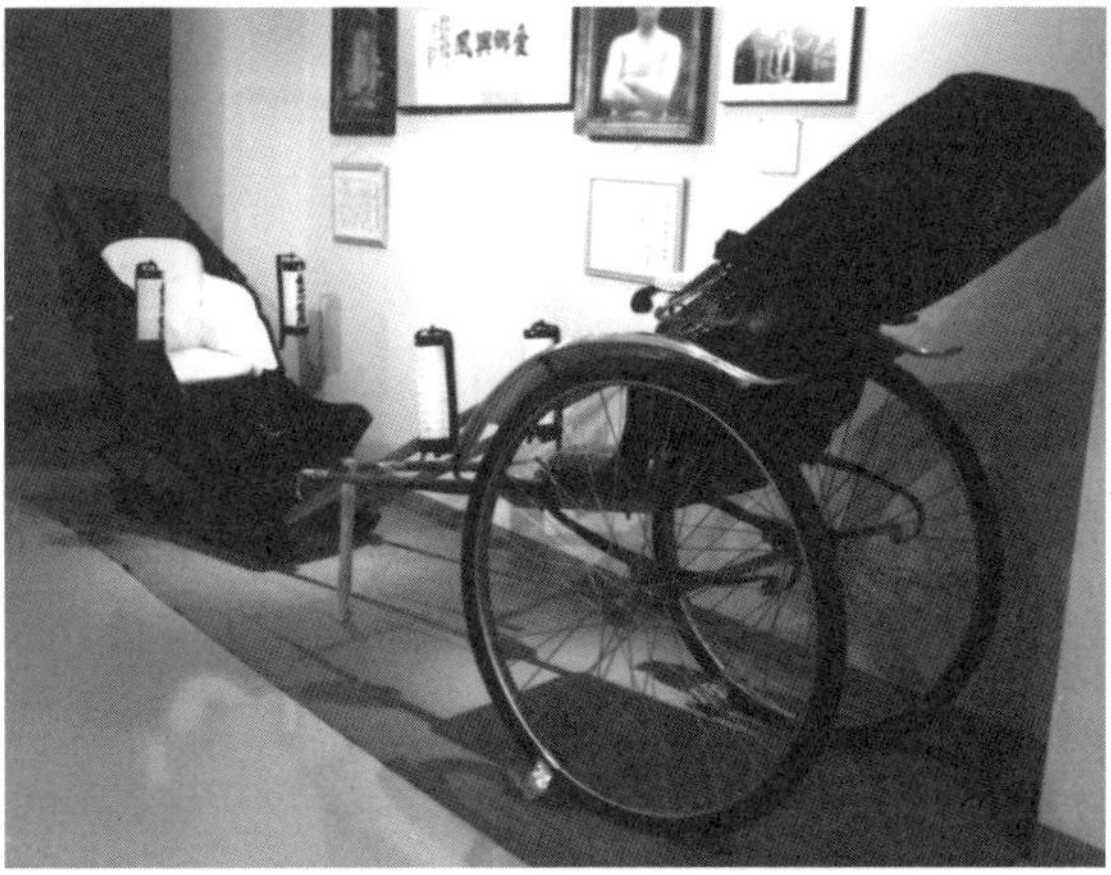

長谷川先生が往診に愛用した人力車と人力橇は修理を経て、現在、豊浦町郷土資料館のコーナーに展示されている。

米との交換でなければ渡してくれないということもありました。米は統制品であり、配給米のほかは求めることも持ち運びもできないので、先生は要らぬご苦労までされなくてはなりませんでした。

また、外地から戻ってきた多くの引き揚げ者や復員軍人らは、ほとんどが健康を害しており、患者は医院に押し寄せ、往診の頻度も急増したので、先生とご家族は毎日てんてこ舞いでした。

その過労がたたって肺炎にかかり、持病の喘息《ぜんそく》も悪化しました。すぐに静養されたらよかったのですが、使命感の強い先生はご自身で手当てをされながら診療を続けました。その無理が病状をさらに悪化させ、ついに病床に就いてしまわれました。休診の張り紙をしているのに、患者は裏口を訪れて診察を頼む有様でした。先生の方が、患者より重病であったのです。

先生の容体が重くなって初めて、新潟医大の専門医に往診を頼みました。診察の結果は重体ということで、最後の手段として、大学病院が初めて米軍から入手したペニシリンを使っていただきましたが、既に手遅れでした。翌々日の深夜、先生は永眠されました。もう少し早く養生されていたら、またペニシリンを数日前に注射してもらっていたらと、悔やまれてなりませんでした。

逝去される前の二日間、先生は自分の症状を冷静に観察されて、心臓の状態や爪の色の変化などを事細かにかたわらの人に語り、ご家族の方々にはそれぞれ遺言を申し渡され、最期を迎える覚悟をされていたのです。先生のご臨終は、誠に崇高なものでありました。

葬儀の折、私は香典の帳付けをさせていただきましたが、お悔やみを頂戴する方々のあまりの多さに驚き、先生がいかに多くの人々に救いの手を差し伸べておられたか、あらためて実感しました。

喪主の進様から伺ったところ、長谷川家にはこれといった財産もなく、まとまったお金もないとのことでした。毎日、患者は診療室にあふれていましたから、不思議でなりませんでした。ところが、葬儀の後始末をしていましたら、患者への医療費の請求書がぎっしり詰まった行李《こうり》が出てきたのです。蓄えのないことが、これで納得できました。しかし進様は、自らの手ですべてを焼却なさいました。

先生の生涯は、まさしく「仁術」を地で行くものでした。

長谷川熊彦先生

古代製鉄から日本刀へ…晩学の輝き

八十歳を前にして考古学研究へ

長谷川熊彦《はせがわくまひこ》先生とは、たたら研究会の会場でお目にかかったのが最初でした。わが家に初めてお見えになられたのは、昭和四十五（一九七〇）、六年ごろのことだったと思います。

　長谷川先生はおいでになると、たいてい数日間の逗留でした。ひとしきり話をし、尽きると私の仕事をご覧になったりし、それに飽きると独り、座敷に上がって読書や書き物に過ごされる毎日でした。自然通風炉復元実験のころは、前後に段取りや作業もあって、一〇日以上滞在されるのが常でした。お客さまは普通、近くの月岡温泉に案内するのですが、「客ではなくて作業者だから」とおっしゃるので、同行の芹沢正男さんには弟の家に泊まっていただき、先生にはいつも私のところを宿にしていただきました。

　長谷川先生のご経歴を伺うと、栄光と蹉跌《さてつ》が交互に見舞っていることに驚かされます。

　東京帝国大学工科大学採鉱冶金学科では主に俵國一博士の指導を受けますが、卒業論文作成中に胸を病み、卒業の延期を余儀なくされます。その後、郷里の官立八幡製鉄所技手を拝命し、溶鉱炉現場にて実習中、暑熱と過労のために病を再発し、退職して療養に専念します。小康を得て上京し、母校の研究室で学究に従った後、安川敬一郎氏が戸畑市に設立した私立明治専門学校に教授として着任します。ここには明治四十四年（一九一一）から大正八年（一九一九）まで在職し、鉄冶金学などを教授します。この間に禅の修業に入り、大分市・萬寿寺の足利紫山老師に参禅して印可《いんか》を受けています。

　大正八年には八幡製鉄所に復帰し、研究所に配属されました。在任中は、官命によりわが国の砂鉄鉱の調査とその利用に関する研究に没頭されました。昭和十一年に刊行された『砂鉄—本邦砂鉄鉱およびその利用法』は、当時からの研究の成果です。

　昭和二年、旅順工科大学教授に転任、十五年には満州国立新京工業大学教授に転じ、後には同大学学長に就任され

長谷川熊彦（はせがわ・くまひこ）
明治十七年三月　福岡県田川市伊田町に生まれる。
四十二年　東京帝国大学工科大学採鉱冶金学科を卒業し、
農商務省八幡製鉄所技手となる。
四十四年　明治専門学校教授に就任。
昭和二年　旅順工科大学教授に就任。
五年　砂鉄に関する研究論文で工学博士の学位を受ける。
十一年『砂鉄―本邦砂鉄鉱およびその利用法』を出版。
十五年　満州国立新京工業大学教授に就任（十八年、学長）。
二十年　株式会社昭和製鉄所製鉄学院長に就任。
二十三年　福岡県田川郡赤池町で公民館活動に従事。
三十七年　神奈川県相模原市に転住。以後、古代製鉄史研
究に専念する。
五十二年『わが国古代製鉄と日本刀』を出版。
五十四年三月　死去。

ました。

　このように、先生は生死の境をさまよう大病をはねのけて、教育と研究と実務を完遂されました。

　終戦は満州で迎え、引き揚げてこられるのは二十一年九月のことです。その後は郷里で、もっぱら社会教育に当たります。三十七年に至って、神奈川県相模原市のご長女夫妻方に転住されました。

　このとき既に七十八歳でしたが、先生の偉いのはそれからです。「衣食の苦労なきため自由に読書し、自由に運動する便を得たので、考古学を学び、砂鉄を学び、古代製鉄を学ぶ機会を恵まれた」と述べられています。「寿命の与えられる限り万年老書生であろう」と書いたのは、九十三歳のときでした。

　先生は鉄冶金学の泰斗《たいと》であり、特に砂鉄の研究に関しては先駆であって他の追随を許さぬものがありましたが、考古学では初め一介の学徒ではなかったかと思います。しかし、先生の関心は史的・科学的に領域を広げ、調査・研究は文献的・実証的に深められていきました。「冶金と考古の接点が希薄であった」時代にあって、長谷川先生と芹沢さんらの「学際的指向は高く評価される」とする一文を読みましたが、全くその通りです。

　穴沢義功《よしのり》さんは大学在学中、群馬県太田市・菅ノ沢製鉄

遺跡の発掘調査に携わっていた折、日がな一日、現場を眺めている長谷川先生に出会い、親しくしていただくことになったそうです。先生の足跡は全国至るところの遺跡に見られ、発掘作業の学生の宿舎に同宿されることもたびたびでした。

＊

鎌倉時代の製鉄を推理する

私の鍛錬所で操業した自然通風による製鉄は、いかにも長谷川先生らしい発想に基づく実験でした。文献から得られた知見や、遺跡・遺物の研究から導き出された事実だけに満足することなく、実際にやってみて検証し、新たな発見を得る実験考古学の最先端を走っておられたのです。そして、今から一〇〇〇年も前に、われわれの祖先がいかに苦心して鉄を作り、暮らしを豊かにし、文化の発展に尽くしてきたか、壮大なロマンを満喫しておられる風でした。

実験は昭和四十八年に始まり、三次の予備実験を基礎として、五十一年に最終の操業を行いました。詳細は前記の通りです。長期にわたったため、資金と体力に一抹の不安がありましたが、先生は見事になし遂げ、自然通風炉の実体と問題の解明に大きな成果を上げられました。毎回、多くの協力者が参集したのも、先生の徳を如実に物語っています。第四次操業の際に、学生や一般の見学者のためにテキストを用意されたのには、先生の教育者としての面目を垣間見《かいまみ》る思いがしました。

もう一つ特筆したいのは、その翌年、『わが国古代製鉄と日本刀』を出版されたことです。文字が乱れると言われながらも、眼疾を乗り越えて、困難なテーマをまとめられました。われわれ刀鍛冶は当時、小形炉による自家製鉄に必死で取り組んでいたこともあり、上梓《じょうし》を待ちかねてむさぼり読んだものです。先生が研究者の立場を超えた実践的な姿勢で、刀鍛冶に深い理解を示されていることが、よ

自然通風実験の折の長谷川先生。左は穴澤義功さん。

く伝わりました。

本書には「鎌倉時代の名刀を現代に復元して作刀するには、如何なる地金を選ぶべきかの難問題について発言する自信はない」としながらも、製鉄に関して次のような推論をされています。
① 後世の鉧《けら》製錬は著しく高温操業であった。平安ないし鎌倉時代は比較的低温操業であった。
② 鎌倉時代には、銑鉄以外に鉧に近い粗製鋼が不完全地金として製錬されたのではないか。
③ 銑鉄製錬より幾分低温で炭素を吸収した鉄を作り得るのではないか。すなわち不完全鉧を得ることである。
④ 低温操業では純鉄に近いものが得やすいが、操業は不安定、非能率である。
⑤ 鎌倉時代の鉧は、必ずしも溶融状態ではなしに、半溶融で行われたのではないか。
これを実験によって確かめたい、とされています。右の内容は今読み返してみても、きわめて暗示的です。近ごろ、私も長谷川先生の説にあらためて共感を覚えています。

＊

豊後行平に感動

出版の前後で、愉快ではない話が二、三ありました。初め、日本刀に関する書籍に実績を持つ某出版社に相談したところ、「日本刀の原稿枚数が少ない」という理由で断ってきました。その結果、昭和三十六年に『砂鉄』の改訂増補版を手がけた技術書院が引き受けることになりました。また、日本刀の某権威には、「長谷川さんは日本刀を知らない。だから、美術刀剣の何たるかについては省略している」と批判されました。

本書は美術刀剣の理解を目的とするものではなかったのですが、長谷川先生は率直に批判を受け入れ、「読者の皆さんに対し申し訳ないことをしたと反省しています」と後に記しています。そして、欠を補うために刀剣協会に入会し、刀剣博物館に通って本間薫山館長や学芸員らの専門家に教えを請うことにしました。研究の成果は「日本刀美術」と題して、書き上げる予定でした。

半ばで絶筆となった文章を読むと、興味深い逸話が記されています。

五十四年一月の定例鑑定会において、先生は初めて国宝の豊後行平《ぶんごのゆきひら》を手に取り、言い知れぬ感動と衝撃を受けたといいます。確かな理由は説明できないけれども、長い間、願っても果たし得なかった親友にでも会ったような感慨であったそうです。行平にゆかりの大分県・国東《くにさき》半島の製鉄遺跡に思いを馳せながら、作品を通して、鎌倉時代初期の刀工と共振するところがあったのではないでしょうか。長谷川先生は純真な感性を持った方でもありました。

愛刀家として名高い故石渡《いしわた》信太郎さんは大学・学科の九年先輩で、勤務先の明治礦業会社豊国炭礦が先生の郷里に近かったことから、帰省の際にはたびたび訪問されたそうです。坑内爆発が相次いだ当時、豊国炭礦でも鉱山労働者二〇〇人が死亡する爆発災害がありました。石渡さんは責任を痛感し、善後処理に全力を傾注しました。その後、石渡さんは筑豊一帯で、炭鉱保安の神様のように尊敬されるまでになられたそうです。本格的な日本刀研究に入るのは、三度にわたる肺壊疽《はいえそ》の手術で一命を取り留め、鎌倉に移ってからでした。

長谷川先生は、石渡さんの体験した来国光《らいくにみつ》の神霊談を、畏敬《いけい》を込めて紹介しておられます。石渡さんは愛刀を鑑賞していたとき、無意識のうちに指を切っていました。そのことが、同じ刀で三度も続きました。「この刀にはきっと祟りがあるに違いない。早く処分しては」と、夫人も剣友たちも口をそろえて忠告したそうです。しかし、石渡さんは少しも騒がず、「一見無銘だが、これで来国光と極まった。『指切丸』と名付け、永く愛蔵しよう」と言われました。果たして、丹念に中心《なかご》の手入れを繰り返すうちに「来国光」の三文字が現れてきたそうです。

長谷川先生は、刃長一尺八寸ほどの脇指一振をお持ちでした。お父さんの没後に発見されたそうで、「助宗」在銘ですが、有名な古一文字ではなく、室町時代の島田物のようでした。先生はこれを研ぎ上げ、白鞘も新調されました。そして、愛着を込めて「凡刀助宗」と命名されました。

先生は研究を進めるうちに、日本刀の魅力に次第にとらえられていく様子でした。『わが国古代製鉄と日本刀』には、写真大学学生とともに自宅の書斎で撮影した刀の顕微鏡写真が掲載されています。あるとき、試料の源清麿が贋作であると指摘され、失望の渦中に転落したと回想しています。それからは真偽の判定を最も重視されることとなりました。

長谷川先生はいつまでも変わらずお元気で、意表を突くような研究の成果を再び公にされるだろうと楽しみにしていました。しかし、昭和五十四年三月十九日、輪禍《りんか》に遭い、逝去されました。九十五歳でした。

二日前、いつものように散歩をし、原稿に取りかかり、目標を上回る一一枚を書き上げました。九州に出かける準備も、万端調っていたそうです。前日は、観音詣でと茶会のために大船に出かけられました。

あれから二〇年以上も経過したことが夢のようで、先生が微笑をたたえ、今にもわが家に訪ねてこられるような気がしてなりません。

成木一成さん

もう一つの「鉄の美」を求めて

地鉄の力が錆味を決める

岐阜県中津川市――。「是《これ》より木曾路」の道標に従って北上すれば、今も歴史の面影をたたえる宿駅を縫って古道が続きます。鐔《つば》作家・成《なる》木《き》一成《かずなり》さんの工房は、長野との県境にそびえる標高二〇〇〇メートル超の恵那山《えなさん》に源を発する、中津川の清流に面しています。

成木さんを初めてお訪ねしたのは、平成五年（一九九三）ごろでした。それまで接点がなかったのですが、岩手県の某刀匠が「鐔の地鉄《じがね》作りからやっている人がいる。ぜひ会うといい」と勧めてくれたので、思い切って訪ねることにしました。

彼も誰かに評判を聞いて、はるばる出かけたものでしょう。目の前で生きたマムシを料理し、スズメバチの子を焼いて歓待してくれたのにも驚いたそうですが、それより、たかだか径八センチ、厚さ五ミリの鐔一枚を作るのに、砂鉄を集めに行き、それで鉄を作り、鍛錬するという、刀鍛冶も及ばないモノ作りへの執念に圧倒された様子でした。

鐔（鍔）はもともと手元を保護し、手持ちを良くするための、刀の付属品です。当初は機能本位だったらしく、現存する古作の多くも、鉄板などに小透かしを施す程度の素朴な技巧しか見られません。しかし、素朴さの中に古雅な味わいが感じられるものです。やがて機能性と併せて、美術性が追究されるところとなり、各地に特徴のある作風が出現します。江戸時代も後半に至ると、色金を駆使した華やかな金工鐔が主流となりますが、鉄地にさまざまな意匠を凝らした伝統の透かし鐔も依然作られています。鐔は刀とは別に一つの世界を形成しており、今日では独立した美術品としても多くの愛好家を得ています。

成木さんがお手本としているのは、尾張鐔や金山《かなやま》鐔など、室町・桃山にさかのぼる鉄鐔です。このころの鉄鐔は尾張・金山に限らず、総じて素晴らしい鉄味をしています。鐔は刀と違って、表面を光らせたままにせず、錆付《さびつ》けをして最後の仕上げとします。年月を経ると、地鉄本来の色合いが現れ、表面を緻密な酸化被膜が覆い、悪性の赤錆を寄せ付けなくなります。名刀の中心《なかご》に見る羊羹《ようかん》色の錆も鑑賞のポイントですが、これと同様に、鐔の錆も地鉄の力に由来するものであり、鐔の鉄味は「錆味」と言い換えることもできます。一枚の名鐔を実際に手に取って見ると、その存在感に圧倒されます。

成木さんがさまざまな工夫を重ねるようになったのは、

成木一成（なるき・かずなり）

昭和六年　岐阜県中津川市に生まれる。本名・一彦。

二十年　荒川豊蔵・小山冨士夫が講師を務める古陶器意匠研究会に参加、陶芸家を志す。

三十五年　病のため陶器研究を断念。このころ見た一枚の鉄鐔に感銘し、研究・試作を開始する。

三十八年　本格的に鉄鐔の製作を開始。

四十一年　石川県立博物館・高橋介州館長に師事し、加賀象嵌技法を習得する。

四十九年　共同展「甲冑師鐔の再現」を銀座松屋にて開催。

五十二年　「美濃の四季を追う」を銀座松屋にて開催。岐阜県知事より卓越技能者として表彰される。

五十三年　自家製鋼による鐔の製作を開始する。労働大臣より卓越技能者として表彰される。

五十六年　中津川市重要無形文化財保持者に認定される。共同展「鉄蛭巻太刀拵の再現」を銀座松屋にて開催。

五十八年　「自家製鋼による鐔つくり」を銀座松屋にて開催。

六十二年　「柳生三十六歌仙鐔の再現」を桑名市立博物館にて開催。

平成十年　二人展「日本刀のかなめ・鐔」を星と森の詩美術館にて開催。

十一年　新作刀展覧会・彫金の部で日本美術刀剣保存協会会長賞を受賞。以後、同賞を連続受賞。

十三年　「成木一成の世界―柳生鐔三十六歌仙の再現」を星と森の詩美術館にて開催。

十四年　「成木一成の世界」を中津川市苗木遠山史料館にて開催。

刀とは異なる美の世界を鐔に発見し、それが刀の地鉄にも共通する鉄の神秘から生まれていることに気づいたからだと思います。

最初の訪問は、弟と弟子も一緒でした。赤松の薪を燃やし、丸炉で吹いた鉧《けら》をお土産《みやげ》に持参しました。三〇キロばかりの盤状塊《ばんじょうかい》に上がり、炭素量もころ合いで粘るし、鐔にするにはいいかなと思ったからです。成木さんはこの鋼を使ってくれ、「以天田刀匠之地鉄」と添え銘した鐔を作っています。

成木さんは早速、自家製鋼を公開してくれました。ただ、このときは失敗で、何にも取れませんでした。その次に行ったときはうまくいき、鉧の半分をもらって帰りました。普段はほとんど失敗などないのに、見学者がいたりすると調子が狂い、得てしてうまくいかないものです。最初のときは、本当に気の毒な思いをさせてしまいました。

私は成木さんに「何百回もやってますな」と言ったと思います。何十回のレベルでないことは、すぐにわかりました。結果は鐔と刀で違いますが、お互いの問題意識に共通するところは多く、たちまち意気投合しました。実は、成木さんが私に突き付けてくるものがそんなに生易しくはないと後に痛感するのですが、そのときは歓迎に甘え、三人で泊めていただきました。

＊

一枚の甲冑師鐔に出合う

成木さんの少年時代の夢は、陶芸家になることでした。中学生のころから、荒川豊蔵・小山冨士夫両先生が講師を務める古陶器意匠の研究会に参加していたといいます。自身が古窯址を発見した大萱《おおがや》（可児《かに》市久々利）の地で桃山志野の再現に取り組む荒川先生を、歩いて訪ねたこともあったそうです。工芸に対して早熟であったわけです。

やきものは今も大好きで、若手の陶芸家に制作を依頼することがあるそうです。出来上がりは悪くないが、気に入らないのは素焼きがなっていないこと。それでは、使えば汚れてしまう。昔のものは焼きだけはしっかりしている——。何事も基礎や基本が大事と、厳しい目で見ています。

それほど好きだったやきものの道を断念せざるを得なかったのは、病気のためでした。昭和三十年（一九五五）代の半ば、ちょうど私と同じころ、病に伏していたことになります。夢を閉ざされた病床で、お父さんから見せられた一枚の鐔が、成木さんのその後を変えます。斧《おの》透かしの甲《かっ》冑師《ちゅうし》鐔であったそうです。甲冑師鐔というのは一般に、丸形・薄手の大ぶりの鉄鐔で、耳を打ち返して鎚目《つちめ》仕立てとし、透かし文様を施した簡素なものです。その名の通り、本当に甲冑師によるものかどうかは別として、室町時代以前の製作とみられます。

成木さんが鐔というものをしげしげと見たのは、そのときが初めてでした。そして、言い知れぬ感銘を受けます。作ってみたいという気持ちもわいてきました。「横着な話だが」と前置きして、「これならできるかもしれない」と思ったそうです。三十八年ごろ、小康状態を得て鐔作りを始めてみると、「とてもとても……、やきものの職人と大差はない」ことを実感しました。

何が大変かと言えば、成木さんの言葉を借りると、完成するまで妥協をしないということです。人は横着ですから、しばしば妥協します。気がつかないのなら仕方がありませんが、大体は気づいていながら、できたものに妥協します。何度も作り直しをすると、労力もお金も大変ですから、あえてやりません。「とことんやっては死んでしまう」けれども、「やり直さないと気が済まない」のは、成木さんがプロの作家精神の持ち主だからです。私たち刀鍛冶も同様ですが、心の中にしっかりと物差しを抱えていないと、作品のあり方が際限なくゆがんでいってしまいます。

成木さんはある事情から、平成十年までは刀装金工の唯一のコンクールである新作刀展覧会・彫金の部に出品しませんでした。翌年からの出品作は、すべて日本美術刀剣保存協会会長賞を受賞しています。

大変失礼な言い方ですが、アマチュアの方は一年に一点だけ作り、それなりの評価がもらえれば満足でしょう。仮に評価は低かったとしても、製作の過程でモノ作りの楽しみは堪能《たんのう》できます。しかし、プロはそういきません。

平成十四年の出品作のために、成木さんは一三点の鐔を試みたといいます。一三点完成させて一点選んだわけでも、工程を同時に進めながら最後に一点仕上げたのでもありません。その一点だけに集中し、ダメだと判断した時点で初めからやり直し、結果、一三点になってしまったということです。これを聞いて、さすがだと思いました。

＊

自家製鋼による鐔作り

成木さんは昭和四十九年の共同展「甲冑師鐔の再現」に参加、五十二年には最初の個展「美濃の四季を追う」を開催しました（いずれも銀座松屋）。鐔作家の存在が中央で知られるのは、これらが直接のきっかけだったと思います。

それまで鐔作家と言えば、彫金家の柳川守平さんと肥後象《ひごぞう》嵌《がん》の米光光正《よねみつ》さん、それに桜九曜紋《くようもん》透象嵌鐔の佐々木恒春さんぐらいのものでした。その方たちにしても、鐔作りを生業《なりわい》とするのは至難でした。労力や出来そのものに比して、新作鐔の評価は今以上に厳しかった時代です。

成木さんはこのころ、鐔作りに関して大きな決断をしています。それまでは、ほかの方たちと同じように、地鉄作りを刀鍛冶に依頼していました。厳密に言えば、それでもほかの方とは違っていたでしょう。通常は、鍛錬の緻密さと、細工のしやすい硬度を求めます。素材は玉鋼であろうと銑卸しであろうと、刀鍛冶任せで問いません。成木さんは目指す鐔の地鉄に少しでも近づけてもらおうと、江戸時代の古鉄などを持ち込んでいます。

しかし、数人の刀鍛冶がそれぞれ努力してくれた地鉄でも、期待した鐔にはなりません。まれに気に入った地鉄ができるのは、たまたま良い古鉄に巡り合えたときだけで、まぐれ当たりにすぎません。一番困ったのは、尾張鐔を作ったつもりでも、尾張の雰囲気が出ないことです。これは鉄の質に起因する問題であると確信しました。後にわかったのは、尾張鐔の地鉄の味は一種類の砂鉄では到底おぼつかず、産地の異なる砂鉄を混ぜる以外に活路は開けないということでした。硬さならともかくも、鉄の質を刀鍛冶に求めても無理な相談で、成木さんは自分で地鉄を作るしかないと、とうとう自家製鋼に踏み込んでいきました。

鉄を作るということは、たやすいことではありません。作るだけなら、鉄はできます。問題は、使える鉄か、それが目指す作品に結びつく鉄か、です。成木さんが鉄作りを始めた昭和五十年代の初めごろは、多くの刀鍛冶が一縷《いちる》の望みを自家製鋼に託していた時代です。しかし、思ったような鉄はできませんでした。日刀保たたらの操業は、そのような状況の下で、逼迫《ひっぱく》した材料問題の解決のために始まったのでした。

そのころ、成木さんが用いた砂鉄は、長野県の野尻湖、鹿児島県の川内川《せんだいがわ》、鳥取県の米子浜などで採集したものです。それぞれの砂鉄でやってみると、たとえ強い鉄になったとしても、期待した「味」がどうしても出てきません。試行錯誤の末に、数種類の砂鉄を組み合わせて製錬原料にしてみました。すると、単品の砂鉄では得られなかった特徴が現れてきたのです。そこで、もっとたくさんの砂鉄を使い、配合を工夫すれば一段と面白い結果になるはずだと確信し、全国の砂鉄を集める企てに取りかかりました。

砂鉄はどこにでもありますが、いざ手に入れようとすると、なかなか大変です。ごく一部を除いて販売してはいませんから、現地まで行って採集しなくてはなりません。人を雇って遠方まで出かければ、経費もかさみます。それでも成木さんは一切をこれにつぎ込み、やり通しました。北は北海道長万部《おしゃまんべ》から南は種子島まで、五十数カ所の砂鉄や鉄鉱石を集めたといいます。私の住む新潟県の西山町・椎谷浜にも訪れています。

成果は、昭和五十八年に第二回個展「自家製鋼による鐔つくり」（銀座松屋）として明らかにしました。使用した原料ごとに鉄味が違うことは、初めて鐔を見る人にもはっきりと理解できました。このような試みは歴史上、初めてだろうと思います。また、成木さんが偉いのは、鋼を作り、作品にして終わりにするのではなく、砂鉄をサンプルとして保管し、地板の状態を残しておいたことです。これが後に「主要産地の砂鉄・鉄鉱石による鍛造・焼入れ標本」に発展してゆくのです。

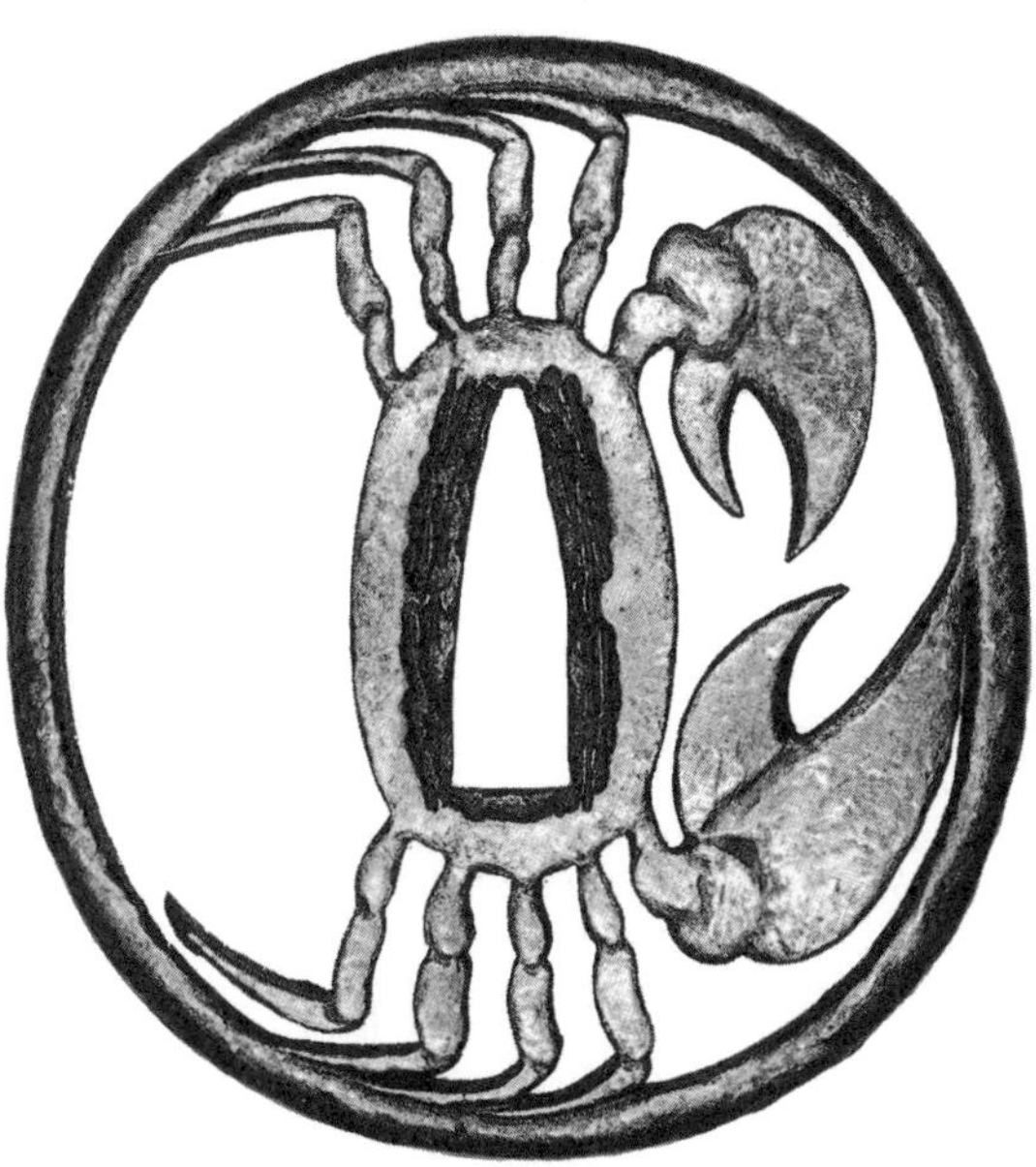

沢蟹之図鐔（裏に「一成造」の銘がある）

＊

鉄は正直な生き物

当然のことに、地元の砂鉄を使ったらどんな鉄になるか、関心を持つようになります。たまたま、陸軍が戦時中に作成した調査報告書に、中津川市苗木の砂鉄が載っているのを発見しました。ただし、戦後の開墾で一帯の様子は一変しており、苗木地区のどこで砂鉄を採集したのか手がかりはありません。

山中に入って数日後、ようやく山砂の中に混じっている砂鉄を見つけたときは、本当にうれしかったそうです。早速、二トン車にいっぱいの山砂を家に運び入れました。

それからが大変です。砂というより、まるで赤土そのものので、粘り気が強く、簡単に砂鉄は選別できません。最初に試みたのは、大きな鋳物の鍋に土を一升ほど入れ、加熱して乾燥させてから、磁石で集める方法でした。しかし、これではいかにも能率が悪く、一日で音《ね》を上げました。

次いで、赤土を水に溶かして磁力選鉱する方法を思いつきました。寒風の吹き付ける庭先に大きな箱を据え、水を張ってバケツ一杯ほどの赤土を入れて攪拌《かくはん》し、泥水の中から砂鉄を取り出そうというわけです。これで、赤土中の約九〇パーセントの砂鉄を得られることになりましたが、作業は遅々として進みません。奥さんと二人で悪戦苦闘の末、二トンの土がなくなったのは四〇日後のことで、採集できた砂鉄の総量は四〇キロにすぎませんでした。

直ちに鑪《たたら》の操業にかかりました。ノロの排出が素晴らしいので、いい結果が期待され、内心は得意の絶頂でした。しかし、いざ炉を壊してみると、鉄のカケラさえありません。この砂鉄は、軍の記録によれば、チタン含有分が四五・一五パーセント、還元率〇・〇五九パーセントであったそうです。初めから全く鉄にならない品質だったのです。この二カ月近くは、徒労でした。

その後しばらくすると、いくら操業を試みても、鉄が取れない時期が続きます。一四回も失敗が連続したといいます。どんなにやり方を変えても、鉧にはなりません。おぼれる者は藁《わら》をもつかむではありませんが、占い師に頼ったこともありました。八ケ岳山麓で三日三晩、怪鳥の奇声におびえながら頭を冷やした苦い体験もあったそうです。

そして乾坤一擲《けんこんいってき》、引っ越してきたのが中津川市川上《かおれ》の現在地です。ご近所の方が言うには、木炭の山や鉄くず、訳のわからない道具類などが運ばれてきたので、正直なところ何者が移り住んできたのか、いぶかしく思ったそうです。そのうちに名士らしい人たちの出入りが始まり、その人たちが「先生」と呼ぶ住家の主がますます不可解であったそうです。

ここでも、鉄作りは失敗の連続でした。原因はまだわかりません。

物珍しげに見学に来る年輩の人たちから、解決の糸口が導かれます。操業を見ながらしきりに首をかしげるので尋ねると、口をそろえて「炭が悪い」と言います。この辺りではかつて林業と炭焼きを生業にしていましたから、炭の良しあしは誰でもわかるらしいのです。折れ口をなめてみて、粉を吹いたように白くなるのが良い炭だというので、その通りにしてみると、全く変化がありません。結局、失敗を延々重ねた原因は、マツクイムシの被害で立ち枯れになった原木か、伐採時期を誤った木を焼いたために、炉内の熱量が決定的に不足していたのでした。いつの間にか質の悪い炭が送られてくるようになり、気づかないまま、無用の努力を重ねていたわけです。

原因がわかった以上、良い炭を得るために、今度は自ら炭を焼こうと決めます。幸いにも近所に経験を積んだ人たちがいたので、築窯やら原木の調達を依頼しました。暑い最中、窯のできるのを毎日見ていて、成木さんはよくわかったそうです。炭を焼くことは、鉄作りに劣らず大変な作業で、奥の深いものだ、と。一生のほとんどを炭焼きで過ごしてきた人たちが、同じ炭は二度と焼けないと繰り返すのを聞いて、鉄を吹くことと同じだと痛感したといいます。

焼き上がった炭は、折れ口をなめると必ず白い粉が吹き、叩けばチーンと金属のような音がする優良品でした。

この炭を使って操業すると、今までの失敗が嘘のように鉧ができてきます。それでも、どこか完全ではないので、いろいろ条件を工夫してみました。煉瓦《れんが》を従来より一、二枚高くすると、非常に良い結果が得られました。ここは以前の場所に比べて二〇〇メートルほど高く、湿度もかなり高いということです。

鉄がいかに正直で、敏感な生き物か、成木さんは失敗の経験からつくづく感じたそうです。

＊

「用」に裏づけられた美の世界

成木さんはこうした苦労を重ねながらも、自ら作った地鉄を鍛え、名鐔に範を取りつつ創意を凝らした作品を次々に製作していきました。平成十四年十月に中津川市苗木遠山《とおやま》資料館で開催された特別展「成木一成の世界」は、それまでの創作の集大成ともいうべき内容でした。古くは甲冑師鐔や刀匠鐔から、信家《のぶいえ》・金家《かねいえ》風のもの、尾張・金山・法安《ほうあん》・肥後・京・赤坂などの透かしまで、まさに鉄鐔の醍醐味が味わえます。画題として見ても、美濃の四季の自然を追った連作があり、家紋や干支《えと》があり、神仏もあって変化に富み、楽しめます。

圧巻だったのは、「柳生《やぎゅう》三十六歌仙鐔」を再現した一連の作品でした。

柳生鐔とは、不世出の剣豪と言われた尾張柳生三代目の兵庫厳包《としかね》（連也）が、柳生新陰流の極意や家紋、花鳥風月などから創案し、鐔工に作らせたもので、自らも製作にかかわったといわれます。作風は一見金山を思わせ、厚みのある小形の丸鐔が多く、肉彫り地透かしを施して意匠を表現し、耳には独特の線状鉄骨（突起状の鍛え肌）が現れています。地鉄は鍛錬がきわめて優れ、ネットリとして、やや赤みを帯びた深い錆味が特徴です。

連也没後は「御流儀鐔」と称し、後々まで写しが作られましたが、本歌の下絵の写本には三一点の図柄のみで、残りの五点は名称が記されるだけでした。成木さんは研究を重ねてこれらの復元に着手し、柳生鐔に出合ってから一〇年近くを要して三十六点を完成させたのです。

成木さんは、鐔を単独の造形作品とは考えません。今は鑑賞の対象として単独に扱われるとしても、かつてすべての鐔が拵《こしらえ》に架かっていたように、実用を抜きにしてはあり得ないといいます。拵の製作では現代の第一人者である高山一之さんの作品には、しばしば成木さんの鐔が付けられています。

成木さんは近年、作家の立場から鐔に対する見解を幾度か発表しています。従来は鑑賞の立場で述べられるのがほとんどでしたから、前記の鉄骨にしても、それがどうしてできるのかは不問に付されてきました。漠然と、「硬軟の鉄の組み合わせによって生まれる」ぐらいは言えても、立証は不可能でした。成木さんは、鉄骨様のものが出現した時代背景と、自らの鍛錬過程を重ね合わせることで、「なぜか」に的確に答えてくれました。

秘伝とされて不思議のなかった錆付けにしても、率直に公開し、それぞれの成分のもたらす作用を明らかにしました。付けた錆や色は一時のものにすぎず、驚いたことに三カ月から半年もすれば、地鉄の力で本来持っている鉄味が出てくるといいます。これも、自家製鋼を実践する成木さんならではの見解です。

江戸期に入り、既製の素材を使うようになると、鐔の鉄味は一様になり、それ以前のような豊かな鉄味と個性は失われます。それゆえに、自家製鋼にこだわらざるを得ません。「財産を残そうとか、家族にいい思いをさせたいとか思ったら、こんなことはできません。洞穴《ほらあな》に住んで、腰に荒縄を巻いてやるぐらいの覚悟で挑んでも、昔に及ばないのが、鉄の世界なんです」と言う成木さんの言葉は、それに近いことをやってきた私には、よくわかります。

かつて代々にわたって研究を重ね、作り上げてきた世界です。それを独りでやる遂げるのは、鐔にしろ刀にしろ、どだい無理な話かもしれません。しかし、成木さんも私も挑まずにはいられなかったのです。

あるとき以来、成木さんは砂鉄や地鉄見本を送ってくださるようになりました。地鉄は各地の砂鉄を使い、長さ一〇センチほどの刃物様に仕立てたもので、焼きを入れ、片面を研ぎ上げてあります。成木さんは実に率直な方で、技術に関する話題でもお互いに垣根を作りませんでしたから、送ってくださるのは間違いなく善意からでした。しかし、この「標本」が私に突き付けてくるものは、小さくありませんでした。

これを見て「小さいから、たまたまできたのだろう。われわれは二尺何寸という長さに完璧を期して仕事をやっているのだ」と言った刀鍛冶がいたそうですが、そういうものではないのです。おそらく土置きは簡素で、技巧は弄《ろう》さず、サッと焼きを入れただけでしょう。しかし、沸《にえ》や匂《におい》が巧まず豊富について、刃中もよく働いています。地鉄の力で、おのずと入った焼きです。それなりの雰囲気を持っています。

焼きもさることながら、地鉄の組成が私には無視できませんでした。刀鍛冶としては感心しているだけでなく、刀にしたときどうなるか、自分で試してみて結論を得るしかありません。この真剣勝負には、ずいぶん時間を要しました。そして、いろいろ学ばせてもらいました。

鉄をめぐって切磋琢磨する相手を得て、二人とも探究の闘いはまだやみそうにありません。

父・天田貞吉

たった一人の挑戦

悔しさをバネに刀を志す

父はもともと、農具や刃物を作る鍛冶屋でした。旋盤《せんばん》などの機械も仕事に導入していましたから、当時の田舎鍛冶にしては進んでいた方かもしれません。

私の家は、もともとは新発田《しばた》にあったそうです。菩提寺は今も新発田ですから、ここでの暮らしが長かったものでしょう。割に大きな商売をやっていたそうですが、曾祖父《そうそふ》のころにいけなくなり、祖父の代になって祖母の実家のある当地に移ったようです。私の小さいころは中浦村（現在は新発田市、旧豊浦町）大字大伝《だいでん》に住んでいました。

父は新発田の鉄工所で修業し、独立してここに開業しました。

刀が好きなあまりに、満州事変（昭和六年〈一九三一〉）の前の年あたりから見よう見まねで作ることを始めたようです。研師や数寄者《すきしゃ》のところに遊びに行っては、刀を見せてもらったり話を聞かせてもらったりしたようですが、作ることに関してはほとんど独学と言って差し支えないでしょう。

決定的な動機は、あるとき誰かに刀を示され、「お前みたいな鍛冶屋には、逆立ちしたってこんな刀はできまい」と、酔ってからまれたことだと聞いています。父はまだ二十歳代だったでしょう。豪胆で一本気な性格だったそうですから、我慢がならなかったのかもしれません。

親のことを褒めても仕方がありませんが、一人の刀鍛冶として見たときには、仕事の手際や閃《ひらめ》きに際立った特殊な才能がうかがえます。銘字にはよどみがなく、気質が現れています。闘犬が道楽で、土佐犬を家族以上に大事にし、遊びの方でも並外れていたそうですが、鍛冶屋の腕も相当なものだったようです。他人の何倍も仕事をこなさないと、気が済まなかったといいます。

それにしても、刀作りを独学で始めるとは無謀です。鋼を鍛える技術は心得ていたとはいえ、刀は刃物とは違います。栗原彦三郎先生によれば、当時「無作刀時代」とでも呼ぶような状況が続いていたそうですから、父は好んで独学の道を踏み出したのではなく、師事する刀鍛冶が全くいなかったのでしょう。

弟子だった今井貞六さんの話では、特に焼刃土では苦労

天田貞吉（あまた・さだよし）

明治三十三年　新潟県北蒲原郡新発田町に生まれる。本名貞吉（ていきち）。

同地の鉄工所で修業し、中浦村大字大伝に開業。

昭和六年　長岡市で開催された博覧会に出品。

九年　第十五回帝展に入選。

十年　山本五十六の佩刀を製作。

新作日本刀大共進会で最優等賞を受賞。

第一回新作日本刀展覧会で文部大臣賞を受賞。

十二年四月　死去。

したようです。刃文がどうしてできるか、理屈を知ってやってみても、土が落ちて丸焼けになってしまいます。土を究めなければ、刀はできないと痛感したわけです。さる刃物鍛冶がその秘伝を知っているらしいと聞いて、父は知人を介し、鍛冶屋を籠絡《ろうらく》して手がかりを得ようと、必死に策を練ったことがあったそうです。その話を私が聞いたときには既に父の一面を語る笑話《しょうわ》でしたが、独学で一番の難関は確かに焼入れだったろうと、現実感がありました。

日本刀学院を訪れる刃物鍛冶や地方の刀鍛冶の知りたいのが、一〇人が一〇人とも、焼刃土と焼入れの工程でした。どんな優れた技術を持っていようと、焼刃土の調合と土置き法がわからなくては、刀にならないからです。

実は私も戦後、焼刃土では苦労しました。この辺りの粘土は父も試したと思いますが、意図した焼刃になりません。日本刀鍛錬伝習所で使っていたのは、栗原先生の郷里に近い赤見や葛生《くずう》の土でした。しかし、その上があるはずだと思うと、今さら採りに行く気にはなれません。

思い余って、備前長船に今泉俊光さんを訪ねました。今泉さんは勝手な申し出にも快く応じてくださり、地元で一番いいという土を掘ってくださいました。それで試すと、今までの問題は一挙に解決しました。乱れ刃が焼けるようになった大きな要因の一つは、今泉さんが教えてくれた土

にあると、今も思っています。
焼刃土は、刀にとってそれほど重要な要素なのです。

＊

帝展入選で一躍脚光を浴びる

昭和六年九月に長岡―東京間の鉄道が全線開通になり、上越線と呼ばれるようになりますが、この折に長岡市では記念の博覧会が開かれています。この博覧会への出品が、父の初めての作品です。私は見ていませんが、刀ではなく大きな剣だったそうです。これが竹山道治《みちはる》さんという長岡のお医者さんの目に留まり、ご指導を願うところとなりました。

そのころ、長岡には新潟県内で唯一、刀剣会の組織があり、竹山さんはその会長でした。名刀も所蔵しておられ、中央の鑑定家・川口陟《のぼる》さんとも親しかったそうですから、鑑識力もかなりのものだったのでしょう。

昭和八年六月、川口さんを講師に招き、北越新報社を会場にして県下初の刀剣鑑定会が催されました。父は会場整理の手伝いに行き、そこで初めて川口さんに会います。父は「鑑定家というお方に初めてお目にかかりましたが、眼力の鋭さに恐れ入りました」と、知人に感想を述べています。よほど強烈な印象だったのでしょう。その川口さんが「田舎の鍛冶屋にしては器用で腕がいい。この際、後援会をつくって奨励頒布《はんぷ》をやってみてはどうか」と竹山さんに提案されたことが、大きな転機でした。

早速、後援会が設けられ、作品の頒布規則が決まります。並製が一振五〇円、上製が一〇〇円で、別に研ぎ・白鞘・鎺《はばき》が二〇円から三五円であったといいますから、駆け出しの刀鍛冶にしては高価なものでした。

ただし、並製と上製の区別がどこにあったのか、わかりません。並製は裁断用としては不向きである、としています。同じ刀を作る以上、鍛錬に手を抜くとは考えられず、あるいは貴重な玉鋼を鍛える上製に対して、古鉄などを材料に使うのが並製であったのかもしれません。

頒布の告知は当時、県下で最も発行部数の多い『北越新報』に掲載されました。反響は大きく、一〇振ほどの依頼が続いたそうです。しかし、上製の注文は一点もなく、並製ばかりでした。

そのうちに、長岡の予備軍医・下田重蔵さんの希望で、刀は並製でよいが、遺骨になって帰還したときに恥ずかしくないようにと、最上の研ぎを依頼されました。この刀だけは、東京・目白の学習院の隣で開業し、竹山さんの蔵刀の手入れに時折訪れていた研師の深谷末吉さんの手を経ました。

昭和九年、栗原彦三郎先生の建議が国会を通過し、日本

左から母タマキ・妹久子・今井貞六さん・次弟昭策・末弟貞夫・筆者・父。昭和11年。

刀が帝展への参加を認められます。このとき父は、川口さんから出品を強く勧められます。父も気張って取り組みましたが、期すところのものはできませんでした。締め切りまでの期間が短かったといいます。後年、新潟日報社社長に就き、刀剣協会長岡支部長も務められた渡辺淳一郎さんは「またとない機会だから、ぜひ出品すべきだ」と言い、急きょ作品選定に当たります。選ばれたのが、前記の下田さんの注文打ちでした。

　渡辺さんは締め切り前日の夜行列車で上京し、翌日、上野の帝室博物館に出向いて出品の手続きに取りかかりました。そのとき、たくさんの刀を載せたリヤカーを引いて、一団がやってきたそうです。その中に、写真で見覚えのある栗原先生がいました。栗原先生は父の刀を手に取り、「地鉄は気に入らないが、姿の良さと焼入れの技巧に見るべきものがあるから、必ず入選するであろう」と、感想を言われたそうです。その言葉通り、一四振の一点に入選したことをラジオで聞いた渡辺さんらは、雀躍《じゃくやく》したと言っていました。父の帝展入選作は「並製」であったのです。

　それまでわずかに県内で知られるにすぎなかった父は、思わぬ栄誉で、全国の刀剣関係者の間で一挙に知られるところとなります。このときから急死するまでの二年余りが、父の短い絶頂期でした。

＊

山本元帥の軍刀

帝展から間もない大晦日《おおみそか》に、父の後援会の事務を担当されていた渡辺さんを、勤務先の北越新報社に高野季八さんが訪ねてこられました。高野さんは長岡市内に歯科医を開業する方で、山本五十六《いそろく》元帥の実兄です。姓が異なるのは、元帥が海軍大学校在学中に、廃絶していた長岡藩家老山本帯刀《たてわき》家を相続したためです。高野さんが言うには、弟がロンドンから帰って墓参に来る折、刀を贈りたいとのことでした。当時、山本さんは日本代表の任に就き、第二次ロンドン軍縮会議の予備交渉に当たっておられました。

私の父は「貞吉《さだよし》」と銘し、本名も同じに書きますが「ていきち」と読みます。たまたまご兄弟のお父さんが同名であったので、帝展に入選した地元の刀工に軍刀を作らせようと思い立たれたようです。

注文は一〇〇円の「上製」であったそうです。お話を承り、父はすぐに準備にかかりました。中直刃《ちゅうすぐは》と互《ぐ》の目乱《めみだ》れの二振を鍛え上げ、いずれにも「越後國住天田貞吉　昭和拾年三月」と銘を切り、研ぎを阿部福松さん、鞘を高田金太郎さん（お二人とも新発田住）にお願いして、約束の三月末に届けました。高野さんは「海軍だから波静かの方がよかろう」と、中直刃を選ばれました。影打ちとなった互の目乱れの方は渡辺さんに引き取られ、七〇年近く経た今も現存しますが、選ばれたもう一振は山本元帥と運命を共にすることになります。

山本さんは昭和十一年十二月、海軍次官に任ぜられます。わが国は当時、独・伊との同盟に傾斜しつつありましたが、山本さんは日本存立、世界平和のため、独・伊とは同盟すべきでないと強く主張されていました。これに対する反発から脅迫状が舞い込み、国賊扱いする新聞記事もあったほどです。

日米開戦時に駐米大使であった野村吉三郎海軍大将は、そのころを次のように回顧しています。「或る日山本次官の部屋に入ったら、新しく制定された様式の軍刀が彼の後にデーンと据《すわ》っている。『オイ偉い業物《わざもの》だなあ』と言ったら、山本はニコッと笑って『ハアー暗殺にやって来る無礼者が有りましたら、何人でも切って切って切り捲《まく》り徹底的にやっつけます』と呵々《かか》大笑しておった、どこまで肝っ玉の太い男かわからぬ」と。その刀が、父貞吉作でした。

後に山本さんは、覚悟の程を「述志」（遺書）にしたためておられます。

一死君国に報ずるは素より武人の本懐のみ、豈《あに》戦場と銃後とを問はんや。勇戦奮闘戦場の華と散らんは易し。誰か至誠一貫俗論を排し斃《たお》れて已《や》むの難きを知ら

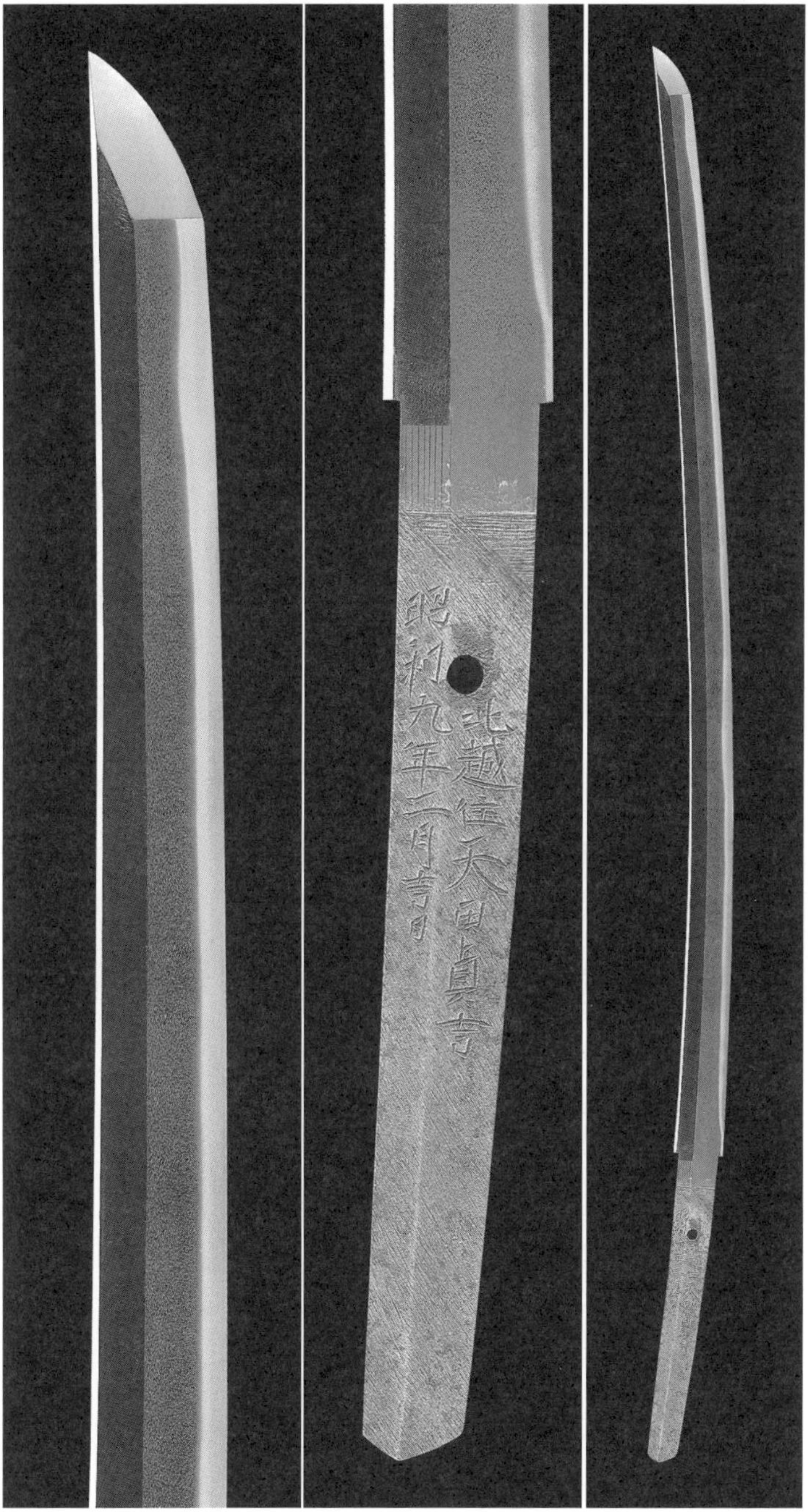

刀　銘　北越住天田貞吉　昭和九年二月吉日
應御子柴廉也氏需造之

現存する父の作品は大概見ているはずだが、この地鉄には正直驚いた。巧まずして大坂新刀に共通する雰囲気が現れている。なお、銘は太刀銘ではない。注文者に敬意を表して指し裏に銘を切っているのである。

む。高遠なる哉君恩、悠久なるかな皇国。思はざる可からず君国百年の計。一身の栄辱生死、豈論ずる閑あらんや。語に曰く、丹可磨而不可奪其色、蘭可燔而不可滅其香と。此身滅す可し、此志奪ふ可からず。

昭和十四年五月三十一日

於海軍次官々舎　山本五十六（花押）

この年、山本さんは連合艦隊司令長官に補され、やがて志と違って米・英との開戦の陣頭に立つこととなります。十六年十二月八日、「皇国の興廃、繫《かか》って此征戦に在り。粉骨砕身各員其任を完うせよ」の命令を発し、ハワイ真珠湾攻撃に向かうのはご承知の通りです。

十八年四月十八日、山本長官は前線の将兵の士気高揚のため各基地訪問の途上、ブーゲンビル島上空で米軍機に撃墜され、五十九歳の生涯を閉じます。報告書によれば、軍刀を左手で握り、これに右手を添え、きれいな状態で息絶えていたとあります。遺品には、鞘に二弾、柄に一弾命中の跡があったそうです。

軍刀の行方は戦後、関心を持つ方たちによって、手を尽くして捜索されました。長岡の生家から進駐軍によって接収され、米国に持ち去られたのではないかと噂されたこともありました。しかし、ご遺族の話によれば、海軍省の要請で同省の保管庫に預けおいたところ、二十年五月二十五日の空襲の際に直撃弾が命中、建物とともに灰燼《かいじん》に帰したとのことです。山本元帥の散華《さんげ》とともに、刀の命脈は尽きていたのかもしれません。

私の父は山本元帥の死に先立ち、ちょうど六年前の十二年四月二十一日に三十七歳で亡くなりました。風邪をこじらせ、肺炎を併発しての、あっけない最期でした。

＊

短かった作刀人生

元帥の刀を打ち上げて間もない十年の六月三日、栗原先生の肝いりで刀鍛冶の世界で初の全国組織、大日本刀匠協会が発足します。丸ビルで開催された発会式の記念写真を見ますと、若い父が得意然と最前列に写っています。栗原先生が記すには、父は真っ先に駆けつけて会のために奔走し、また、このときから親しく語るようになったとありますが、あるいは初めてお目にかかったのかもしれません。この折に併催された新作日本刀大共進会で、父は最優等賞を受賞しました。

大日本刀匠協会が主催し、文部省の後援を得て新作日本刀展覧会が開かれるのは、この秋からです。父は一刀を鍛えて、栗原先生の元に送りました。その辺の経緯を、先生は次のように記します。

君も富裕でなく、亦余の富裕ならざるをも知る君は、可成低廉の研をと言ふて来たが、余が君が折角努力した刀の価値を充分に現さんことを念願して、平井千葉先生に念入りの研を頼んだ。研ぎ上げて見ると真に古刀にも勝れる出来だ。当時の審査委員の一人たる平井先生先づ舌を巻き、本阿彌猛夫君次《つい》で驚嘆の声を発し、山本審査委員長を始め三矢先生、本間先生、武富先生等の各名誉審査委員も、福島先生、本阿彌光遜先生其他の各審査委員孰《いず》れも嘆称せざる者は無かつた。果然此の刀は同展覧会に於て文部大臣賞受領の筆頭たるの大名誉を担ふた。

過分な評価とは思いますが、事実、受賞したのは最高賞でした。出品に当たって、秋元家伝来二字国俊の太刀を参考に提供していただいたり、研ぎの労を執っていただいたりしたことから、父はこの刀を栗原先生に贈りました。日本刀鍛錬伝習所に最後まで収蔵されており、私もしばしば手に取って見たものです。その都度、亡き父が「これぐらいの刀は作れるようになれよ」と励ましてくれているようでした。

父の作刀人生は短く、刀がようやく光を浴びようとする矢先の突然の途絶でしたが、やりたいことをやれたということでは実に幸せでした。そもそも独学で刀作りに挑むなど、この上もなく無謀です。それでも水準以上になし遂げたということは、根底に鉄と刀に対する厳しい構えがあったことをうかがわせます。親子という関係をおいて、一人の刀鍛冶として見たとき、頭が下がります。

しかし、幼かった私は何ら教わることがありませんでした。せいぜい吹子を吹くのを手伝った一瞬の記憶ぐらいです。魚釣りについていったり、凧を揚げて遊んでもらったり、いたずらをして土佐犬の犬舎に入れられそうになったりと、思い出すのは断片的な日常だけです。

父の死後、母は残された三男一女を育て上げました。気丈であったのは境遇のせいか、先天的な質《たち》かわかりませんが、私も後々、刀作りに関して叱咤《しった》されたものです。その母も平成七年（一九九五）一月、九十歳の天寿を全うし、父の元へと旅立ちました。

＊

栗原先生の来訪

父の死から二年後の十四年五月十一日に墓参に見えられたときのことを、栗原先生ご自身が『日本刀及日本趣味』六月号に「東京より新発田まで」と題して書かれています。私の入門のきっかけとなったときでもあり、最後に写真とともにご紹介します。

（前略）列車が小千谷《おぢや》町を過ぐる頃は野にも山にも谷にも雲は見へず、一面新緑に蔽《おお》はれ、晩春の景色快心

昭和14年５月11日、墓参に来られた栗原先生と新発田の三光寺にて。左から親戚・今井貞六さん・母・栗原先生・筆者・長谷川泰蔵先生・上村貞清さん（前）・佐藤清勝さん。

の限りである。午後一時過ぎ列車は愈々《いよいよ》新発田に着いた。駅には天田未亡人が天田第二世と幼児を連れ、天田氏の妹、刀匠今井貞六君を始め天田一門の人々及多年天田君を後援し、克《よ》く当代刀匠の第一人者たらしめた天田国工の大恩人、北越屈指の愛刀家長谷川先生が出迎へられ、自動車を連ねて直ちに天田君が永久に眠る新発田の名刹《めいさつ》三光寺に向かつた。

　天田未亡人は、若き天才刀匠、癇癖《かんぺき》が強く、貧乏で大酒をたしなんだ夫にかしずいて、如何なる困難も色に出さず唯《ただ》一心に夫を鍛刀に精進せしめ、将来の希望を楽しんで長い間涙ぐましき奮闘を続け、其間に四人の母として子女の愛育に力《つと》めた人、流石《さすが》に長い間の悪戦苦闘に多少の面やつれは見ゆるが、今尚四人の子女を抱いて貧乏世帯を張り、更に第二の天田を作り出さんと力むる負けじ魂がありあり見へて頼母《たのも》しく、天田第二世も国工天田に劣らず元気に満ちた面魂の持主である。余は幼女を背負ひ子等の手を引いて出迎へて呉れた未亡人や第二世を見て、目頭の熱くなるを禁じ得なかった。

　三光寺に到れば法要中であったので暫時方丈で休息し、法要の終るを待ちて来意を告げ、天田君のために供養追善を依頼し、やがて御堂に招ぜられ、形の如き法要を済し、一同と共に天田君の墓に詣で心行くばかりに天田君を弔ふた。天田家祖先の塋域《えいいき》は広く、祖父母父母の墓を始め古きは既に苔《こけ》蒸して荘厳を極めて居るが、天田君の石碑はまだ工事中で出来て居らぬ。

香華《こうげ》の供へらる、を待つて余は恭《うやうや》しく墓前に立つた。十分、二十分、三十分、静かに瞑目を続くれば万感胸に満ち暗涙自から流れて襟《えり》を沾《ぬら》すを禁じ得ぬものがある。尚心を鎮めて墓前に立ち尽せば、君が有し日の姿は其儘《そのまま》彷彿として我が両眼にあり、彼が言はんと欲する処はビシビシと余が頭脳に響いて来る。行年未だ不惑に到らず、剣界掣覇《せいは》の壮志を抱きつ、空しく長逝した不世出の名刀匠天田貞吉君の精霊が余の心魂に告げ、全く無我の境に入りて墓前に直立する我が胸《きょう》臆《おく》に訴ふる処は縷々《るる》として尽きない。四十分、五十分、一時間、漸《ようや》く吾に返りて目を開くれば、未亡人も第二世も、上村、今井の諸門弟も、親族も、長谷川国手も皆襟を沾し目を赤くせられて居た。

音もなく晩春の風に散り行く、コブシ、桜、梨の花は墓てふ墓を埋め心憎きばかり、多感な老刀匠の心をえぐるものがある。即ち一詩を口吟して墓前に捧ぐ、

忽然来弔越州涯　紛々落花埋墓碑
休憾宝刀伝萬世　留将毅魄護皇基

（中略）未亡人其他より明年小学校を卒業する天田第二世を引き取つて父に劣らぬ刀匠にすることを頼まれ喜んで快諾し、未亡人親族の人々と別れ、長谷川氏に伴はれて材半旅館に入り、持参の刀剣を示し、雑談剣談に時を移し晩餐《ばんさん》の馳走を受け、午後九時半の準急に乗つて、上村、佐藤両氏と共に帰途に就き、十二日午前六時上野駅に着いた。

あとがき

「鉄と日本刀」について、体験してきたことをまとめてはどうかと、親しい方々からお勧めをいただき、三、四年ほど前から執筆に取りかかってきました。始めてみますと、疑問に思うことや不確かな点が次々にわき上がって意外に手間取り、また当初の考えよりも紙数を要してしまいました。拙い中身に長々とお付き合い願いまして、誠に恐縮です。

あらためて来し方を振り返ってみますと、苦しい思いもありましたが、鉄に導かれ、日本刀に生かされ、人に支えられて生きてきた作刀人生であったと痛感します。心に決めた目標に到達せずに刀鍛冶を卒業するわけにはいきませんが、いずれ若い方たちに引き継いでいかなくてはならないでしょう。後に続く方たちは、どうか私たちを踏み越えて、日本刀の新境地を切り開いていってほしいと念願します。

日本刀の将来は、予断を許すものではありません。現代刀は今や新々刀の水準に並び、新刀に迫っていると評価してくださる方もいます。しかし、新々刀期は短かったとはいえ、大変な蓄積を残した時代です。現状に甘んじていると、新々刀のような広がりもなく、古刀の再現はおろか、新々刀の亜流の域にとどまりかねません。不断の精進が求められる所以です。皆さま方にも、この時代に伝世の国宝・重要文化財と肩を並べる作品が少数ならず出現するよう、厳しく、また温かく見守っていただきたいと存じます。

常に刀という偏狭な視点から「鉄」を見ているために、本書でやや幅広く取り扱うに当たっては、本文で記す以外にも識者のご意見や最近の文献を数多く参考にさせていただきました。また、多くの方々のお力添えと励ましをいただきました。刊行に際しまして、厚くお礼申し上げます。

平成十六年春吉日　於・豊月山鍛刀所　　天田 昭次

〈解題〉「永遠の究道者」天田昭次さんのこと

土子　民夫

天田昭次さんとの最初のやりとりは、昭和四十五年の夏ごろであったと思う。そのころ、私は駆け出しの編集者として、現代刀匠の銘鑑の編集に携わっていた。「師匠の栗原彦三郎を取り上げてもらえませんか」――職場にかかった天田さんの電話で、栗原師の名も初めて知った。

この年、現代刀に大きな変化が現れた。文化財保護委員会から製作承認を受けた者は累計で三〇〇人を超え、新作名刀展の入選者数も前年比の三割増に近い一三四を記録した。これは、昭和四十年前後からの日本刀ブームとも呼ぶべき活況が、現代刀をも押し上げたことを物語っている。

現代刀匠たちを支援したいという某愛刀家の篤志にあずかって形を見たこの本は、追い風にも恵まれ、割合によく売れた。「本を見た方たちから刀の注文があり、おかげで冷蔵庫が買えました」と礼を言われ、面食らったことがある。本書と続刊を読んで、作刀を志した例もあると聞く。今手に取って見ると、誠に拙い作りであるが、その後の現代刀の振興にいくらか役立ったとすれば、冥利に尽きる。

しかし、銘鑑では栗原師の日本刀復興への貢献に関して若干は触れたけれども、作者として紹介する約束は果たせなかった。作刀再開のめどがついて間もない昭和二十九年五月に七十五歳で没し、戦後の刀匠の要件である製作承認を得るには至らなかったのだが、これが理由ではない。同じ条件であっても、堀井俊秀や柴田果《か》、笠間繁継らは取り上げている。作品が見つからなかったのである。

否、少し努力をすれば、作品に出合うことは可能であった。残念ながら、新人編集者は評価する能力に乏しく、熱意にも欠けていた。こうして、栗原彦三郎という現代刀史の偉大な道標を、何気なく行き過ぎてしまったのである。

その後、現代刀を取り上げる度に、私の中で栗原師の存在が次第に現実味を帯びてきた。道の半ばで忘れ物に気づいたとき、探しに戻らなくてはと、胸の内がジリジリ突き上げてくるような感覚にしばしばとらわれた。

隅谷正峯さんから「今のうちに資料を集めておかないと、現代刀の歴史が全くわからなくなってしまう」と言われたのは、昭和五十年代の半ば、つまり銘鑑完成からおよそ一〇年後と記憶する。現代刀の歩みは、明治初年の廃刀令とその後の二度の廃滅状態から「昭和の刀狩り」による、二度の廃滅状態から伝統を復興伝統を復興させてきた、その過程にほかならない。すなわち、この時代を生きた栗原彦三郎その人を明らかにすることと、表裏をなしている。私の中で二人の刀匠の言葉が重ね合わさって、探究すべきテーマが見えたと思われた。

平成九年春、まとめに入っていた私の著書の一部を構成する目的で、天田さんに詳細な取材をお願いした。その折、あらためて修業時代のこと、恩師のこと、往時の刀匠たちのことなどを伺った。栗原彦三郎師と日本刀復興の道筋をたどる作業は、事実上この日にスタートした。そして同十二年九月、『日本刀を二度蘇らせた男―栗原彦三郎昭秀全記録』（栗原彦三郎伝記刊行会編）は完成した。

天田さんとの約束は三〇年を経て、ようやく果たせたということになろうか。

＊

天田さんが栗原師の主宰する日本刀鍛錬伝習所に入所するのは、昭和十五年春である。しかし、このとき刀鍛冶の修業を開始したとするのは正確でなく、小学校を出たばかりの十二歳の少年に与えられる役割はもっぱら栗原家の下回りであった。この前後の栗原家の内情を知る方によれば、年少の内弟子にとっては相当厳しいものがあったらしい。まして、居場所は鍛錬所でない。要らぬ苦労も多かったのではなかったかと推測する。

言うまでもなく、天田さんの父君・貞吉さんは刀匠である。刃物鍛冶でありながら独学で刀作りを始め、昭和九年の第十五回帝展で一四振中の一振に入選、翌年の第一回新作日本刀展覧会では最高賞の文部大臣賞を受賞するなど、復興期に彗星のごとく登場し、十二年四月、三十七歳で夭逝された。

その貞吉さんが健在であったとしても、子息に仕事を後継させることはなかったであろうという。すると、現在の刀匠・天田昭次は存在しないことになる。父が亡くなったことで、墓参に訪れた栗原師と出会い、その後の人生を決するわけである。仮に運命という筋書きがあるとすれば、それは何と予測を超えたものであろう。

修業中の天田さんを支えたのは、「父の名を辱めてはならない」「父のような刀鍛冶になりたい」という強い気持ちであった。

天田さんの修業は、十七歳の半ばで終止符が打たれる。正味で言えば、三年に満たない期間かもしれない。戦争が熾烈さを加えるにつれて相弟子はいなくなり、終戦後は独り、焼け落ちた赤坂の栗原邸と伝習所、それに神奈川県・

座間の日本刀学院を整理する作業に忙殺された。

弟子が師匠を敬い、感謝の念を抱き続けるのは当然であるが、天田さんの場合はひときわそれが強い。没して四十数年後に伝記刊行会を発起したのも天田さんである。皮相な見方をすれば、師から技術的に指導される機会はまれであったろうし、刀鍛冶として大成する目標からみると、置かれた環境は必ずしも望むものではない。それでも師匠を敬愛してやまないのは、何故であろうか――。

推察するところ、赤坂時代の六年間が多感な少年期であったことが深く関係していると思われる。刀以外の事柄について直接・間接に薫陶を受け、刀についても期せずして幅広い見方を教えられる。刀匠・天田昭次である以前に、栗原彦三郎とその日本刀鍛錬伝習所という「孵卵器《ふらんき》」で、人間・天田誠一は温められたのである。

＊

作刀のきわめてまれな明治・大正期はやむを得ないとしても、急速な復興を遂げた昭和の二〇年間に対してさえ、これまで日本刀社会の関心はほとんど向けられなかった。その理由の最大のものは、戦後が美術刀剣の時代であるのに対し、戦前は一律に「軍刀の時代」と見なされてきたことであろう。

あの時代に、悪名高い「昭和刀」も含めて大量の軍刀が製造され、戦場で実際に使用されたのは否定できない事実である。大戦中、わが国が最後まで前近代的な武器に固執したところに、戦後の日本刀の悲劇の基もあった。

しかし、それだけではない。今こそ、あの時代と日本刀の実像を正確にとらえる作業がなされなくてはならない。その中で、栗原彦三郎師の再評価も行われるべきであろう。

八年の空白期間をおいて作刀が制度として再開される際に、栗原師が挙げた功績は大きい。それ以前に、講和記念刀が製作を許されたときの活躍も特筆に値する。その折、刀匠たちがどのような歓喜に浸ったかは、本文に詳しい。

＊

昭和二十九年の第一回作刀技術発表会に、天田さんは応募九三名（入選五二点）中の第八位で優秀賞を受賞した。第二回展には出品を辞退したが、第三回・第四回と連続して優秀賞を射止め、あたかも天田貞吉の再来を彷彿とさせる昭和生まれの青年刀匠の登場であった。

しかし、天田さんの心は満たされない。称賛してくれる人は少なくないが、冷静に自作を見れば、目標とする古刀の名品の足元にも及ばない。根本の原因はどこにあるのだろうか。鍛冶の技術か、鍛錬・焼入れの方法か。それも無関係とは言わないが、「鉄」が違うように思えてならない。現代刀の地鉄は新々刀のそれとも違うし、新刀は新々刀とも違う。古刀とこれらとの相違は、なお画然としている。

時代をさかのぼるほど地鉄が優れるということは、日本刀の不思議の最たるものである。一般には、近世以降の大形鑪で吹いた「玉鋼」が、優良な和鋼の代名詞になっている。その玉鋼を鍛えるからこそ、「折れず、曲がらず、よく切れる」日本刀たり得るのである。天田さんはこの常識を疑い、玉鋼から離れることを決意する。

それにしても、自ら素材作りに踏み出すには大きな飛躍が要る。第一に、製鉄と作刀は全く別の仕事であり、鉱石採集から製錬、精錬（鍛冶）、作品完成までを一貫して行った刀匠は刀剣史上、おそらく皆無である。第二に、鉧押しや銑押しのような技法がわずかに伝承されるだけで、中世以前の製鉄法は当時ほとんど明らかにされていなかった。「自家製鉄」という言葉は天田さん以後の造語である。

無謀を承知の上で、なぜ始めたのか、天田さんに問うのは愚問というものであろう。「若かったんですなあ」。確かに若い。三十歳になるか、ならぬかである。しかし、それは理由ではない。刀を究めていくうちに、確かめなくては納得がいかない、作家としてのどうしようもない衝動に突き動かされたということかもしれない。それは、損得や、苦楽や、評判などといった世間の尺度とは無縁の価値である。端的に言えば、「やりたいから」「やらなくてはならないから」やるのである。本書に、日本刀も鉄も「魔力」を持つ生き物と記すくだりがあるが、そこに作家の魂が月蝕のように投影する瞬間があったのかもしれない。

天田さんは、協力者の弟・貞夫さんとともに、来る日も来る日も吹子を押していた。しかし、期待していた鉄はできない。その揚げ句、病に倒れ、以後一〇年近い闘病生活を余儀なくされる。

最初は長男である天田さんが九歳のとき、当主の死という悲劇が一家を襲った。次に敗戦で刀鍛冶への夢は無惨に打ち砕かれ、やむなく農鍛冶に転身して家族を養ってきたのだった。病は三度目の、そして最大の危機であった。

*

天田さんが再起を果たしたのは、昭和四十三年である。月岡の温泉街を一望する現在地に住居と鍛錬所、製鉄所を移転し、堰を切ったかのような研究・製作が始まる。

既に蓄積は十分にあった。昭和二十年代から工藤治人博士との交流が始まり、久我春《はじめ》氏や佐藤真三博士を介したチタニウムの研究があり、出雲の小田川兼三郎氏からは大鍛冶屋の技術（左下《さげ》法）を伝授されていた。刃物の製品検査に関連して、鉄の金属学的分析も心得ていた。昭和三十四年、創立二年目の「たたら研究会」に入会するのも、早くから鉄の研究者とのネットワークがあったことを物語っている。蓄積があったからこそ、物理的な空白期間を乗り越えられたのである。

闘病の年月を天田さんは自ら「人生の大学」と称しているが、蓄えた知識や経験はこのとき熟成し、真に自身のものとなっていったのであろう。また、深く豊かな人間性は、この時代に陶冶されていった。

この年の第四回新作名刀展で奨励賞を受賞した作品は見ていないが、第六回展名誉会長賞受賞作は写真撮影の際に立ち会っている。今、資料を見ると、よく地沸のついて美しく詰んだ地鉄を鍛え、互の目に丁子の交じる刃を焼いて、源清麿を強く意識した作とわかる。

思えば、私が天田さんと電話で話したのは、名誉会長賞の受賞直後ということになる。確か、所用で上京した折に、気にかかっていた師匠のことを連絡していただいたのである。このころ、天田さんは研究上の必要からひんぱんに人に会い、全国各地を訪れている。そして帰宅しては作刀に実験を試み、新しい知見を鑪操業へと応用している。

あらためてその当時を伺ってみると、考えられることはすべて実行に移したと言って、過言ではない。いくつかは本文に詳しく記されている。恐れ入った次第である。

昭和四十年代後半の作刀界には、にわかに自家製鉄（鋼）ブームとも言うべき状況が到来した。日本刀の評価の急激な高まりの中で、玉鋼が払底を来しつつあり、刀匠の増加傾向を見ても、材料の確保は喫緊の課題であった。玉鋼の生産再開が望めないとすれば、自家製鉄は問題解決の現実的な方法に思われた。加えて、自家製鉄に成功すれば、頭打ちになってきた作品の水準を突破できる、あるいは古刀の再現も可能かもしれないと、大きな期待が寄せられた。

有志による研究会もたびたび開かれ、次第に鉄作りは普及していく。この道の先駆者である天田さんが、指導者として果たした役割は大きい。

四十七年、財団法人日本美術刀剣保存協会に薫山賞が発足し、その第一回が自家製鉄の研究と指導の功績により、天田さんと隅谷さんの両人に授与された。この年には、新作名刀展の無鑑査にも認定されている。

＊

鉄にまつわる天田さんのエピソードは数多いが、次に紹介するのもその一つである。かつて小著で触れたこともあるが、あらためて取り上げてみたい。

昭和五十一年当時、共同通信社から各紙に配信になり、一連の記事は『教育ってなんだ』（斎藤茂男編著・太郎次郎社刊）下巻にも収録されたので、ご記憶の方もおられるかと思う。

四十九年の八月初旬、天田さんは一人の婦人の訪問を受ける。東京・調布市立野川小学校に勤務する久津見宣子《のぶこ》先生、昭和一けた生まれのベテラン教師である。久津見先生は、校庭で子どもたちに鉄を作らせてみたい、そのために鉄作りの方法を教えてもらいたいと、はるばるやってきたのである。

久津見先生が天田さんのことを知ったのは前月、「社会科の授業を創る会」の学習会で、講師の窪田蔵郎氏から、古来の鑪製鉄を手がけながら日本刀を製作する刀匠として名前を聞かされたときだった。何人かの製鉄研究者のうち、天田さんが特に詳しく紹介されたわけではなかったが、久津見先生にはなぜか印象が深く、いつか会ってみたいと思い、ノートに「新潟・月岡温泉 天田昭次氏」と記した。

間もなく、知人から地方紙のコラムを見せられる。それは、新横綱北の湖の太刀を天田さんが作ったというものである。後援者二人が一年前の関脇時代に、「横綱になったら太刀を贈ろう」と天田さんに製作を依頼してあり、初場所で初優勝し大関に昇進したところで急ぎ仕事が開始され、夏場所一三勝で横綱を確実にしたころ、タイミング良く作品が完成したのである。

久津見先生は、自宅の庭先に築いたというタタラ炉を見せてもらえたら、鉄を作るというイメージが少しは自分でとらえられるかもしれないと思った。どうしてもこの夏休みに訪問したくなり、記事の住所を手がかりに天田さんに電話をした。

「ただ今は仕事を休みにしておりますが（注・夏季は火を使う作業はしない）、炉は手作りのものが据えてあります。よろしかったら、どうぞお出かけください」。

久津見先生の手記「天田昭次さんから学んだこと」（『授業を創る』第一号）は、次のように始まる。

……小さな駅のホームには、百日草が色鮮やかに咲きほこっていた。ひっそりとうす暗い待合室をぬけると、真夏日にかわいた道が、まっすぐにのびている。初めて降りたった町、というばかりでなく、自分がこれから初対面の人をたずねる唐突な訪問者であることに、多少の気おくれがあったが、駅前の掲示板で月岡温泉への道をたしかめて、私は歩きはじめた。

久津見先生と天田さんとの出会いには、単なる偶然では片付けられないものが感じられる。漠然とではあるが、八年越しで鉄作りを念じ描く人によって、突然、一片の情報が輝きを帯び、引き寄せられていったのである。その指し示す真っ直ぐの彼方には、鉄と日本刀の道を営々として歩み続け、筆舌に尽くし難い苦難も体験し、それゆえに他者の思いが理解できる人がいた。

地球が誕生した約五〇億年前から太古代・古生代・中生

代を経て初めて人間が出現する新生代までに、地球上にはどんな生物が生まれ、活躍し、滅びていったか、そして人類はどのようにして地球上の主人公となり、どうやって現代の社会を築くに至ったのか——久津見先生は担任の五年生の社会科を、壮大な大河ドラマとして生徒たちに手応えを味わわせながら教えていた。「狩りと採集の時代」には石器を作り、ドングリを食べる体験をさせ、続く「農業・牧畜の時代」では土器を焼き、機《はた》を織り、校庭の一角を開墾して水田を作り、稲作を実践させてもいた。次の時代を理解する上で、「鉄」の実習は欠かせないと思った。

　鉄の発明は人類史上、きわめて重大な出来事である。硬い鉄を用いて道具や武具が作られるようになると、生産力は飛躍的に高まり、生活は向上し、ひいては鉄が最も大規模の共同体である国家の成立をも促す役割まで果たしてゆく。鉄器は石器や青銅器を駆逐し、世界の隅々にまで普及する。鉄は今なお広い分野で使われており、われわれはまだ「鉄の時代《アイアン・エージ》」を通り過ぎてはいない。

*

　話を聞くうちに、あのかたの教育に打ち込む情熱といいますか、真剣な態度に心を打たれましてねえ。これはぜひとも子どもたちの鉄づくりを成功させて、この人の願いをかなえさせてやりたい、と思ったわけです。「やる気になればできますよ」と言ってあげると、目を輝かせてましてね、そりゃあ、じつに熱心に私の説明を聞かれて、克明にメモされておりました。私は子どもに古代の鉄づくりを連想させることができるようにと思いまして、砂鉄とフイゴを使う日本のもっとも古い製鉄法を教えることにしました。そうとう下調べしてあるらしく、質問が鋭かったですなあ（『教育ってなんだ』）。

「やる気になればできますよ」という言葉に勇気を得て帰ってきた久津見先生は、その後、ある大手製鉄会社を訪ね、原料である砂鉄を分けてほしいと頼んでみる。しかし、そこの技術部長は「炉を築いて鉄を作るなんて、絶対と言ってよいくらい無理ですよ」と、話に乗ってくれない。教育的見地から、各地で小形鑪の公開操業が盛行するようになるのは、しばらく後である。

　そして、二学期が始まり、先生は登校する。

玄関を入ると、冷蔵庫ほどもある大きな鉄道便の荷物が届いていた。用務員さんが「先生のだよ」と言うので荷札を返すと、天田さんからである。始業式の後、急いで荷ほどきをすると、中から使い込んで黒光りするフイゴや送風管、粉炭、砂鉄などが現れた。

　翌日、追いかけるように天田さんからの手紙が届いた。

砂鉄は島根県産の最も還元の良いもので、クラッシャーでさらに細かくしてあること、それをペレットにする方法、道具類の使用法、注意事項などが図解入りで詳しく書かれていた。前出の「天田昭次さんから学んだこと」には、巻紙に毛筆でしたためられた全文が、宝物のように掲げられている。末尾近くに「私などが現場に参ることはそちらの目的に反するかと思いますので参りませんが、もし私の手が入用でしたらご遠慮なくお申し出下され度く……」と、配慮も示される。

天田さんは初めて会った久津見先生の、「子どもたちに伝えたい」という熱意を真正面から受け止めたのだった。「学んだこと」には、あくまで子どもにわかりやすく、ためになるようにとの気持ちがこもる、ときどきの天田さんの言葉を記録している。

「子どもたちを海浜などに連れてまいり、砂鉄採取の作業をさせてみるのもよいのでございましょう」。

「砂鉄は団子（ペレット）にしなくても、バラのままで十分に還元されます。でも、教材として一通りのことを子どもにやらせてみることが望ましいと存じます。薬研で砂鉄や木炭を粉砕させて、その苦労を自分のものとして感じ取ることなどが大切かと思います」。

「生活の道具としての鉄を、子どもたちにとらえさせられたら素晴らしいことです。製鉄と鍛冶と両方をぜひ体験させるよう願っております。赤めて叩きますと、その場で、自分の目で変化がわかりますから、きっと喜びますでしょう」。

久津見先生と天田さんの間で、一カ月ばかりの間に十数通の手紙が行き交ったという。早朝や夜の電話で細かい点を確認することもしばしばだった。あるとき、炉床の状況の次第によっては、炉が爆発する恐れがあるということを聞いた久津見先生は、驚き、うろたえ、不安になって、天田さんに連絡した。

天田さんは「知ることが多くなると、恐れも多くなるものです」と前置きして、構想通りのやり方をすれば爆発の心配はないことを説明し、そのほか細かい質問にも答えた後で、きっぱりと言ったという。

「できるだけ早く、鉄の取り出しまでいかれるのがよろしいです。あの砂鉄は、鉄になろうと待っています」。

久津見先生は、自分の不安な心境をお見通しの上の励ましだと思った。その後も、恐れや焦りに襲われるたびにこの言葉を思い出し、もう後には引けない、と自らに言い聞かせた。

そのうちに、私はこの言葉にもう一つの味わいがあることに気がついた。ペレット作りで布袋から砂鉄を取り出してみたときのことである。袋の中の砂鉄は、ひんやりと静まって、掌に載せるとしっとりと重かった。黒々とした艶も見事な出雲砂鉄を眺めているうちに、私はふと、砂鉄と天田さんのことを思った。選りすぐった砂鉄粒を、手製の炉で鋼に変え、さらには日本刀に仕上げていく一貫した手仕事にかかわるご自分の相手として、天田さんはこの砂鉄に信頼と愛着を持たれているのだろう。「鉄になろうと待っています」という言葉は、その心も併せ持つものではなかったろうか（「学んだこと」）。

九月中旬のある日、久津見先生たちは炉の工事に取りかかった。完成までに二週間を要した。子どもたちは並行してペレット作りを続けていた。そして、十月九日、火入れ。

操業開始から五時間後、午後二時すぎにペレット投入をやめ、鉄棒と金ばさみを使って、炉を壊しにかかった。上からレンガの壁を取り除いていき、六段目のレンガが壊された瞬間、まっ赤な火の塊がドサッと校庭にころがりでた。「ワァーッ」と声があがる。塊は外気に触れると、たちまち濃い灰色に変わり、やがて黒ずんだ。

その塊を子どもが鉄棒やスコップでころがしたときだ。かすかに金属の音がした。強くたたく。黒い塊は、カン、カン、と透明な音をたてた。

「あ、ブランコの音！」

「ほんとだ、ブランコとおなじだ」

鉄がとれた、鉄になったんだ、と子どもたちはかわるがわる、その塊をたたいた。（『教育ってなんだ』）

久津見先生と子どもたちの鉄作りはその後も続けられていった。二回目に取り組む前に、天田さんは「初めてのときは、ひとまずやってみることが大事でしたが、今度は、前回よりもうまくいくようにしなければならないでしょう」と言い、羽口の構造を変えて操業することを提案した。いつまでも同じ段階にとどまらないよう、新しい試みを示し、それを達成すると、次はもう一歩進んだ技術で、といった具合に導いていったのである。そして、ペレットから砂鉄の直接投入に変え、できた鉧を急冷する水鋼作りに進み、課題はやがて道具の鍛造に及ぶ。

「新しいことを試みると、また先が見えてきます。鉄は、誠に面白いものです」。至言である。

三〇年前、ブランコの音を聞いた子どもたちは、今どうしているだろうか。ときには思い出して、同じ年ごろになったそれぞれの子どもに話すこともあるのだろうか。

＊

天田さんはこれまで、自ら鉄を作り、作品としてきたことを、ことさらに主張してはこなかった。製作の経緯を切った銘文も見ていない。それは、日本刀の世界が昔から、結果しか問わなかったことを重々承知しているからである。万が一、折れてしまったら、悲惨な結果をもたらす。銘は、刀鍛冶が責任の所在と、使い手と命運を共にする覚悟を表すだけで十分であった。美術性を第一の価値とする現代においても、共通するものがある。人と異なる作り方を選び、完成までにいかに苦労を重ねたとしても、それは作品の評価とは無関係だからである。

それにしても、鉄作りは労の多い仕業である。一時はあれほど盛んに試みられた自家製錬が、日刀保たたらの開始とともに潮の引くように消えていったのは、期待した実りに遠く及ばなかったからにほかならない。現在、天田さん以外に鉄と刀を仕事の両輪とする一握りの刀鍛冶は、ほとんどが「自家製鋼時代」以降の世代である。

自己主張はせずとも、誰もに「鉄の天田」と知られてはいたが、世間にようやく本領が認められたのは昭和五十二年、第十三回新作名刀展で正宗賞を獲得した作品である。正宗賞は審査員がこぞって推したときにのみ授けられる同展の最高賞で、数年に一度しか授賞作を出していない。

作風は、鎌倉期の太刀姿に範を取り、地鉄は小板目よく詰み、地沸がついて潤いがあり、刃文小沸出来の中直刃、刃中に小足・葉入るというものである。特に地鉄の精美さ、物打ちから切先にかけての焼刃の流れの力強さは、まさに古名刀の雰囲気を伝えている。

さらに六十年の第二十一回展でも再度の正宗賞を受賞するが、これは前作の風情とはうって変わり、並行して深い研鑽があったことを思わせた。すなわち、相州上工を狙って大板目肌に乱れ刃を焼き、新作刀に類を見ない古調を破綻なく表現している。しかも、沸匂深く、地刃ともによく働いて、地沸・地景・金筋などの見どころが多い。

この作風を異にする二作によって、天田さんは名刀に結びつく鉄のあり方を示したと言える。あえて内幕を推理するなら、前者はごく古い時代を想定した炉で小鉄塊に製し、丹念にスラグを排除してまとめ上げたのであろう。後者は、良質の蜂目銑を左下《さげ》にかけ、折り返し鍛錬回数を思い切って少なく、ザックリと仕上げている。それでいて疵がないのは、柔軟な鋼の素質と鍛錬技術の賜物である。

小板目肌詰んで地沸厚くつく精良な地鉄、大板目肌で地中よく働く味わい深い地鉄、それに直刃と乱れ刃……。鉄を徹底的に追究した境地に生まれたこの二様の地鉄を、昭和六十二年当時、研究家の大野正氏は「天田地鉄《あまたじがね》」と呼んだ。ちなみに、隅谷正峯さんが開発した、ふくよかでリズミカルな刃文を「隅谷丁子」と命名したのもこの人である。

＊

ところで、天田さんは無鑑査作品として翌年の展覧会に突如、本格的な丁子乱れを出品した。「突如」と感じられたのは、筆者だけではあるまい。実は以前の作品にも丁子を焼いているが、初期には直刃に定評があり、正宗賞の二作の印象が強かったので、天田さんと備前伝がすぐには結びつかなかったのである。

この数年前から、作刀界には若手の台頭が著しく、中でも備前伝を得意とする刀鍛冶が目立ち、最も華やかな丁子刃は愛刀家に支持され、全盛の様相を見せ始めていた。いつであったか、天田さんが「直刃ぐらいしか焼けないと思われるのも、作者としては不本意ですから」と自嘲気味に言うのを冗談として聞いたことがあったが、ひそかに研究を重ねておられたのである。

平成八年、新作刀展覧会（平成四年に新作名刀展から改称）で天田さんの備前伝は、三度目の正宗賞を受賞した。

先の直刃にしても、手法はかつてと全く同じというのではない。例えば、自製の鉧を鍛える以外に、銑を流し、その処理を異にする素材を地鉄とする。反射炉式の脱炭精錬によれば、肌理《きめ》も色合いも通常の鋼とは格段の相違である。

相州伝については、現在、正宗賞受賞作製作時の鍛法は踏襲していないと言えるかもしれない。当時、あの作風は画期的であった。「二つの柱があれば、安泰」と好意的に言う人もいたが、天田さんは現状に甘んじていない。刀鍛冶は生涯現役でなければならないと自認し、より高い目標に挑み続けている。最近、天田さんの相州伝は一段と変貌を遂げた。本書のカバーに掲げたものがその一つである。

＊

本書は、天田さんの人生と、ほとんどその全体を占める作刀の蘊蓄《うんちく》を傾けて著された。読ませていただくと、直ちに、言葉の一つひとつが血のにじむような経験に裏打ちされていることに気づく。ここまで真実を吐露することは、何人にとっても容易ではない。

刀鍛冶の本格的著作で知られるのは、新々刀のリーダー・水心子正秀の一連の書であるが、彼を嚆矢とし、以後これといったものはない。天田昭次著『鉄と日本刀』は、主に戦後という日本刀にとっては特異な時代を背景にするが、将来の日本刀のあり方にも深くかかわる意味を持っている。わが国の歴史や文化の根幹のテーマと言ってもよい。

編集者という仕事柄、できるだけ読者の便宜を図りたいと構成に配慮したつもりであるが、解説の中には蛇足も紛れたかもしれない。著者の真意を正しく伝えられない個所があったとしたら、それは筆者の責である。

（刀剣ジャーナリスト）

天田昭次（あまた・あきつぐ） 略　譜

本　名　天田誠一
現住所　〒959-2334 新潟県新発田市月岡402－5

昭和2年8月4日	天田貞吉の長男として北蒲原郡本田村本田（新発田市）に出生
15年3月	上京し、日本刀鍛錬伝習所（所長・栗原彦三郎昭秀）に入門
27年	講和記念刀を製作
	伊勢神宮式年遷宮御神宝大刀製作に宮入昭平の助手として奉仕
29年6月8日	文化財保護委員会より製作承認を受ける
30年	第1回作刀技術発表会に出品、優秀賞を受賞
32年	第3回作刀技術発表会に出品、優秀賞を受賞
33年	第4回作刀技術発表会に出品、優秀賞を受賞
34年	現状の作刀に疑問を感じ、自家製鉄の本格的研究を開始
35年	闘病生活に入る
43年	快復して作刀を再開。現在地に自宅・鍛刀所・製鉄所を移転
	自家製鉄による作品を第4回新作名刀展に出品、奨励賞を受賞
44年	第5回新作名刀展に出品、奨励賞を受賞
45年	第6回新作名刀展に出品、名誉会長賞を受賞
46年	第7回新作名刀展に出品、奨励賞を受賞
47年	第8回新作名刀展に出品、奨励賞を受賞。同展無鑑査に認定される
	新潟日報文化賞を受賞
	小形製鉄炉の研究で財団法人日本美術刀剣保存協会より第1回薫山賞を受賞
48年	伊勢神宮式年遷宮御神宝大刀を製作奉仕
	第9回新作名刀展に無鑑査出品。以後現在まで無鑑査出品
	地元真木山遺跡の発掘・調査に際して指導と助言に当たる
49年	新横綱北の湖の土俵入りの太刀を製作
50年	新作名刀展審査員に任命される。以後現在まで審査員を務める
51年	長谷川熊彦・芹沢正雄両氏と「自然通風炉による古代製鉄法復元実験」を共同研究、『鉄と鋼』に成果を発表
52年	第13回新作名刀展に無鑑査出品、正宗賞を受賞
	全日本刀匠会副理事長に就任
53年3月14日	豊浦町無形文化財保持者に認定される
3月30日	新潟県無形文化財保持者に指定される
60年	第21回新作名刀展に無鑑査出品、正宗賞を受賞
61年11月	新潟大和にて「天田昭次作品展」を開催
62年10月	第1回新作短刀小品展（小刀の部）に出品、特選となる
同月	日本橋三越本店にて「天田昭次作刀展」を開催
63年	文化庁主催美術刀剣刀匠技術保存研修会講師に任命される
平成2年	全日本刀匠会理事長に就任
4年	伊勢神宮式年遷宮御神宝大刀を製作奉仕
7年	全日本刀匠会理事長を退任し、顧問に就任
	財団法人日本美術刀剣保存協会理事に就任
8年	新作刀展覧会に無鑑査出品、正宗賞を受賞
9年5月23日	重要無形文化財保持者（人間国宝）に認定される
8月24日	豊浦町名誉町民の称号と町民章を授与される
11年11月	勲四等旭日小綬章を受章
15年7月	新発田市名誉市民の称号を贈られる

鉄と日本刀

二〇〇四年六月二十一日　第一刷
二〇〇四年九月　十　日　第二刷
二〇〇五年三月二十八日　第三刷
二〇一三年八月　三　日　第四刷

著者　天《あま》田《た》昭《あき》次《つぐ》
〈解説・解題〉土《つち》子《こ》民《たみ》夫《お》

発行　慶友社
〒一〇一―〇〇五一
東京都千代田区神田神保町二―四八
電話　〇三―三二六一―一三六一
FAX　〇三―三二六一―一三六九
組版／富士デザイン
印刷／クオリティ・コム
製本／協栄製本
装幀＝中村泰充

ISBN4-87449-235-5 C1072